La France des notables

1. L'évolution générale
1815-1848

Avant-propos

La vie des Français après 1815 ne se déroule pas à un même rythme qu'orchestrerait Paris. La lenteur des relations géographiques explique la persistance d'une originalité provinciale; celle-ci réapparaît d'autant plus avec les Bourbons qu'elle s'appuie sur des traditions historiques en un temps où la tradition s'impose comme la première valeur monarchique. L'espace dans lequel se meut la vie quotidienne de la plupart des Français reste très limité et son élargissement sous la monarchie censitaire en rapport avec le développement assez lent et inégal des communications se situe plus à une échelle régionale que nationale.

Les historiens de la Restauration et de la monarchie de Juillet se sont surtout intéressés à la vie parlementaire et aux luttes idéologiques des partis; l'État et le gouvernement étaient ainsi placés au centre même de la vie de la nation. Ce point de vue « parisien » s'explique par des causes diverses : apparente tranquillité de la province, croyance en une unification rapide par la centralisation napoléonienne, anticipation sur les effets uniformisateurs des transformations industrielles qui _____ bourgeoise » dont l'analyse sociologique demeure encore sommaire.

Les provinces n'ont plus d'existence administrative mais les grandes cités, moins disproportionnées par rapport à Paris qu'elles n'allaient le devenir, sont l'âme des régions qu'elles influencent.

A travers cette diversité, la monarchie censitaire apparaît à la fois comme une période de stabilité et comme une période d'innovation. Période de stabilité en comparaison des bouleversements de l'époque précédente, en raison aussi du maintien de la paix et de la persistance d'une structure sociale qui freine la mobilité sociale, et qui correspond à la direction des notables; stabilité enfin, parce que, en dépit de l'usage ou même des progrès de la centralisation, elle correspond à une faible autonomie de l'État par rapport aux classes dirigeantes. Période d'innovation aussi ; qu'il s'agisse de l'effervescence intellectuelle, dont les théories politiques libérales ou traditionnelles sous la Restauration, les socialismes utopiques ensuite, sont des manifestations, des nouvelles expressions littéraires ou artistiques avec le romantisme sous ses différentes formes ; qu'il s'agisse des nouveaux fondements de la vie politique, moins dus à la Charte de 1814 qu'aux conditions de son application, aboutissant après 1830 à une mise en place des grandes lignes du régime parlementaire ; qu'il s'agisse de la formation et du développement de la presse politique et de la force de l'opinion publique ou des changements de mentalité (au moins dans une minorité réduite numériquement mais agissante), à la fois cause et conséquence de transformations économiques correspondant au démarrage de la « révolution industrielle », même si ce dernier terme semble mal correspondre à la réalité française ; qu'il s'agisse enfin du fossé qui se creuse entre bourgeoisie et classe ouvrière, même si ces deux groupes ne représentent encore que des minorités dans une France à dominante rurale.

Cette confrontation entre stabilité et innovation (plus complexe que la dualité résistance-mouvement ou conservation-progrès) peut être saisie dans l'évolution nationale mais surtout dans un cadre plus régional. D'abord parce que la France juxtapose des économies régionales qui n'évoluent pas au même rythme ; ensuite parce que les éléments de transformation accentuent les inégalités régionales en raison des timidités de l'arbitrage étatique, au nom même des principes latents du libéralisme. Cette double considération explique la place que nous avons donnée à la vie régionale française ; de nombreux travaux récents permettent de tracer une histoire des régions et pas seulement une histoire en fonction de Paris. C'est pourquoi nous avons songé à présenter, après un premier tome réservé au point de vue national, un second tome consacré à une étude de la France provinciale dans la période que M. Ernest Labrousse a appelée « la fin de l'ancien régime économique ».

généraux, comblés de richesses et d'honneurs, anoblis, abandonnaient l'empereur vaincu, non seulement pour sauver leurs biens, mais aussi pour tenter de conserver une armée.

Ces grands notables militaires retrouvaient ainsi les réactions des notables de l'ordre civil. Pour effectuer la réconciliation nationale, instaurer au mieux l'ordre dans la nation et l'efficacité d'un régime centralisé, Napoléon avait largement utilisé l'ancienne aristocratie à côté des parvenus de la Révolution. Généraux ou préfets d'ancienne noblesse l'avaient d'ailleurs fidèlement servi tant qu'il avait été heureux. Mais ils ne reniaient pas les solidarités familiales — quand ce n'était celle avec leur propre jeunesse — qui les liaient à l'armée de l'ancienne France ou à celle de Condé, aux magistrats des vieilles cours, aux officiers de jadis. Quant à la noblesse de fonction créée sous l'Empire, son désarroi lui faisait craindre un réveil néo-jacobin et elle était prête à accepter une restauration qui tolérerait des fortunes de biens nationaux, des passés d'ex-moines ou d'anciens meneurs de clubs. Certes la continuation de la dynastie napoléonienne eût pour eux été préférable, mais celle-ci paraissait mal enracinée et, l'exemple anglais le montrait, les formes constitutionnelles pouvaient accorder une vieille dynastie et une élite issue de classes nouvelles.

Le courant d'opinion en faveur du roi était donc le fait dans quelques régions de forces populaires; ailleurs, il était plus résigné qu'enthousiaste. C'était un accord précaire qui devait inévitablement se dissoudre en contradictions dès que la crise serait terminée.

Tant que les succès et les revers de la campagne de France avaient alterné, ce courant ne s'était guère manifesté : la prudence et l'attentisme s'imposaient. Le comte d'Artois, venu par la Suisse, s'était avancé à Vesoul puis à Nancy, à l'abri des troupes alliées, sans pouvoir grouper un parti. Ses fils n'avaient pas eu plus de succès : Angoulême s'était morfondu à Saint-Jean-de-Luz depuis le 2 janvier et Berry avait attendu à Jersey le déclenchement de l'insurrection de l'Ouest. La crainte d'un accord de dernière heure entre les alliés et Napoléon paralysait la bonne volonté de beaucoup de fonctionnaires.

Cependant des sociétés secrètes royalistes comme l'Institut philanthropique avaient traversé la période impériale; surtout, fondée en 1810 à l'initiative de Ferdinand de Bertier, une nouvelle société, les Chevaliers de la foi, groupés en bannières de recrutement aristocratique, rassemblaient des royalistes et des catholiques irréductibles. L'état-major de cette société avait compris qu'il fallait donner sur un point du territoire l'exemple d'un ralliement éclatant aux Bourbons; son choix se porta sur Bordeaux.

Le grand port était, ainsi que le vignoble, ruiné par le blocus et le mécontentement travaillait toutes les classes sociales. C'était un Bordelais, l'avocat Laîné, qui, au mois de décembre précédent, avait été au corps législatif l'organe des opposants. On put décider Wellington à détacher deux divisions pour occuper la ville. Elles y entraient le 12 mars, tandis que le maire Lynch faisait prendre la cocarde blanche à la garde nationale. Quelques heures plus tard, le duc d'Angoulême, accueilli avec enthousiasme, formait une sorte de gouvernement provisoire. L'élan gagna une partie du Midi et Toulouse se ralliait le 12 avril.

L'affaire de Bordeaux, sans être peut-être décisive, balança, pour les alliés, l'impression causée par la résistance des populations de l'Est.

Le jeu des alliés.

Parallèlement à la guerre, ceux-ci avaient mené de longues négociations avec Napoléon. Elles n'avaient été rompues que le 19 mars. Peu importe qu'à ces entretiens de Châtillon, les alliés, divisés et fluctuants, aient été de bonne ou de mauvaise foi. Napoléon rejetait tout traité qui lui aurait laissé à gouverner une France plus petite que celle de Brumaire. Son intransigeance contribua à faire conclure à ses ennemis le pacte de Chaumont, par lequel ils s'engageaient à ne pas faire de paix séparée.

Napoléon pensait que, s'il était forcé d'abdiquer, l'Empereur d'Autriche pourrait imposer la régence de sa « fille chérie »; mais la nullité de Marie-Louise pouvait faire craindre aux puissances son inféodation à l'Autriche, et à l'Autriche qu'elle ne tombât sous le joug des napoléonides, avec Napoléon « écoutant à la porte » comme disait Talleyrand ou même la franchissant de nouveau.

Le tsar, en ce qui le concernait, aurait préféré une solution Berna-dotte, mais dut se rendre compte que celui-ci n'avait pas de parti consistant et que sa présence à la tête d'une armée de la coalition amenuisait ses chances; une solution Orléans n'était ni mûre ni encouragée par le futur Louis-Philippe. Bref, on en revenait aux Bourbons, en dépit de la mauvaise opinion d'Alexandre sur leur capacité.

Les Anglais pensaient, eux, que c'était la solution la meilleure. Mais ils ne voulaient pas se compromettre pour les rétablir et Castlereagh ne s'intéressait en apparence qu'à l'union des alliés et à la part de l'Angleterre après la victoire. Il laissait faire la force des choses, et Wellington, chaud partisan des Bourbons, s'inclinait devant ses instructions. On fut donc d'accord pour sonder les désirs des Français.

Talleyrand et le gouvernement provisoire.

Un interlocuteur s'offrait au tsar dès son arrivée à Paris. Membre du conseil de régence, Talleyrand aurait dû gagner les bords de la Loire, mais s'était fait refouler vers son hôtel de la rue Saint-Florentin, lorsqu'il avait feint de vouloir franchir la barrière des Champs-Élysées. Alexandre accepta son hospitalité. Les deux hommes se connaissaient bien depuis leurs entretiens d'Erfurt où l'ancien ministre de Napoléon avait trahi son maître. La vacance du pouvoir créée par le départ du conseil de régence laissait la voie libre à Talleyrand : sur son initiative le Sénat conservateur nomma, le 1er avril, un gouvernement provisoire où lui étaient adjoints ses amis Beurnonville, Jaucourt et Dalberg, et l'abbé de Montesquiou, ancien constituant et agent royaliste. Le lendemain, le Sénat préparait une constitution d'esprit libéral dont on imposerait les clauses au nouveau pouvoir.

Talleyrand semble avoir envisagé la formation d'un nouveau conseil de régence, dont il eût été le président, très peu de temps encore avant l'arrivée d'Alexandre à Paris. Cela ne l'avait pas empêché de s'aboucher avec les royalistes. Le 6 mars, son âme damnée, Dalberg, avait envoyé le royaliste Vitrolles au quartier général allié, mais sans mission officielle. Vitrolles avait assuré que Talleyrand désirait les Bourbons « du fond du cœur », puis était allé à Nancy mettre au courant le comte d'Artois, mission au retour de laquelle il fut fait prisonnier. Cependant le siège de

Talleyrand était fait et il préconisa la solution royaliste près du tsar, contrariant les efforts de Caulaincourt qui, au nom de Napoléon, faisait une dernière tentative en faveur du roi de Rome.

Les négociations de Caulaincourt perdirent leur dernière chance d'aboutir avec ce qu'on a appelé abusivement la « trahison » de Marmont. Le 6e corps que celui-ci commandait couvrait l'empereur entre Paris et Fontainebleau. Marmont, rallié au gouvernement provisoire, conclut un armistice avec Schwarzenberg ; il obtint d'en suspendre les effets pendant les pourparlers de Caulaincourt et du tsar, auxquels il s'associa. Mais, en son absence, ses lieutenants exécutèrent le mouvement vers Versailles et la Normandie prévu par l'armistice, mettant Napoléon à la merci des alliés.

Talleyrand pouvait donc intriguer librement. De son entresol, où il réunissait le gouvernement provisoire, il contrôlait l'activité du tsar et du gouvernement russe à l'étage supérieur. Il entendait d'ailleurs entraîner dans son ralliement aux Bourbons l'essentiel du personnel impérial et obtenir du nouveau roi des garanties pour les idées et les hommes de la Révolution. La constitution adoptée à l'unanimité par le Sénat dans sa séance du 6 avril et votée le lendemain par le corps législatif, qui renfermait ces garanties, devrait être acceptée par le souverain avant qu'il ne montât sur le trône.

Il y avait là une ambiguïté : c'est au nom de la légitimité qu'on faisait appel à l'héritier de Louis XVI et, en même temps, on tentait de lui imposer un contrat préalable. Lors de son arrivée à Paris le 12 avril, le comte d'Artois, promu lieutenant général du royaume par son frère, fit reconnaître ses pouvoirs sans prêter serment au projet de constitution. Du bredouillement ému, par lequel il avait répondu à l'accueil des autorités, Talleyrand tira la formule : « Rien n'est changé en France, sinon qu'il y a un Français de plus », qui semblait promettre les gages attendus.

Néanmoins le courant légitimiste emportait ces ruses : l'entrée du roi à Paris (3 mai) déchaîna un enthousiasme de la population dont l'ampleur surprit adversaires et amis. La province dans son ensemble marqua aussi vivement son adhésion. Seule l'armée gardait la nostalgie de l'empereur ; la substitution du drapeau blanc au drapeau tricolore provoqua quelques mutineries. Cette opposition des deux drapeaux apparaissait déjà comme le symbole de la lutte de deux France inconciliables.

Louis XVIII et son entourage.

De fait, l'accueil de la nation voilait à peine les difficultés de l'avenir. Il aurait fallu une imagination vive et créatrice pour redresser et unir ce peuple divisé; mais c'est par un étrange abus que la Restauration va se réclamer du précédent d'Henri IV.

Issu par sa mère, à laquelle il ressemblait, de la dynastie saxonne, personne n'évoquait moins le Vert Galant que l'obèse Louis XVIII, âgé alors de cinquante-neuf ans, incapable de marcher ou de tenir à cheval. Très tôt, le peuple l'appela le « gros cochon »; par contre, ceux qui pouvaient l'approcher demeuraient frappés de sa dignité naturelle. Mais ministres et courtisans connaissaient sa sécheresse de cœur, son absence de naturel et de franchise, son attachement égoïste à ses aises ou à la bonne chère, son besoin d'un favori, dépositaire de ses confidences et destinataire de petits billets sentimentaux ou précieux.

Son passé témoignait du peu d'attrait que l'homme pouvait inspirer. Au temps de Louis XVI, le comte de Provence avait sournoisement conspiré. Ayant émigré au moment de Varennes, il avait mené l'existence d'un prince errant expulsé, selon les vicissitudes de la politique et de la guerre, des asiles successifs où il s'était réfugié : Vérone, diverses villes allemandes, Mittau; en 1809, il s'était enfin fixé en Angleterre dans le modeste château d'Hartwell. A la mort de l'orphelin du Temple en juin 1795, il avait pris le titre de roi de France. A tous les revers de la fortune, il avait opposé une impassibilité qui avait sa grandeur et, le cas échéant, un courage physique inattendu. Ce sceptique, sans fermes convictions religieuses, ne doutait du droit divin des rois ni de la prééminence de la race capétienne.

Dès sa jeunesse, il s'était posé en intellectuel. Il avait pour les lettres le goût d'un bel esprit à la mémoire meublée de citations latines, capable de commettre de petits vers, de distiller une anecdote érudite ou grivoise. Mais, en exil, il n'avait guère travaillé à connaître les transformations et les besoins de la France. Prématurément vieilli, son esprit paresseux s'en remettra à ses ministres pour régler les difficultés du gouvernement. Il tenait d'instinct à l'Ancien Régime, ne concevait pas la fonction royale hors de l'étiquette. Mais, à la cour ou hors de la cour, il jouait fort bien son rôle de souverain représentatif : acteur et mime, mais sachant dire le mot juste pour séduire ou blâmer, prononçant de sa belle voix les discours du trône mesurés qu'il écrivait lui-même dans un style châtié.

A cela cependant ne se bornaient point ses mérites : il sentait les difficultés de la Restauration et dans les conjonctures sérieuses où, secouant son indolence, il lui fallut trancher, se montra le plus souvent lucide et prudent. Aussi, certains historiens ont pu magnifier sa sagesse d'arbitre. Retenons le jugement plus modéré de Guizot : « Il avait, comme roi, de grandes qualités négatives ou expectantes, peu de qualités actives et efficaces. »

De deux ans son cadet, le comte d'Artois est incontestablement plus médiocre. Les nostalgiques de la vieille France s'exaltèrent pour ce svelte cavalier à cheveux blancs, ce gentilhomme affable, généreux, bienveillant, en qui ils virent un vrai roi-chevalier, avec les vertus que ce titre supposait au temps du romantisme naissant. Le comte d'Artois a suscité l'enthousiasme de fidèles dévoués à sa personne, s'est entouré d'émigrés intransigeants, ce qui lui a valu le soupçon de son aîné de vouloir être chef d'une opposition ultraroyaliste. En fait, il oscillait entre l'indignation que lui causaient des mesures trop libérales et un respect presque craintif de son aîné. Pendant les années d'exil, il avait eu sa politique personnelle et il avait lancé ses agents dans de folles équipées, tout en se gardant bien de paraître lui-même à l'armée des princes ou en Vendée. A cela près qu'il était devenu dévot après une jeunesse dissipée, il demeurait un vieil enfant gâté, superficiel, entêté, parfois d'un machiavélisme puéril. Moins sot que ne l'a voulu la tradition libérale, mais décidé à lutter, sans but précis, contre ce qui lui paraît une dégradation du pouvoir royal et capable de prendre les décisions les plus légères et de s'y accrocher avec l'obstination des caractères faibles et des consciences pures. Au total un honnête homme, peu fait pour régner.

Veuf comme son frère, le comte d'Artois a deux fils. L'aîné, le duc d'Angoulême, chétif, impuissant, bourré de tics, se présente comme un pantin bredouillant. Il émeut parfois par sa bonne volonté, sa simplicité, son courage; mais on ne l'imagine guère en souverain. Il a épousé sa cousine Marie-Thérèse, fille de Louis XVI,

« l'orpheline du Temple ». Ceux qui l'ont approchée lui prêtent de hautes vertus. Mais, cette énergique virago, dépourvue des grâces de son sexe, a l'art de se rendre impopulaire par son mépris pour tout ce qui rappelle la Révolution ou l'Empire ; pour la bourgeoisie du temps, elle demeure « Madame la Rancune ». Le cadet, le duc de Berry, contraste avec son aîné par sa solidité vulgaire. Sur lui seul repose l'avenir des Bourbons. On espère aussi qu'il rendra la monarchie populaire auprès des masses ou de l'armée. Malheureusement son absence de jugement, sa jactance, ses colères absurdes, font très vite de lui plus un embarras qu'un secours. Poignardé par Louvel, il mourra avec un courage digne, qui est le premier grand service qu'il rendit à la monarchie.

2. L'organisation du régime : la Charte

L'organisation du régime respira la hâte. Louis XVIII, en dépit des instances du tsar, se refusa à accepter la constitution sénatoriale. Mais, par la déclaration de Saint-Ouen, promulguée la veille de son entrée à Paris, il promit de doter la France d'un régime représentatif.

En attendant, il forma un ministère en mêlant aux membres du gouvernement provisoire des royalistes plus « purs », assemblage hétérogène avec des hommes finis (Malouet à la Marine), médiocres (Blacas, favori en titre, à la Maison du roi) ou impopulaires (Dupont, le vaincu de Baylen, à la Guerre). Il n'y avait pas de président du Conseil et aucun ministre n'était capable de donner des directives d'ensemble : Talleyrand aux affaires étrangères, homme de cour et d'expédient, ne l'aurait guère pu, la méfiance du roi le lui eût-elle permis et n'eût-il été obligé de partir au congrès de Vienne ; l'abbé de Montesquiou, à l'Intérieur, lui aussi grand seigneur d'Ancien Régime, intelligent et honnête, était mobile et indolent. Les ministres, vite divisés en clans, prirent l'habitude de tenir le conseil pour une formalité et de soumettre les affaires de leur département directement à la signature du roi. D'ailleurs le Chancelier Dambray tentait de ranimer les formes de l'ancien

Conseil royal : le Conseil des ministres aurait pris place entre un Conseil d'en haut et un Conseil privé, créé par transformation du Conseil d'État impérial. Tout cela échoua parce que incompatible aussi bien avec la centralisation napoléonienne qu'avec un régime représentatif.

Cependant les souverains désiraient qu'avant leur départ fussent fixées et les frontières de la France et ses institutions.

Talleyrand négocia le traité de Paris du 30 mai avec les quatre grands alliés. La France se trouvait réduite à ses frontières de 1792 qui lui assuraient, il est vrai, une population supérieure à celle de 1789. L'accroissement par rapport à cette date était réalisé, par des avancées du tracé frontalier vers la Belgique (Philippeville, Marienbourg), au nord de la Lorraine et l'Alsace (Sarrebruck), surtout vers les Alpes avec l'annexion de la plus grande partie de la Savoie, mais aussi par la suppression d'enclaves : celle, pontificale d'Avignon et du Comtat, celle, prussienne de Montbéliard, et par l'annexion de la république de Mulhouse. Par contre l'Angleterre gardait deux de nos Antilles, Tabago et Sainte-Lucie, et dans l'océan Indien l'île de France (la future île Maurice) et nous rendions à l'Espagne la partie de Saint-Domingue acquise au traité de Bâle. La France ne versait aucune indemnité de guerre, ne subissait aucune occupation militaire et devait être représentée au congrès de Vienne qui referait la carte de l'Europe.

On ne peut reprocher à Talleyrand de n'avoir pu mieux faire : sa seule arme était la bonne volonté du tsar qui voulait ménager la France, mais qui restait lié à ses alliés de Chaumont. Ayant obtenu quelques adoucissements à leurs prétentions, Alexandre crut avoir fait acte de générosité. Cependant l'abandon des frontières « naturelles » parut bientôt à l'opinion une infamie. Ce mythe, né pendant la Révolution, devait encore parcourir une carrière séculaire, alimentant la sensibilité nationale et la rhétorique libérale.

Les souverains quittant Paris le 5 juin, il fallut se hâter d'élaborer la Constitution pour la promulguer le 4.

Après des hésitations, on donna à cet acte le nom de « charte ». Le roi, à son retour, ayant réussi à sauvegarder le principe de légitimité, des institutions libérales ne pouvaient qu'être octroyées par la volonté royale. Dans le texte de la Charte, deux faits

renouaient, avec une netteté particulière, « la chaîne des temps » :
la date de la dix-neuvième année du règne qui sembla une négation
de la France révolutionnaire et impériale; le préambule où la
plume facile de Beugnot avait fait « de l'ancien » et situé ce texte à
la suite de toutes les concessions faites par la monarchie depuis
Louis le Gros. La négation de la souveraineté nationale par la
Charte devait devenir un thème favori des déclamations libérales.

L'ensemble de la Charte avait été discuté en quatre séances par
une commission mixte choisie par le roi, de membres du Sénat
et du corps législatif, et de trois commissaires royaux, Montesquiou, Ferrand, Beugnot. Montesquiou en apporta l'avant-
projet dont les grandes lignes demeurèrent. Les points controver-
sés furent surtout les rapports de l'Église et de l'État, la liberté
de la presse, le vote des chambres, les biens nationaux, thèmes
qu'on retrouve au cours de toute l'histoire du régime. Les 79 articles
du texte définitif reflètent certaines influences anglaises, mais aussi
des idées des « monarchiens » de la Constituante de 1789 :

1. Sans proclamer solennellement les droits de l'homme, la
Charte reconnaît les principes fondamentaux de liberté, d'égalité,
de propriété (y compris pour les biens nationaux); l'indépendance
des juges, le jury, la suppression des juridictions d'exception
garantissent les droits des individus. Cependant on prévoyait que
la liberté de la presse pourrait être restreinte par des lois afin
d'en « réprimer les abus ».

La liberté religieuse est assurée par la protection de l'État sur
les différents cultes. Mais, au contraire du Concordat de 1801,
la Charte proclamait la religion catholique, religion d'État.

2. Il n'y a pas de séparation explicite des pouvoirs; le roi, chef
de l'exécutif, participe largement au pouvoir législatif, car il a
à la fois l'initiative et la promulgation des lois.

3. Les Chambres sont au nombre de deux : la Chambre des pairs
nommée par le roi (ses membres furent ensuite reconnus héré-
ditaires); la Chambre des députés des départements, qu'après
quelques incertitudes on décida de faire élire librement. Le rôle
des Chambres est essentiellement de voter les lois, en particulier
le budget, sans droit d'amendement. Mais on reconnut aussi aux
Chambres le droit de discuter des pétitions, d'émettre des vœux
ou de supplier le roi de présenter un projet de loi.

4. Le roi, inviolable et irresponsable, est assisté de ministres. Ceux-ci, qui ont accès aux Chambres et peuvent en être membres, ne sont responsables que pénalement pour trahison ou concussion : ils peuvent être mis en accusation par les députés et jugés par les pairs.

5. Le corps électoral chargé d'élire la Chambre des députés est étroitement censitaire : pour être électeur il faut avoir 30 ans et payer 300 F d'impôts; pour être éligible, avoir 40 ans et payer 1 000 F d'impôts. Ainsi les notables participent seuls à la vie publique.

Le régime ainsi fondé présentait bien des incertitudes. Le double souci de ne pas trop affaiblir le pouvoir royal et de consulter la nation y était visible. En désaccord avec le pouvoir exécutif, la Chambre pouvait refuser le budget et il y avait là le germe d'un régime parlementaire. Par contre un paragraphe de l'article 14 permettait au roi de faire « les règlements et ordonnances nécessaires pour l'exécution des lois et pour la sûreté de l'État ». Les auteurs de la Charte avaient voulu simplement exprimer l'idée que les lois pouvaient être précisées par des ordonnances royales. Mais la rédaction pouvait laisser au souverain la possibilité d'user en cas de crise de pouvoirs exceptionnels.

3. La politique de la première Restauration

Sans programme défini, sans direction ferme, la première Restauration offre un mélange difficile à doser de bonne volonté libérale et de résurgences d'Ancien Régime. Les cadres de l'État demeurent largement ceux de l'Empire, mais ambassadeurs ou préfets, faute d'instructions claires, s'efforcent de deviner la pensée gouvernementale. C'est « l'anarchie paternelle ».

L'organisation des Chambres montre le désir de laisser le personnel impérial en place : sur 149 pairs, on nomme 103 sénateurs ou maréchaux de l'Empire et 46 grands seigneurs ou dignitaires ecclésiastiques; le corps législatif forme la première Chambre des députés et on prévoit son renouvellement annuel par cinquième.

L'épuration administrative a été modérée : 76 % du personnel est resté en place et s'il y a eu 43 nouveaux préfets, 29 proviennent de l'administration napoléonienne.

La chambre des députés discuta en toute liberté des affaires publiques. Les ministres durent défendre dans le détail leurs projets de loi.

L'un des problèmes les plus épineux fut celui de la presse dont la Charte a proclamé la liberté. Entre les adversaires de cette liberté et ceux qui la veulent totale, à l'instar de Benjamin Constant, qui publie alors d'étincelantes brochures, l'abbé de Montesquiou, conseillé par Royer-Collard et Guizot, choisit un moyen terme : la censure, qui n'a pas cessé de fonctionner, sera maintenue pour les écrits de moins de 20 feuilles d'impression (à l'exception des œuvres professionnelles des savants, hommes d'Église, avocats et députés); on soumet les journaux à une autorisation préalable; on astreint imprimeurs et libraires à obtenir un brevet. Cette loi passa de justesse après des débats très vifs, au cours desquels le gouvernement accepta d'en limiter strictement l'application dans le temps.

La politique financière du baron Louis.

La discussion du budget ou plutôt des deux budgets 1814 et 1815, revêtit une portée exceptionnelle. Le baron Louis, ministre des Finances, y mit la marque de sa forte personnalité : ancien conseiller clerc au parlement de Paris, émigré en Angleterre sous la Révolution, il devint sous l'Empire un des grands commis du ministère du Trésor. Il alliait les idées du XVIIIe et la pratique anglaise.

Il avait en juin 1814 de rudes difficultés à affronter : un déficit mal connu qu'il évalua à 759 millions; l'évanouissement d'une partie des recettes prévues pour 1814 par la perte des territoires et l'invasion; les promesses d'abolition des droits réunis faites par les princes.

Il posa que l'essentiel était de rétablir le crédit public (la rente 5 % était à 65 F). Il n'avait, pour 1814, qu'une liberté d'action limitée; mais, pour 1815, par une rigoureuse compression des dépenses (sacrifiant en particulier la marine), il en abaissa le chiffre à 547,7 millions tandis qu'il élevait celui des recettes à 618 en élevant les contributions indirectes.

Désireux de rembourser sans recours à l'emprunt, les dettes de l'État, Louis affecta à leur amortissement les excédents budgétaires, le produit de la vente des biens communaux décidée par une loi de 1813, et de 300 000 hectares de forêts (il s'agissait souvent de biens du clergé et cette vente ne pouvait que rassurer les acquéreurs de biens nationaux). En attendant la réalisation de ces ventes, les créanciers reçurent des obligations à 8 %, taux réel de l'intérêt de la rente.

Le budget de Louis sera bouleversé par les Cent-Jours. Pourtant il a fixé pour longtemps le principe qu'il importait avant tout de protéger le crédit de l'État, le cours de la rente étant le thermomètre de la santé financière de celui-ci. Cette politique de rigueur fiscale, de gestion probe et économe, assure l'indépendance de l'État vis-à-vis des banques. Mais, au-delà de la fiscalité, elle engageait la Restauration dans une voie assez dangereuse, même si l'on admet que certaines des difficultés qu'elle soulève étaient inévitables. Elle comportait une déflation brutale des cadres de l'armée et de certaines administrations, créant ainsi une classe de mécontents, tels les demi-solde. Elle privait la France pacifiée de l'incitation économique que constituent les grands travaux publics financés par l'emprunt. Par ailleurs, l'absorption des centimes additionnels par l'État enlevait aux collectivités locales des moyens de gestion efficace, sapant ainsi toute tentative de décentralisation. Enfin le baron Louis avait systématiquement conservé les impôts de la Révolution et de l'Empire. Mais, si la contribution foncière, mal répartie d'ailleurs entre les départements (les anciens pays d'États restant privilégiés), était lourde, les propriétaires avaient des moyens de défense à la Chambre. Le maintien sans réforme profonde de contributions indirectes, dont le taux dépassait parfois la valeur de la marchandise imposée, était grave : elles atteignaient des denrées de consommation courante, vin ou sel, pesaient donc surtout sur les classes pauvres, et la Restauration renonçait par là à se rendre populaire.

Il est vrai que, par maladresse, elle s'aliénait aussi en partie les classes supérieures et l'armée.

La liste civile royale avait été fixée pour l'ensemble du règne à 25 millions, auxquels s'ajoutaient 8 millions pour les princes. Cette somme, inférieure aux allocations que s'octroyaient les napoléonides, grevée de charges lourdes par l'entretien des châteaux et domaines royaux (dont certains, Versailles par exemple, étaient restés longtemps à l'abandon) et des manufactures royales, permettait cependant d'organiser aux Tuileries une cour fastueuse autour du souverain.

Louis XVIII rétablit les services et l'étiquette d'avant 1789. On revit des écuyers cavalcadours et des pousse-fauteuils, et aussi les titulaires survivants des charges à Versailles, blanchis ou goutteux. Mais on ne put restaurer l'esprit de l'ancienne Cour. Les princes, à l'exception du roi, dont les infirmités amenuisaient l'action, étaient peu sensibles aux plaisirs de l'esprit et l'aumônerie faisait peser une atmosphère de dévotion (il y eut cependant une sorte d'arrière-office de licence autour du père Élysée, ex-moine devenu charlatan, à qui le roi avait confié sa santé). La fusion des deux sociétés tentée à la cour par Napoléon fut en principe continuée. Mais cette fois la vieille noblesse se sentait chez elle et avait rouvert, consciemment ou non, cette cascade de mépris qui tombait dru sur les maréchaux d'Empire ou les fonctionnaires bourgeois. Ney, qui s'était rallié au roi avec une hâte presque indécente, vit sa femme, fille d'une femme de chambre de Marie-Antoinette, pleurer des avanies qu'elle subissait.

Le budget de Louis impliquait la dissolution d'une partie de l'armée impériale et Dupont dut renvoyer dans leurs foyers environ les trois cinquièmes de cette armée. 12 000 officiers furent mis en demi-solde dont de vieux briscards qui ne surent se reconvertir dans la vie civile. Quant à la garde, élite consciente de sa valeur, on l'humilia en la faisant rentrer dans le rang et en la dispersant dans des garnisons provinciales. Comme le dit G. de Bertier : « Le roi aurait pu tenter de faire appel à leur amour-propre et leur loyauté en leur confiant le soin de veiller sur sa personne. » Mais il y avait un risque à courir et on opta pour une prudence terre à terre parfois plus dangereuse; d'autant plus qu'autour du roi on reconstituait avec d'autres éléments une maison militaire de 6 000 hommes (gardes du corps, gardes de la porte, compagnies rouges, etc.) où les soldats recrutés dans la noblesse touchaient une solde d'officiers et à laquelle on incorporait cinq régiments suisses.

Maladresses du roi et prétentions des émigrés.

L'anarchie de la première Restauration explique la résonance de paroles ou d'actes qui scandalisaient une opinion inquiète.

Présentant une loi qui rendait des biens nationaux non vendus à leurs anciens propriétaires (loi qui faisait suite à une pratique plus discrète de l'Empire), le ministre Ferrand parla des royalistes qui avaient suivi la ligne droite en suivant le roi en exil et de ceux qui avaient suivi une voie courbe en servant les divers gouvernements qu'avait connus la France. Ces propos soulevèrent une tempête à la Chambre et hors de la Chambre. Ferrand était un vieux sot, mais Louis XVIII eut le tort de lui manifester son estime.

Beugnot, directeur de la Police, ancien administrateur de l'Empire, mais de tempérament courtisan, prit de son côté les 7 et 10 juin les ordonnances de police rendant obligatoire le repos dominical et prescrivant de décorer les maisons au passage de la procession de la Fête-Dieu. Ces dispositions, qui s'accordaient mal avec le Concordat, devaient déclencher des polémiques anticléricales où, quelques années plus tard, se distingua Paul-Louis Courier.

Ajoutons à cela les cérémonies commémoratives : le transfert à Saint-Denis des restes de Louis XVI était sans doute une obligation morale pour le nouveau monarque ; il eût pu se faire de façon moins agressive. Surtout il eût été facile d'éviter de commémorer solennellement la mémoire de Moreau, de Cadoudal ou de Pichegru.

Mais toutes ces maladresses prenaient leur vraie portée par le climat social de cette première Restauration.

Souvent, on voit d'anciens émigrés vouloir se mêler d'administrer, tentant d'ériger face aux autorités régulières une sorte de pouvoir de contrôle que l'entourage du comte d'Artois, le conseil occulte du « pavillon de Marsan », encourage en sous-main. Beaucoup de nobles réclament des privilèges honorifiques à l'église : le banc d'honneur, la présentation de l'encens ou du pain bénit ; leurs prétentions intimident parfois des possesseurs de biens nationaux qui rétrocèdent à contrecœur leurs achats aux anciens propriétaires.

Mais le clergé se montre encore plus virulent. Il comprend d'une part les survivants de la vieille génération, divisés en constitutionnels et en réfractaires, souvent prématurément usés, d'autre part des jeunes gens formés sous l'Empire dans les séminaires fondés par le cardinal Fesch. La génération intermédiaire manque, le recrutement ayant été presque tari sous la Révolution. Or, élevés souvent dans les doctrines ultramontaines, ayant vibré aux persécutions de l'Église à la fin de l'Empire, ces jeunes « conscrits de l'Église militante » à qui la pénurie de personnel fait confier d'importantes responsabilités, semblent prendre à tâche d'exorciser la nation du péché révolutionnaire. Ils multiplient les missions, les pénitences collectives, rendent la vie impossible aux anciens prêtres mariés, refusent l'absolution aux acheteurs de biens nationaux, annoncent le rétablissement des dîmes. Dans quelques provinces, la petite église fait, en outre, en toute liberté, surenchère au clergé concordataire.

Les princes envoyés en tournée dans les provinces ne peuvent que constater la désaffection des populations; dans le Nord, le duc de Berry est mal accueilli par l'armée; dans l'Ouest, le duc d'Angoulême voit aux portes de Nantes deux transparents s'affronter : « Ici commença la Vendée » et « Ici finit la Vendée », à Angers il doit s'entremettre pour empêcher la cavalerie noble ou rurale d'en venir aux mains avec la garde nationale; au moins donne-t-il à tous des paroles de paix. Mais, dans l'Est, le comte d'Artois refuse de recevoir les évêques « jureurs » de Dijon et Besançon.

La première Restauration se solde donc en 1815 par la déception et le mécontentement d'une large fraction de ceux qui avaient accepté le retour du roi. Les journaux de l'opposition, *le Censeur* et le bonapartiste *Nain jaune*, qui caricaturent le hobereau quémandeur et ridicule, sont les plus lus. Bientôt on signale de multiples intrigues, des mutineries militaires, en faveur d'une solution orléaniste ou républicaine. Mais seul l'empereur, dont ces huit mois de recul ranimaient la popularité, pouvait cristalliser ces mécontentements. Il en était tenu au courant par des émissaires de son frère Joseph, qui avait organisé en Suisse un centre de complots, de Maret ou de Fouché.

Or sa situation à l'île d'Elbe était précaire : le gouvernement français ne lui avait pas payé la pension promise par les traités, le congrès de Vienne songeait à l'expédier aux Açores. Il n'était pas homme à laisser échapper l'occasion.

4. Du vol de l'Aigle au retour du roi

Le retour de Napoléon.

Échappé d'une île d'Elbe mal surveillée, Napoléon débarqua avec un millier d'hommes au Golfe-Juan le 1er mars. La place d'Antibes lui ferma ses portes; l'accueil des Provençaux fut une surprise dépourvue de sympathie. Aussi, l'empereur s'élança vers le nord. Par de mauvais sentiers, il s'avança vers Grenoble par Digne et Sisteron; montagnards et artisans des bourgs se pressaient sur son passage pour l'acclamer. Grenoble aurait pu l'arrêter; le colonel de Labédoyère, admirateur du grand homme, lui amena son régiment; son exemple entraîna la défection des troupes de cette place. De Grenoble, où il était le 6 mars, Napoléon parvint le 10 à Lyon où les troupes de la garnison forcèrent le duc d'Artois et le maréchal Macdonald à s'enfuir. Enfin Ney qui, ayant rassemblé des troupes en Franche-Comté, représentait la dernière chance de l'arrêter sur la route de Paris, se rallia à lui à Auxerre le 14. Le 20 mars au soir, l'empereur arrivait aux Tuileries, sans avoir tiré un coup de feu, et se réinstallait dans le palais abandonné la nuit précédente par le roi.

La rapidité de la marche, devançant parfois les nouvelles, avait une fois de plus paralysé l'ennemi. Partout il avait rallié une armée que la paix généreuse des alliés n'avait pas démantelée et qui avait l'impression de n'avoir pas été battue, mais trahie, l'année précédente. Seuls quelques chefs d'esprit plus politique résistaient à l'enivrement des retrouvailles des soldats humiliés et du Petit Caporal. En communion avec l'armée, vibraient des éléments populaires, en qui, à la faveur du mécontentement général, revivait l'esprit jacobin. On criait « A bas les nobles! A bas les prêtres » et Napoléon promit de les « lanterner » mais en était effrayé, car il ne concevait que le gouvernement par les notables.

Cependant, ni l'ensemble des classes moyennes ni même de larges secteurs des masses paysannes ne partageaient cet enthousiasme. A Paris, la garde nationale, les étudiants, le monde intellectuel libéral (La Fayette par exemple) manifestaient leur fidélité monarchique. Mais ce sentiment était refroidi par la perspective d'en découdre avec l'armée. Quant au roi, il se résigna à partir vers les Pays-Bas. Le 23, il franchissait la frontière et le 30 s'installait à Gand.

La seule résistance possible était de tenter de soulever les provinces où l'activisme monarchique était resté vivace. On expédia dans l'Ouest à cette fin le peu exaltant duc de Bourbon, qui quitta très vite la partie. Le duc et la duchesse d'Angoulême se trouvaient à Bordeaux pour l'anniversaire du 12 mars. La duchesse demeura dans la ville qui restait favorable. Mais ses tentatives pour rallier la garnison furent vaines et elle s'embarqua à Pauillac. Le duc s'en alla rassembler des troupes, grossies de volontaires royalistes, à Nîmes et s'avança en direction de Lyon jusqu'au nord de Valence. Mais sur le point d'être enveloppé, il capitula à La Palud (8 avril) et gagna l'Espagne. Vitrolles, qui tentait de faire de Toulouse la capitale provisoire d'une administration monarchique, fut arrêté le 3.

L'Acte additionnel.

Provisoirement Napoléon était maître du pays, mais d'un pays où la note dominante était l'attentisme. Certes il se créa en sa faveur des mouvements de fédérés, attachés aux conquêtes de la Révolution, où se retrouvaient des inconditionnels de l'Empire et des nostalgiques de la République. Mais ils éveillèrent plus de méfiance que d'enthousiasme patriotique. D'ailleurs l'empereur n'entendait associer au pouvoir que des notables, lesquels avaient pris goût aux principes libéraux de la Charte. Il eut peine à former un ministère; seul Fouché reprit volontiers le ministère de la Police, mais il trahissait presque ouvertement.

Cet état de l'opinion déconcertait l'empereur qui apparaissait hésitant et vieilli. Il comprit que le courant vers un régime représentatif était irréversible et promulgua un « Acte additionnel aux constitutions de l'Empire » qui, en fait, substituait aux principes autoritaires du régime impérial des institutions libérales et étroitement censitaires. Approuvé par un plébiscite dont le trait saillant fut le nombre élevé d'abstentions, ce nouvel acte constitutionnel ne dissipa ni la déception populaire ni la réserve des notables. L'imminence de la guerre pesait d'ailleurs sur les esprits. L'Europe avait répondu aux assurances pacifiques de Napoléon et à ses efforts pour diviser les alliés, en envoyant en Belgique les troupes anglaises de Wellington et les prussiennes de Blücher, avant-garde des immenses ressources militaires qu'elle avait à sa disposition. L'empereur voulait tenter de les disperser avant qu'elles ne fussent rejointes par les armées russe ou autrichienne. Il partit avec une armée où le soldat, qui avait retrouvé la foi dans la victoire, était encadré de chefs médiocres ou désabusés. Il ne pouvait se dissimuler que même une première victoire n'avait que peu de chance d'ébranler les résolutions hostiles des alliés. Il laissait derrière lui l'ouest de la France en pleine révolte et d'autres provinces proches de l'insurrection, une administration inquiète, des assemblées (une Chambre des représentants élue par un nombre exigu de votants, une Chambre des pairs nommée) plus soucieuse de rogner ses pouvoirs que de galvaniser la nation. La campagne de quatre jours qui s'acheva à Waterloo le 18 juin, précipita un effondrement à peu près certain.

Cependant, à Gand, le roi avait rétabli le trantran quotidien de la cour des Tuileries. Une partie de ses ministres étaient là, formant un conseil fort inoccupé (c'est là que Chateaubriand, prenant l'intérim du ministère de l'Intérieur abandonné par Montesquiou découragé, commença sa carrière politique). Les nouvelles de France et les messagers arrivaient sans grande gêne (tel Guizot venu pour développer les conseils libéraux adressés par Royer-Collard) et chaque parti cherchait à les utiliser à son profit. Car les ducs d'Artois et de Berry étaient également là avec leurs conseillers du pavillon de Marsan. Et, chez ces exilés qui s'ennuyaient, les intrigues et les rivalités se multipliaient. Deux grandes thèses s'affrontaient : celle des hommes de cour, expliquant le retour du Corse par un complot facilité par la faiblesse qu'on avait eue de laisser en place les administrateurs de l'Empire ; celle du gouvernement, qui incriminait les maladresses des émigrés et des prêtres, dont l'arrogance avait exaspéré la nation. Il fallait donc choisir fermement une politique. Aucune décision ferme n'était encore prise lors de la seconde abdication de l'empereur en faveur de son fils (22 juin).

Mais les Bourbons seraient-ils rétablis une seconde fois? On en discutait au congrès de Vienne et le tsar penchait pour une monarchie confiée au duc d'Orléans, réfugié en Angleterre. Cependant ce n'était plus le tsar qui marchait sur Paris, mais Wellington, qui souhaitait réconcilier le roi légitime et la France nouvelle et qui marquait ses préférences avec beaucoup moins de discrétion qu'en 1814.

A Paris même, au sein des Chambres des représentants, le parti bonapartiste et le parti orléaniste étaient importants; la commission de gouvernement de 5 membres, élue à la seconde abdication de l'empereur, comprenait deux membres de chaque tendance; mais le cinquième était Fouché, qui avait compris que Louis XVIII restait le compétiteur le mieux placé et allait décider de lever les obstacles à son retour avec une habileté machiavélique et une audace dans l'intrigue qui vont se développer dans la période décisive du 23 juin au 6 juillet.

Écartant Carnot de la présidence de la commission, faisant partir Napoléon à Rochefort avec la perspective d'un embarquement pour les États-Unis, poussant les Chambres à s'enliser dans des débats constitutionnels, expédiant La Fayette à Haguenau, il prit contact avec Wellington, menant de pair négociations officielles et conversations secrètes.

Il signa avec le généralissime anglais une capitulation qui impliquait le retrait des forces françaises au-delà de la Loire. La garde nationale fut chargée du maintien de l'ordre dans la capitale et sévit contre les fédérés. Le 6, l'entrée des Prussiens débarrassait Fouché du contrôle des Chambres et lui permettait de démasquer ses batteries.

Après Waterloo, Louis XVIII s'était empressé de quitter Gand; il fut rejoint le 22 juin à Mons par Talleyrand, auréolé du rôle important qu'il venait de jouer au congrès de Vienne. Se jugeant indispensable, celui-ci imposa ses conditions au roi : renvoi de Blacas, gouvernement homogène dont il serait le chef, établissement du roi et du gouvernement dans une ville non occupée par les alliés. Le roi accepta de nommer Blacas ambassadeur à Naples, mais eut la velléité de se séparer aussi de Talleyrand et il fallut l'intervention de Wellington pour éviter la rupture. Le 28, le roi lança de Cambrai une proclamation où il avouait que son gouvernement avait fait des fautes, promettait le respect des principes de la Charte, amnistiait ses « sujets égarés » à l'exception des « investigateurs de la trahison ».

Deux problèmes demeuraient encore à régler avant le retour à Paris : Fouché et le drapeau tricolore.

Fouché se posait en homme indispensable pour rallier la capitale et en avait convaincu Wellington. L'habile homme avait rendu tant de services personnels aux royalistes lors des Cent-Jours que les plus « purs » et le comte d'Artois lui-même, se portaient garants de ses bons sentiments. Le 6 juillet à Arnouville, l'ex-oratorien, conventionnel régicide et massacreur des royalistes lyonnais, était présenté au souverain par Talleyrand au cours d'une scène que Chateaubriand a rendue inoubliable, et agréé comme ministre de la Police. Le lendemain le ministère était complété; le surlendemain le roi rentrait à Paris.

S'il avait cédé à contrecœur en employant Fouché, il n'avait pas voulu en revanche céder sur la question du drapeau, bien qu'il fût sollicité par les maréchaux restés fidèles, en particulier par Macdonald qui n'avait pas voulu servir pendant les Cent-Jours. On doit reconnaître qu'il était plus difficile de le faire qu'en 1814 : le drapeau tricolore rétabli avait entraîné les troupes françaises à Waterloo et, derrière le drapeau blanc, la France royaliste s'était soulevée contre l'empereur. C'était néanmoins une humiliation pour l'armée que ses nouveaux sacrifices n'aient pas même obtenu cette satisfaction symbolique.

Cette décision renforça l'impression que le roi revenait « dans les fourgons de l'étranger », cliché bientôt cher aux ennemis du régime. Certes Louis XVIII s'était hâté de rentrer en France pour prendre en quelque sorte des gages vis-à-vis de souverains qui auraient volontiers à nouveau sondé l'opinion avant de savoir quel régime donner à la France. Néanmoins on ne peut s'empêcher de penser que le conseil de Talleyrand était sage de tenter de s'établir là où les alliés n'étaient pas encore. Si, au 20 mars, l'imagination de Napoléon l'avait entraîné au-delà du réel, la prudence terre à terre de Louis XVIII négligeait une fois de plus ce qui peut frapper l'imagination d'un peuple.

5. Le ministère Talleyrand-Fouché et ses difficultés

L'occupation alliée.

Le nouveau ministère formé d'hommes qui avaient tous servi l'Empire eut, dès sa formation, à faire face à l'invasion de la France. Après les 150 000 Anglo-Prussiens, vainqueurs à Waterloo et parvenus 14 jours plus tard aux portes de Paris, le gros des armées alliées déferla sur le pays de juillet à septembre. Au début de ce dernier mois, il y aura plus de 1 200 000 soldats étrangers sur le sol français : Anglais, Russes, Prussiens, Autrichiens, Bavarois, Wurtembergeois, Hessois, Badois, Danois, Suisses, etc. Les Espagnols eux-mêmes, bien qu'en paix avec la France, firent deux brèves incursions en direction de Bayonne et de Perpignan.

Juridiquement les coalisés étaient les alliés du roi de France qui avait adhéré au traité du 25 mars conclu contre l'usurpateur. Et les chefs de corps avant de franchir la frontière proclamaient que leurs troupes venaient en amies. En fait, aux yeux de toute l'Europe, la masse des Français semblait s'être ralliée à Napoléon et il s'agissait de faire payer au peuple vaincu la nouvelle alerte qui avait forcé les autres peuples à repartir en guerre. On lui ferait supporter la dure loi de la conquête, puisqu'il n'avait pas compris la modération relative de 1814. On le forcerait aussi à payer les frais de la nouvelle mobilisation en lui faisant nourrir, loger, habiller les soldats de la coalition.

Ce fut d'abord une ruée des frontières de l'Est et du Nord en direction de Paris. Déjà endettés, les départements de l'Est, qui avaient été foulés par l'invasion de 1814, puis avaient subi de multiples réquisitions lors des Cent-Jours, furent ruinés par les exigences les plus diverses. Puis, le 24 juillet, l'occupation fut organisée : l'ensemble des territoires qui y étaient soumis comprenait en tout ou en partie 61 départements, ne laissait libre au nord de la Loire qu'une partie de la Bretagne et du Cotentin ; il débordait le cours supérieur de ce fleuve et le cours inférieur du Rhône et atteignait la Méditerranée.

L'occupation ainsi stabilisée n'en garda pas moins son caractère arbitraire : saisie de fonds publics, contributions en argent levées sur les aisés, livraisons de draps, de chemises, de chaussures, fourniture de subsistances en pain, en viande, en vin, de fourrages. Mais les règles que prescrivaient les intendances étaient dépassées dans la pratique : les indemnités de table exorbitantes allouées aux officiers n'empêchaient point des réquisitions, les soldats consommaient par jour jusqu'à dix bouteilles de vin ou un litre d'eau-de-vie, les hôpitaux affectés aux alliés devinrent d'étonnants centres de suralimentation. Si les biens publics étaient saccagés, les particuliers étaient soumis aux exactions les plus diverses : leurs récoltes saisies, leurs femmes ou leurs filles violées, les maisons incendiées. Des destructions systématiques d'œuvres d'art au gaspillage le plus stupide, tout concourait à l'appauvrissement du pays. Les fonctionnaires qui tentaient de résister étaient durement sanctionnés : des garnisaires s'installaient chez les préfets (plusieurs furent déportés en Allemagne), les maires et les percepteurs étaient rossés. La réputation de certains corps devint telle que la population s'enfuyait dans les bois à leur approche.

Il faut cependant apporter quelques nuances à ce tableau : les Anglais gardèrent une discipline stricte et, exigeants sur l'exécution de leurs réquisitions, furent relativement modérés ; Wellington, hostile aux actes arbitraires, par tempérament de gentleman et aussi parce qu'il craignait une révolte désespérée des Français, stigmatisait durement les excès des troupes des Pays-Bas placées sous ses ordres ; les Russes, eux aussi, se montrèrent souvent disciplinés et sans haine, sauf les cosaques qui, anarchiques et pillards, semaient partout une véritable terreur ; quant aux Autrichiens, ils commerçaient de tout, des coupes de bois au tabac et au papier timbré, qu'ils saisissaient pour le revendre ensuite au-dessous du prix légal ; les plus redoutés, les plus haïs des occupants étaient cependant les Prussiens et les soldats des États allemands jadis occupés par les troupes de Napoléon. Avec eux, les brimades étaient systématiques. Blücher lui-même campait en soudard au château de Saint-Cloud, donnant l'exemple de la rapine.

Le gouvernement français avait dû, à la demande des alliés, licencier l'armée de la Loire. Il ne lui restait que la persuasion : dès le 9 juillet, il avait créé une Commission nationale des réquisitions qui tenta d'obtenir de la Commission interalliée de centraliser toutes les demandes. Elle dut se borner à transmettre les plaintes des préfets au gouvernement. Celui-ci obtint cependant que les alliés laissassent fonctionner l'administration française, moyennant le versement de 50 millions destinés à la subsistance de leurs troupes (auquel s'ajouta une indemnité d'habillement et d'équipement de 120 F par homme), payables par mensualités; pour parer au plus pressé, le gouvernement leva un emprunt extraordinaire de 100 millions sur les riches. Mais les sommes déjà prélevées ne furent pas déduites de ces versements et, en fait, bien des exactions continuèrent. Ce fut seulement lorsqu'ils décidèrent d'imposer à la France un nouveau traité que les alliés commencèrent au milieu de septembre à desserrer l'étau et à évacuer le territoire occupé.

La Terreur blanche.

Le gouvernement connaissait des difficultés d'un autre ordre avec la « Terreur blanche ». Les réactions royalistes paralysées par la rapidité du vol de l'Aigle avaient menacé de l'intérieur, la guerre aidant, le régime impérial à la fin des Cent-Jours : une partie du Forez était soumis aux conscrits réfractaires organisés en « chasseurs d'Henri IV »; en Normandie, le duc d'Aumont débarquait pour organiser ouvertement un soulèvement. Celui-ci était effectif dans tous les vieux pays de chouannerie, de la Bretagne au Maine; bien entendu, la Vendée demeurait à la tête de ce mouvement et les armées paysannes s'étaient reformées dès le milieu d'avril. Le mouvement n'y avait pourtant plus l'enthousiasme d'autrefois et était desservi par les dissensions des chefs, dont certains écoutaient les conseils attentistes de Fouché. Aussi, avec des troupes inférieures en nombre, les généraux Lamarque et Travot avaient infligé aux rebelles de dures défaites. Après Waterloo, devant la menace de l'invasion du territoire par l'étranger, un rapprochement entre blancs et bleus s'était opéré et la reconnaissance de l'autorité royale par tous arrêta les hostilités.

Il n'en fut pas de même dans le Midi. L'échec du duc d'Angoulême n'avait amené qu'une trève et la population ardemment catholique des villes et des bourgs, n'était contenue que par la peur des soldats et des fédérés. On attendait le retour d'Angoulême et l'aide espagnole : « Que le Sud-Ouest soit envahi, tout le pays s'insurgera avec un air d'unanimité qui étonnera le reste de la France. » Seule la bourgeoisie protestante des villes du Languedoc et le bloc de la paysannerie protestante des Cévennes s'étaient ralliés à l'empereur (à Arpaillargues dans la montagne, des volontaires royaux de Nîmes avaient été massacrés après la capitulation de La Palud). Nobles, bourgeois et prolétariat catholiques, dans les villes et dans les bourgs se groupaient en sociétés secrètes, tendant à former une armée clandestine.

L'annonce de Waterloo fut le signal de la vengeance. Elle éclata dès le 24 juin à Marseille, au large duquel croisait la flotte anglaise. La garnison dut se retirer avec les familles compromises; en deux jours cependant, il y eut 50 morts, 200 blessés, 80 maisons ou boutiques brûlées. Sous le gouvernement anarchique d'un comité royaliste, les attentats, les arrestations se poursuivirent et la première tâche du nouveau préfet, Vaublanc, fut de vider les prisons. Des troubles analogues eurent lieu dans les villes de la vallée du Rhône et à Toulon où Brune, qui commandait la garnison, ne se décida à se retirer que le 24 juillet. A son passage à Avignon, il fut massacré et son corps jeté dans le Rhône.

A Toulouse, le mouvement démasqua l'organisation des « verdets », volontaires qui portaient la cocarde verte du comte d'Artois. Les sociétés secrètes qui les manipulaient y abhorraient les royalistes modérés aussi bien que les impérialistes. On y parlait de libertés locales, de « royaume d'Occitanie », relié par un lien lâche à la France du Nord. Le mouvement profitait de la confusion provoquée par la fuite des fonctionnaires des Cent-Jours : le duc d'Angoulême avait confié leurs attributions à des notables locaux, mais le ministère nommait d'autres remplaçants. Les sociétés royalistes appuyaient les premiers contre les seconds; le général Ramel, royaliste modéré, choisi par Paris comme commandant de la garde nationale de Toulouse, avait voulu y intégrer individuellement les verdets; il fut délibérément assassiné.

En Languedoc, ce fut un véritable réveil des guerres de Religion.

A Nîmes, les bandes populaires conduites par le portefaix Trestaillons, molestaient les bourgeois protestants (les dames protestantes déculottées étaient frappées d'un battoir à clous qui leur imprimait sur les fesses une sanglante fleur de lys), pillaient leurs biens. Il y eut 37 morts ; 2 500 personnes, dont les principaux manufacturiers, s'enfuirent. Le duc d'Angoulême crut avoir pacifié la région et fait rendre les armes ; mais la réouverture du temple, le 12 novembre, fut marquée par l'assassinat du général Lagarde qui tentait de protéger les fidèles.

Cette explosion de haine prit le gouvernement au dépourvu : la dissolution des troupes, l'inattendu des émotions populaires provoquées par des bandes, la connivence fréquente de nobles et de bourgeois avec ces éléments, la lenteur des communications pouvaient lui servir d'excuse. Mais il eut par la suite beaucoup de peine à faire condamner quelques coupables ; dans l'immédiat, Fouché y perdit sa réputation d'habileté. L'occupation par les Autrichiens du Var, des Bouches-du-Rhône et du Gard mit fin au mouvement.

Parallèlement le gouvernement prenait des sanctions contre les « complices » des Cent-Jours. Par une étrange ironie, Fouché avait dû préparer les listes des individus exceptés de l'amnistie promise à Cambrai par le roi. Sa liste fort large (« il n'a oublié aucun de ses amis », disait Talleyrand), fut réduite définitivement à 54 noms : 17 généraux ou officiers, traduits devant des conseils de guerre ; 37 personnes, dont 27 civils, placés en résidence surveillée en attendant la décision des Chambres. Le gouvernement n'avait pu faire moins sous la pression de l'opinion des royalistes et des alliés ; Fouché et Macdonald, placé à la tête de l'armée, s'efforcèrent d'ailleurs de faire partir les plus exposés. Ce fut leur propre imprudence qui fit arrêter Labedoyère, condamné et exécuté le 19 août, et, plus tard, le maréchal Ney.

La « Chambre introuvable ».

Fouché, pour rétablir sa position, tenta d'exercer une sorte de chantage en décrivant dans deux rapports les excès des occupants et les sentiments antimonarchiques de la masse des Français, et en rendant ces rapports publics, ce qui ne fit que lui aliéner défi-

nitivement le roi. De la Chambre des pairs de 1814, 29 membres
avaient accepté de siéger dans celle des Cent-Jours; ils furent
exclus et remplacés par 94 nouveaux pairs. En même temps, la
pairie fut déclarée héréditaire. Quant à la Chambre des représentants élue pendant les Cent-Jours, elle fut dissoute et on procéda
à des élections pour constituer une nouvelle Chambre des députés :
l'âge de l'électorat fut fixé à 21 ans et l'éligibilité à 25 ans, le
nombre des députés porté à 402, mais on conserva les collèges
d'arrondissements et de départements tels qu'ils avaient été formés
sous l'Empire. Au total il y eut 72 000 électeurs dont 48 500 exer-
cèrent leur droit de vote. Ces élections des 14 et 22 août envoyèrent
dans la proportion des neuf dixièmes des royalistes convaincus et
ardents, « Chambre introuvable » selon Louis XVIII lui-même.

On peut épiloguer sur les abstentions, la faculté donnée aux
préfets d'ajouter un certain nombre de noms aux listes électorales;
en fait, le désarroi de l'opinion devant la catastrophique expérience des Cent-Jours, provoquait un de ces violents mouvements
de bascule vers la droite qui ont plusieurs fois marqué les crises
politiques de notre histoire contemporaine. Une Chambre d'hommes neufs, en majorité hostiles à ce qui rappelait la Révolution
et l'Empire, allait se trouver en face d'un ministère issu du personnel impérial.

Talleyrand crut bon de jeter du lest en la personne de Fouché
pour lequel ces élections étaient un échec personnel et qui consentit
à accepter l'ambassade de Dresde. Cela ne put sauver le reste
de l'équipage, dont le chef, âprement critiqué, avait en partie
perdu le prestige international qui faisait sa force en 1814.

Talleyrand, au congrès de Vienne, avait réussi à faire reprendre
à la France son rôle de grande puissance européenne à côté des
quatre alliés de Chaumont. Contre une menace d'hégémonie de
la Russie, il avait signé le traité secret du 3 janvier 1815 avec l'Angleterre et l'Autriche; il considérait avoir ainsi brisé la coalition
contre la France. Malheureusement le retour de l'empereur avait
ressoudé l'alliance des puissances et le tsar avait appris la teneur
de ce traité et ses sentiments pour le ministre français avaient
changé. Cependant la France avait un impérieux besoin de sa
mansuétude. Car la Prusse, et, avec beaucoup plus d'hésitation,
l'Autriche, affirmaient leur volonté de démembrer le territoire

national en lui enlevant la Flandre, les Ardennes, la Lorraine, l'Alsace. Alexandre, hostile aux cessions de territoire, devait cependant tenir compte de ces appétits; il se ralliait au point de vue transactionnel de Castlereagh qui proposait le retour de la France aux frontières de 1790. Celle-ci aurait également à payer une indemnité de guerre écrasante, garantie par l'occupation pendant plusieurs années, d'une partie du pays. Les alliés signifièrent le 20 septembre, par un véritable ultimatum au gouvernement français, ces dures exigences. Talleyrand estima qu'avant de tenter de les discuter il lui fallait un témoignage public de l'appui du roi; pour l'obtenir il offrit sa démission; Louis XVIII, qui ne le jugeait plus indispensable, le prit au mot.

6. Le ministère Richelieu

Richelieu et Decazes.

Le 24 septembre un nouveau ministère était formé sous la présidence du duc de Richelieu, qui prenait le portefeuille des Affaires étrangères. Ses collaborateurs se situaient dans l'ensemble plus à droite que leurs prédécesseurs. La nomination de Richelieu lui-même semblait de nature à rassurer la nouvelle Chambre. Né en 1766, ce grand seigneur avait perdu ses immenses biens lors de la Révolution. Émigré, il était entré au service de la Russie et, en 1803, avait été nommé gouverneur d'Odessa, puis de la Nouvelle-Russie entière. Sous son administration, les immenses steppes du Sud avaient été peuplées de colons et Odessa était devenu l'entrepôt de la mer Noire. En septembre 1814, il avait renoncé à cette grande création coloniale pour rentrer à Paris et recevoir une charge de cour. Tout ce passé semblait indiquer un royaliste pur, sans ouverture sur la France moderne. De fait, Richelieu n'aime pas la Révolution, a horreur de Bonaparte, craint la liberté de la presse. Et ce grand administrateur n'a pas les vues larges d'un véritable homme d'État. Il est naïf et méfiant à la fois, médiocre orateur, d'une sensibilité presque maladive, désarçonné par les intrigues. Mais il a des qualités de bon sens et de modération, et surtout des qualités morales qui l'opposent à son prédécesseur : probité, sens exigeant de l'honneur, fermeté. Elles lui permettront de gagner l'estime des Anglais tout d'abord méfiants à l'encontre de cet ami du tsar et faciliteront largement la tâche de reconstruction qui demeure son titre de gloire.

Le ministère recélait le collaborateur retors, capable d'orienter sa marche hésitante au milieu des écueils de la politique intérieure. Élie Decazes, fils d'un notaire de Libourne, ancien secrétaire des Commandements de Madame Mère, avait, à trente-cinq ans, hérité un peu par hasard de la préfecture de police en 1815. Entretenant directement le roi des potins scabreux que celui-ci adorait, il capta si bien la tendresse sénile de Louis XVIII que celui-ci l'appela son « fils » et ne put se passer de ce nouveau favori. Decazes possédait d'ailleurs l'esprit envahissant et intrigant de son prédécesseur à la Police, Fouché : il fit surveiller les préfets par des commissaires de police à sa dévotion. Sans idées profondes ni culture, ce politicien souple et prudent, d'abord lié aux royalistes exagérés, se convainquit très vite qu'il fallait protéger la monarchie des excès de ses partisans. Il saura y entraîner Richelieu.

Celui-ci avait d'emblée la tâche redoutable de négocier avec les alliés. Il obtint grâce au tsar quelques concessions. Néanmoins les clauses du second traité de Paris (20 novembre 1815) restaient rigoureuses : la France ramenée à ses frontières du 1er janvier 1790, cédait Philippeville, Marienbourg et le duché de Bouillon aux Pays-Bas, Sarrebruck et Sarrelouis à la Prusse, Landau et le territoire au nord de la Lauter à la Hesse et la Bavière, la Savoie à la Sardaigne, au total 5 000 km² et 300 000 habitants. Une indemnité de guerre de 700 millions payable en 5 ans, serait versée aux alliés au moyen de 15 traites quadrimensuelles s'échelonnant à partir du 1er mars 1816. Une occupation militaire de 7 départements du Nord et de l'Est par 150 000 hommes entretenus aux frais de la France garantissait ces paiements : elle était aussi prévue pour 5 ans avec faculté de la réduire à 3 ans. Enfin les dettes contractées à l'étranger par les précédents gouvernements français seraient remboursées.

Réaction et épuration.

Le 7 octobre, le roi ouvrait la session de la nouvelle Chambre. Celle-ci comprenait plus de bourgeois que de nobles d'Ancien Régime et les anciens émigrés dont beaucoup avaient servi l'Empire n'en formaient pas le cinquième, mais l'ensemble formait une cohue de provinciaux, sans chef, inexpérimentés, passionnés et indisciplinés. Aussi les Chevaliers de la foi entreprirent de préparer le travail législatif en noyautant les députés de la majorité au cours de réunions préparatoires, un peu comme l'avait fait le club des Bretons aux États généraux. Le premier parti constitué qu'on appela « ultra-royaliste », sortit de ces conciliabules où se firent remarquer ses futurs chefs. Les libéraux, conscients de cette action occulte, l'attribuèrent à la Congrégation, société pieuse qui avait des liens avec les jésuites.

Le ministère crut devoir sacrifier aux passions de la majorité en proposant des mesures répressives contre les « complices » des Cent-Jours (avec peut-être l'arrière-pensée de lutter aussi contre les fauteurs de troubles du Midi). Une série de lois va former l'armature de la « Terreur blanche légale ».

1. Loi de sûreté générale (29 octobre) permettant provisoirement l'arrestation de suspects de complots contre la sûreté de l'État.

2. Loi contre les cris et écrits séditieux (9 novembre).

3. Loi organisant des cours prévôtales (27 décembre).

4. Loi d'amnistie (12 janvier 1816) qui exceptait de celle-ci, en les punissant d'exil, les personnes soumises à résidence surveillée par l'ordonnance du 24 juillet 1815 et les régicides qui s'étaient ralliés aux Cent-Jours; en outre les individus inculpés avant la promulgation de cette loi pour leur rôle pendant cette période, verraient leur procès se poursuivre.

Au cours des débats, le gouvernement dut sans cesse refréner les surenchères des députés. Il fit repousser un amendement punissant de mort la détention d'un drapeau tricolore! Le député angevin La Bourdonnaye se rendit célèbre en réclamant « des fers, des bourreaux » et en proposant d'exclure des catégories de suspects (en faisaient partie par exemple, les préfets en place aux Cent-Jours). Il fallut que le duc de Richelieu s'opposât au nom du roi à ce système des catégories pour le faire rejeter de justesse.

Les ministres d'ailleurs étaient divisés : Barbé-Marbois, garde des Sceaux et Decazes n'usaient qu'avec modération des pouvoirs redoutables dont ils étaient dotés, mais Clarke, à la guerre, sévissait contre les militaires compromis.

Des condamnations à mort qui émurent l'opinion, comme celle de Ney par la Chambre des pairs, et de plusieurs autres généraux, étaient peut-être difficiles à éviter. Mais le déferlement de haine qui se fit jour quand le directeur des Postes des Cent-Jours, Lavalette, s'échappa la veille de son exécution, les violences verbales du parti royaliste extrême destinées à frapper de terreur les fauteurs de complot, eurent pour résultat d'effrayer et d'aliéner l'opinion.

L'un des résultats fut que celle-ci s'exagéra le nombre des condamnations politiques prononcées en vertu des lois d'exception : en fait, elles furent d'environ 6 000 (la plupart à des peines relativement légères) dont moins de 250 par les cours prévôtales (ce qui prouve qu'on aurait pu se passer de rétablir ces juridictions d'exception). L'épuration des administrations fut beaucoup plus sévère portant peut-être sur le quart ou le tiers des fonctionnaires.

Le ministère face aux ultras.

Le budget fut ensuite l'occasion d'un conflit ouvert entre le ministère et la Chambre. Le ministre des Finances, Corvetto, ancien collaborateur de Louis, était soucieux de rétablir avant tout le crédit de l'État. Il avait donc établi un projet de budget en équilibre : pour faire face aux dépenses ordinaires réduites à 525 millions par des économies draconiennes et aux dépenses extraordinaires de 175 millions (versement aux alliés et entretien de l'armée d'occupation), il prévoyait l'augmentation des impôts et des cautionnements, et des retenues de traitements.

La Chambre bouleversa ce budget; surtout un conflit très vif l'opposa au ministère pour la liquidation de l'arriéré. Les Cent-Jours avaient porté celui-ci de 462 millions, chiffre auquel l'avait réduit le baron Louis, à 695 millions. Corvetto proposait de remettre aux créanciers de l'État des obligations remboursables en 3 ans par la vente de bois domaniaux. La commission du budget de la Chambre, hostile à l'aliénation de biens qui avaient le plus souvent appartenu au clergé, prétendait rembourser ces créanciers de l'Empire en titres de rentes au pair (la rente était cotée 60 F). Elle renonça à ce système de banqueroute partielle, mais en échange le ministère consentit à donner des obligations à 5 % pour 5 ans, sans gage, aux créanciers de l'État.

Une opinion ébranlée, des capitalistes sceptiques sur le rétablissement des finances de l'État, des craintes suscitées par l'insistance des députés de la majorité à vouloir recréer une fortune indépendante pour le clergé; tel était le résultat de cette première session.

Les gouvernements étrangers, et en particulier Wellington, chargé du commandement des troupes d'occupation, craignaient pour le paiement des prestations fixées par le traité et aussi pour la stabilité de la monarchie française. Il tenta d'agir sur le comte d'Artois, fit part à Louis XVIII de ses inquiétudes. Richelieu très humilié de ces ingérences, n'était pas en état de les négliger.

D'autre part, l'élaboration d'une loi électorale conforme aux dispositions de la Charte paraissait nécessaire. Mais les divergences qui éclatèrent à ce sujet entre le gouvernement et la Chambre, empêchèrent tout vote au cours de la session.

Richelieu jugeait sévèrement la « folie » de ces ultras auxquels pourtant des liens affectifs l'attachaient. Il avait remplacé Vaublanc, ministre de l'Intérieur qui leur était favorable, par Laîné. Il songeait à rendre la Chambre plus docile en la faisant renouveler par cinquième tous les ans. Mais lui-même et Laîné se laissèrent gagner à une thérapeutique plus radicale que proposait Decazes : la dissolution. Parallèlement Decazes réussit à y décider le roi et on la prépara en grand secret.

C'est le 5 septembre 1816 que Louis XVIII signa le décret. Le comte d'Artois ne fut informé que lorsque la signature eut été donnée, députés et ambassadeurs l'apprirent par le *Moniteur*. On en appelait devant le même corps électoral, des élections de l'année précédente.

Le succès du ministère allait ouvrir une nouvelle phase dans l'histoire de la Restauration. La Chambre introuvable n'a pas été cependant une parenthèse vaine; cette assemblée a été amenée à interpréter la Charte, contre le roi lui-même, dans le sens d'une indépendance accrue du pouvoir législatif : irresponsabilité royale, responsabilité des ministres, accord nécessaire de ceux-ci en face

de la majorité, droit pour la Chambre d'amender ou de faire proposer des lois, sont des idées qui reviennent sans cesse dans ses
débats, que de multiples brochures discutent au moment même
où la Chambre des députés est dissoute. Chateaubriand publie dans
ce sens la plus célèbre, *De la monarchie suivant la Charte*. Ainsi
le parti ultra-royaliste travaillait lui-même à une évolution qui
rapprochait le régime issu de la Charte du régime parlementaire.

2

Le gouvernement
des constitutionnels

La période comprise entre la dissolution de la Chambre introuvable (5 septembre 1816) et l'assassinat du duc de Berry (13 février 1820) est celle du gouvernement du parti constitutionnel avec les ministères Richelieu (jusqu'en décembre 1818), Dessolles-Decazes (jusqu'en novembre 1819) et Decazes.

Aux yeux des historiens libéraux, c'est la plus belle période de la Restauration. Ils mettent en valeur, à juste titre, le redressement national qui a été accompli. Mais celui-ci ne saurait masquer ni l'instabilité politique, ni la misère populaire de ces années.

1. L'instabilité politique

Les élections d'octobre 1816 qui suivirent la dissolution de la Chambre introuvable s'accomplirent dans une atmosphère passionnée. Les préfets, stimulés par Decazes, s'efforcèrent de faire élire des royalistes modérés tandis que les agents du pavillon de Marsan préconisaient la réélection des sortants. Cependant le corps électoral désavoua la plupart de ses choix précédents : en août 1815, le roi paraissait le seul recours pour sauver l'unité du pays et les ennemis de la monarchie découragés s'étaient abstenus; on avait donc élu des royalistes sans tenir compte de leurs tendances gouvernementales. Depuis, bien des électeurs s'étaient inquiétés des initiatives des députés. Le roi lui-même les ayant désavoués, une coalition pour la défense des institutions allait des royalistes prudents aux adversaires du régime, plus hostiles encore au parti ultra. Dans l'Ouest et dans le Midi, celui-ci garda cependant des positions solides; mais il perdit beaucoup de terrain dans les autres régions. Au total, sur 238 députés élus, il y eut seulement 90 ultras.

La majorité nouvelle demeura unie pour voter une loi électorale conforme aux dispositions de la Charte. Ce fut la loi Lainé (février 1817) qui accordait le droit de vote à tous les contribuables âgés de 30 ans et payant 300 F d'impôt, le droit d'éligibilité à ceux de 40 ans et payant 1 000 F. Les électeurs se réuniraient en collège unique au chef-lieu du département et la Chambre des députés serait renouvelée par cinquième chaque année.

Quelle était la valeur représentative d'un corps électoral ainsi défini? Ce sont surtout la contribution foncière et la patente qui déterminaient le cens. Or, la première, impôt de répartition, était, suivant les départements d'une inégalité flagrante par rapport aux revenus des imposés; la patente variait suivant les lieux et les professions. Le droit électoral était donc distribué avec beaucoup d'arbitraire et les fraudes, en outre, étaient faciles.

Le corps électoral représentait un pourcentage très variable de la population et formait une sorte de gérontocratie dans un pays où les jeunes étaient en majorité; les classes moyennes y dominaient : au sein des collèges électoraux de département les contribuables payant de 300 F à 500 F de contribution formaient une majorité de propriétaires médiocres, et assez souvent aussi de commerçants et de petits industriels. Ce dernier groupe plus nombreux au chef-lieu qu'à la campagne était par là même moins porté à s'abstenir.

Or, les ultra-royalistes n'avaient sans doute pas tort de souligner que cette « classe moyenne » aisée était la plus « infectée » d'idées libérales, voire antimonarchiques. Eux-mêmes préconisaient des élections plus démocratiques mais à plusieurs degrés, estimant que les électeurs primaires choisiraient les gros propriétaires comme électeurs du second degré. Par contre, les libéraux virent dans la loi Lainé l'arche sainte à laquelle il était sacrilège de toucher.

Cependant, pour le ministère, le fonctionnement de cette loi devait se révéler décevant. Sans doute, l'opposition ultra perdit-elle du terrain, d'élection partielle en élection partielle, étant réduite après celle de 1819 à une quarantaine de membres. Mais une nouvelle opposition surgissait à gauche et marquait des progrès inquiétants. Il y avait bien en 1816 une dizaine d'élus d'un libéralisme extrême ou d'un loyalisme douteux. Mais c'est après les élections de 1817 qu'en se réunissant avec de nouveaux élus ils formèrent le parti des indépendants; celui-ci gagna environ 20 sièges aux élections d'octobre 1818 qui vit le succès de La Fayette, Manuel, Benjamin Constant. Surtout en septembre 1819 elle enlevait 35 sièges sur 55 sièges renouvelables tandis que la droite en perdait 13 sur 18, le centre 12 sur 27. L'inquiétude provoquée par ces résultats fut amplifiée par l'élection à Grenoble de l'ex-évêque constitutionnel Grégoire, avec l'appoint de voix d'ultra-royalistes qui pratiquèrent la politique du pire. L'élection de ce régicide d'intention provoqua une telle émotion que même les libéraux l'abandonnèrent et qu'il ne put siéger.

Le parti des indépendants groupait des éléments très disparates où les libéraux les plus individualistes côtoyaient les nostalgiques du despotisme impérial et du jacobinisme. Ni Benjamin Constant, ni les banquiers Laffitte ou Périer, ni le général Foy, n'œuvraient alors à la chute des Bourbons. Mais le parti recélait des éléments antidynastiques, obligés, bien entendu, de taire leurs sentiments vrais. Il n'est donc pas facile d'en mesurer l'importance et cela d'autant plus que leurs convictions ont varié. Au sein du groupe, on remarque en 1818 et 1819 l'audience croissante du courant bonapartiste et parallèlement le rôle croissant de sociétés secrètes comme l'Union, qui tendaient à noyauter le parti des indépendants, comme les Chevaliers de la foi le faisaient des ultras. En province même, de même que les royalistes se retrouvaient dans des groupements comme les Francs régénérés ou les Bandouliers, il existait des comités départementaux libéraux en liaison avec Paris. Les partis ont une face clandestine qui explique les complots libéraux de Grenoble (1816) puis de Lyon (1817) (cf. T. 7 p. 103 et p. 104); le projet prêté aux ultra-royalistes en juin 1818 d'enlever le roi et de chasser son ministère (dit complot du « bord de l'eau ») paraît moins sérieux et s'être borné à des bavardages inconséquents. Mais la police entrevoyait cet arrière-plan de la vie politique (que niait de bonne foi un Benjamin Constant), s'en exagérait la portée ou s'en servait.

En 1817, Richelieu avait progressivement remplacé ses ministres liés à la droite par des hommes représentatifs du centre (Pasquier à la Justice, Gouvion-Saint-Cyr à la Guerre, Molé à la Marine). Ce « parti constitutionnel » voulait avant tout unir la monarchie à la France nouvelle et fonder les institutions sur la Charte sans pencher ni vers la démocratie ni vers la réaction.

Mais il ne constituait pas une base stable et les progrès des libéraux le menaçaient de dislocation. A moins de se résoudre à un jeu de bascule précaire, le gouvernement devait, pour s'assurer l'avenir, tenter de gagner des partisans sur sa gauche ou sur sa droite et cette option tendait à séparer les constitutionnels en un centre gauche et un centre droit. Le premier, tout à son ressentiment contre les ultras et aux souvenirs de la Terreur blanche, pensait qu'on pouvait libéraliser sans danger les institutions et ramener dans la majorité la plupart des opposants de gauche. C'était l'avis provisoire de Decazes, l'avis formulé beaucoup plus dogmatiquement par le petit groupe des doctrinaires, influents par leur science politique et leur éloquence. Au contraire, Lainé et Pasquier inclinaient à entamer des négociations avec la droite où un courant « circonspect » semblait, sous l'influence de Villèle, l'emporter sur les « exagérés ». Le centre droit était nombreux surtout à la Chambre des pairs où il se groupait autour du cardinal du Beausset, d'où son nom de « réunion cardinalice ».

A son retour du congrès d'Aix-la-Chapelle (novembre 1818), Richelieu trouva le ministère en crise et la majorité en désarroi. Il tenta la formation d'un ministère orienté vers la droite. Ces négociations n'ayant pas abouti, un nouveau ministère d'union de tous les libéraux fut formé sous la présidence du général Dessolles avec pour hommes marquants de Serre à la Justice, Decazes à l'Intérieur (décembre 1818). Cette expérience s'accompagna d'une épuration administrative vigoureuse et se heurta à une offensive de la Chambre des pairs : le vieux Barthélémy y fit voter par la droite et le centre droit unis le principe de la révision de la loi Lainé que la Chambre ne rejeta qu'à quelques voix. Decazes dut calmer les ardeurs belliqueuses des pairs par une fournée de 60 nouveaux membres. Mais l'expérience d'union libérale prit fin avec les élections de septembre 1819 dont on a vu les résultats et le scandale. Decazes retourna alors ses batteries : formant avec de Serre une combinaison centre-droit il tenta de négocier un rapprochement avec les ultras. Villèle entra en pourparlers avec lui, malgré les fureurs de son parti contre le « favori ». De Serre prépara un projet de double vote pour les contribuables les plus imposés qui devait être présenté aux Chambres le 14 février.

Tout changea au cours de la nuit précédente. A l'Opéra, le duc de Berry, espoir unique de la famille des Bourbons, fut poignardé par l'ouvrier sellier Louvel et expira quelques heures plus tard. Le criminel était un isolé. Mais le parti ultra incrimina les idées libérales et quelques exaltés voulurent mettre Decazes en accusation. Louis XVIII ne put résister aux supplications des siens et, à son grand chagrin, se résigna à rappeler le duc de Richelieu, nommant Decazes ambassadeur à Londres et le créant duc.

2. Les grandes lois libérales

La marche législative des gouvernements de la période constitutionnelle fut souvent hésitante, marquée de contradictions. Elle atteignit l'incohérence dans l'affaire du concordat de 1817. Après de laborieuses négociations, un concordat, destiné à remplacer celui de 1801, fut signé avec le Saint-Siège et l'on procéda même à la nomination de nouveaux évêques en application de ses clauses; le ministère s'avisa alors que le concordat de 1801 était une loi d'État qu'on ne pouvait abroger sans le concours des Chambres; ce concours demeurant improbable, il fallut renoncer au traité. On se borna à élever progressivement le nombre des évêchés à 80.

Cependant de grandes lois furent votées : loi Gouvion-Saint-Cyr sur le recrutement et l'avancement dans l'armée (1818), lois de Serre sur la presse (1819).

La loi militaire.

La dissolution de l'armée napoléonienne forçait à une réorganisation générale des forces militaires qui devait marquer une étape importante du relèvement français. Ce fut la tâche principale du maréchal Gouvion-Saint-Cyr.

La loi qu'il fit voter organisait le recrutement de la façon suivante : chaque année les jeunes gens de 20 ans, reconnus aptes au service, tiraient au sort un numéro. Ceux qui avaient tiré un « mauvais numéro » étaient incorporés au contingent, limité à un maximum de 40 000 recrues, à moins de posséder les moyens suffisants pour payer un remplaçant. D'autre part, la loi admettait les engagements volontaires comme autre source du recrutement. Le service actif durait 6 ans. Mais les anciens soldats faisaient partie ensuite d'une armée de réserve qui, d'ailleurs, ne fut jamais organisée.

En ce qui concernait l'avancement, la loi édictait que nul ne pouvait être officier s'il n'avait servi pendant deux ans comme sous-officier ou s'il n'était sorti d'une école militaire où l'on entrait par concours. (Saint-Cyr pour l'infanterie, Metz pour l'artillerie). Le passage d'un grade au grade supérieur était réglementé et deux tiers des avancements jusqu'au grade de lieutenant-colonel étaient réservés à l'ancienneté.

La discussion de la loi amena dans les deux Chambres l'un des débats les plus vifs de la Restauration. L'opposition ultra fit même accomplir au comte d'Artois une démarche auprès de Louis XVIII qui le prit fort mal. Les objections portaient à la fois sur le recrutement, l'avancement, la constitution d'une armée de réserve. Sur le premier point, les opposants objectaient qu'on rétablissait la conscription que les princes à leur retour avaient promis d'abolir et ils prônaient une armée de métier ; sur le second, ils voyaient, dans les règles d'avancement, des restrictions apportées au libre choix du roi, garanti par la Charte. En réalité, la noblesse défendait le « dernier asile » des privilèges, croyant que le métier d'officier lui avait été réservé dans l'ancienne France. A côté de cette défense d'un vieux privilège, les ultras étaient d'ailleurs poussés par un réflexe de peur qui se manifestait pleinement sur le troisième point, celui de l'armée de réserve, formée dans l'immédiat de vétérans de l'Empire. Si les libéraux ont gardé l'horreur de la Terreur blanche, les royalistes ont la hantise d'une armée formée et encadrée d'anciens « brigands de la Loire ».

Dans un discours, prononcé le 26 janvier 1818, le ministre

de la Guerre sut prendre avec « franchise » cette « question nationale où toute la France civile comme militaire est engagée ». Le texte du discours était dû à Guizot, mais le maréchal qui avait été acteur dans sa jeunesse, souleva l'émotion en rendant un vibrant hommage à l'armée impériale : « Il s'agit de savoir s'il existe parmi nous deux armées, deux nations, dont l'une sera frappée d'anathème et regardée comme incapable de servir le roi et la France ? Et, pour me renfermer dans ce qui me concerne directement, il s'agit de savoir si nous appellerons encore à la défense de la patrie les soldats qui ont fait sa gloire, ou si nous les déclarerons à jamais dangereux pour son repos ? Ce dernier arrêt serait rigoureux et injuste ; car ces soldats étaient admirables au jour du combat : une ardeur infatigable les animait, une patience héroïque les soutenait ; jamais ils n'ont cessé de croire qu'ils sacrifiaient leur vie à l'honneur de la France ; et, quand ils ont quitté leur drapeau, ils avaient encore à lui offrir d'immenses trésors de force et de bravoure ! Faut-il que la France renonce à les leur demander ? Faut-il que, dans ses adversités, elle cesse de s'enorgueillir de ces hommes que l'Europe n'a pas cessé d'admirer ? »

Le roi et le ministère firent, dans cette occasion, preuve de hardiesse. Le loyalisme de l'armée, lors de la guerre d'Espagne, indique que cette hardiesse fut payante.

Les lois sur la presse.

La liberté de la presse, dont le principe avait été proclamé par la Charte, ne triompha que lentement. La presse n'avait jamais été libre de façon durable depuis la Terreur et les gouvernements se méfiaient de cette puissance dont ils ignoraient la portée. Aussi après le régime restrictif de 1814, après la répression des écrits séditieux édictée en 1815, ne s'engagèrent-ils que par des lois provisoires en 1817 et 1818, dans une libéralisation progressive. Pourtant, un courant très fort marquait le désir de tous les secteurs de l'opinion d'être éclairés ou renforcés dans ses options politiques par la lecture de journaux ou de recueils périodiques.

Du côté ultra sont déjà apparus les grands organes royalistes *la Quotidienne* dirigée par Michaud, l'historien des Croisades, *la Gazette de France*, le violent *Drapeau blanc*, *le Journal des Débats* des frères Bertin ; moins durable, *le Conservateur* pour lequel Chateaubriand se vanta d'avoir obtenu la collaboration de tout ce qui comptait dans le parti, tenta d'unir les tendances ultra et les grandes libertés, idéal aussi de Fiévée et de sa *Correspondance politique et administrative*. Les libéraux eux aussi virent alors la fondation de journaux dont le principal était *le Constitutionnel* dirigé par Étienne et Tissot. Si *le Nain jaune*, ennemi irréductible du régime, était édité aux Pays-Bas et ne pouvait circuler que clandestinement, des recueils plus modérés comme *le Censeur* de Comte et *la Bibliothèque historique* de Dunoyer ou les organes successifs de l'inlassable Benjamin Constant : *le Mercure*, *la Minerve*, *la Renommée*, traduisaient l'importance de la pensée libérale du temps. Pour le gouvernement, outre *le Moniteur* qui publiait des articles politiques, on pouvait compter les organes des doctrinaires : *le Journal général*, *les Archives philosophiques*, *politiques et littéraires* de Guizot.

De temps en temps le ministère ou le parquet réagissait. La saisie de *la Monarchie suivant la Charte* ordonnée par Decazes, à laquelle Chateaubriand tenta de s'opposer personnellement, provoqua des remous ; surtout la condamnation à un an de prison de Comte et Dunoyer, libéraux qui n'étaient point antimonarchistes, mal fondée en droit, souligna l'arbitraire de la répression. Une société des Amis de la liberté de la presse se fonda en 1818 et les ultras ne furent pas moins ardents à la revendiquer que les libéraux.

Aussi le ministre de la Justice, de Serre, donna à la presse un statut libéral fixé par trois lois, la première sur les crimes et délits de presse, la seconde sur la procédure de répression, la troisième sur les journaux et écrits périodiques. Pour les deux premières, il avait pris conseil du jeune duc de Broglie, gendre de Mme de Staël, qui était devenu un oracle doctrinaire ; pour la troisième, il avait été aidé par Guizot, alors directeur au ministère de l'Intérieur de l'administration départementale et communale. Ces lois votées en mai et en juin 1819 posaient quelques grands principes.

La première affirmait qu'une « opinion ne devient pas criminelle en devenant publique », donc qu'il ne peut y avoir crime ou délit de presse que si l'écrit provoque à un crime ou délit. Appliquant ce grand principe, la loi définissait les catégories limitatives de faits qui devaient être réprimées : provocation d'un crime ou délit de droit commun, outrage à la morale publique et religieuse (ce dernier mot était la contribution de la droite à la loi...), offense au roi et aux autorités constitutionnelles, diffamation ou injures envers les particuliers.

La seconde loi donnait aux auteurs poursuivis la garantie de comparaître non devant les juges professionnels du tribunal correctionnel, mais devant le jury.

Les journaux pouvaient être publiés librement à condition d'avoir déposé une déclaration indiquant le nom de leurs propriétaire et gérant, et de verser un cautionnement.

Les lois de Serre, ont fixé pour plusieurs générations la doctrine libérale en matière de presse : publication libre qui découle de la liberté d'opinion, compétence du jury en cas de procès.

3. La crise frumentaire de 1816-1817

La crise de 1816-1817 n'est pas exclusivement française. On la retrouve en Irlande, en Allemagne, en Suisse, où 1817 a reçu le nom d'année de la mortalité des mendiants. Mais elle prit en France une gravité exceptionnelle, car aux causes climatiques s'ajoutèrent les conséquences de l'invasion.

Celles-ci jouèrent les premières. L'arrivée des troupes alliées à l'été 1815, peu avant la moisson, avec l'accompagnement habituel de foulage des terres cultivées, de fuite des paysans, de déprédations, amena un déficit de la moisson dans les régions les plus productrices de blé et la Brie ne produisit que les trois cinquièmes de la récolte de 1814. Puis les réquisitions jusqu'à l'automne absorbèrent les stocks disponibles de céréales. A la fin de l'année le prix du pain n'a cependant que faiblement augmenté, ce qui ne signifie pas d'ailleurs qu'il n'y eut pas de souffrances populaires, car l'invasion avait déclenché une crise de l'industrie textile en Normandie et en Champagne. 1816, en tout cas, se présentait comme une année où la soudure serait difficile.

Or, les conditions climatiques furent cette année-là désastreuses :

pluies froides et fréquentes au printemps, gelées en mai, chutes de grêle répétées en août (celle du 5 affecta presque tout le territoire national); les récoltes de céréales furent donc médiocres, la récolte de vin presque nulle. En ce qui concernait le blé, il y eut non seulement déficit en quantité mais en qualité.

Aussi la hausse des prix des céréales, et par suite du pain, fut-elle considérable. M. Chabert, prenant comme base l'indice 100 en 1820, calcule que l'hectolitre de froment atteignit l'indice 148,1 en 1816, 189 en 1817 (contre 102,1 en 1815) tandis que le prix du pain s'élevait à 131,8 et 167,3 (contre 89,1 en 1815). En fait, la hausse fut très variable même pour des marchés assez rapprochés, quoique partout la courbe des prix s'élève des premiers mois de 1816 au milieu de 1817, pour culminer en mai, juin ou juillet. Les études locales indiquent que l'Est de la France subit les hausses les plus fortes. Dans la Meurthe, le prix du blé a presque quadruplé de janvier 1816 à juin 1817, celui du seigle plus que triplé (ailleurs le coefficient de hausse du seigle, céréale de consommation populaire, dépasse souvent celui du blé), celui de l'orge et de l'avoine plus que quadruplé. Le prix du pain entre juillet 1816 et juillet 1817 a augmenté de 1 à 3,6 ou de 1 à 3,4 selon la qualité du pain. Ces hausses entraînèrent un renchérissement des autres denrées alimentaires très sensible pour la pomme de terre dont le prix septupla entre janvier 1816 et juillet 1817, tandis que le prix de la viande, denrée qui n'était pas à la portée de tous, passait de 1 à 1,67, mais à 2,77 pour le lard. La sécheresse du printemps 1817 apporta la complication supplémentaire d'un déficit de la production de légumes.

A Strasbourg la hausse du blé fut aussi considérable. En Brie, elle fut un peu plus modérée puisque l'hectolitre de blé valait, en mai 1817, 49 F (contre 20 en janvier 1816) celui de seigle 36 F (contre 11,25 F en janvier 1816). Mais dans cette région une partie de la récolte n'apparaissait pas sur les marchés et était vendue clandestinement à des prix supérieurs par les gros fermiers à des acheteurs qui venaient en prendre livraison la nuit.

L'approche de la récolte de 1817 amorça un mouvement de baisse qui se poursuivit ensuite, non sans de brusques soubresauts de hausse, jusqu'à la bonne récolte de 1818. Mais jusque-là, les classes populaires pour qui le pain demeurait la base de l'alimentation, connurent la famine.

L'administration s'attacha à maintenir tant bien que mal l'approvisionnement des villes, et les souffrances furent particulièrement vives dans les bourgades et à la campagne. Il y eut des régions où pendant des mois les habitants se nourrirent d'herbes, où l'on trouva des miséreux morts de faim. On revit le spectacle des plus mauvais jours d'autrefois : foules affamées tentant de taxer les denrées sur les marchés, bandes de mendiants ou de brigands qui attaquent les convois de vivres sur les routes et les rivières. On peut suivre l'évolution de ces révoltes du désespoir qui atteignirent tout le territoire, sauf la région méditerranéenne moins touchée ; de façon surprenante, elles affectèrent davantage le centre du pays que l'Est.

On note les premiers troubles dans le Nord, au Croisic, à Castres au printemps 1816. Mais la première grande flambée d'émotions populaires se situe entre novembre 1816 et janvier 1817. Un peu partout de l'Ain à la Haute-Vienne, de la Seine-Inférieure au Lot, les marchés sont attaqués, les boulangeries pillées, des rixes provoquent parfois mort d'hommes. D'un type plus particulier sont les troubles de novembre en Vendée et dans la Mayenne ou la grande émeute qui fut plusieurs jours maîtresse de Toulouse : dans ces régions où la pénurie n'existait pas, la foule encadrée par les chouans ou les verdets, cherche à s'opposer à l'envoi de grains vers Bordeaux d'une part, vers Marseille de l'autre.

La seconde grande phase des troubles qui éclatent en mai-juin 1817 voit de véritables jacqueries gagner des régions entières. En Brie, les révoltés partis d'Essonnes (3-4 juin) se rendent maîtres de Château-Thierry, pillent Chauny (10 juin), mais c'est dans l'Aube et surtout dans l'Yonne, où les vignerons assiègent Sens, que l'insurrection a le plus d'ampleur. Des soulèvements moins graves tournèrent court, comme celui du Bazadais que le préfet de Bordeaux, Tournon, apaisa avec une promesse d'amnistie.

Dans l'Yonne, Decazes fit dégager Sens par deux cents hussards et cinq cents fantassins de la garde, et la cour prévôtale prononça des condamnations à mort. En Seine-et-Marne, un rideau de quatre régiments de cavalerie se déploya de La Ferté-sous-Jouarre à Voulx, tandis que des colonnes mobiles de fantassins fouillaient les bois. Un peu partout la gendarmerie était débordée, la garde nationale marquait une visible répugnance à rétablir l'ordre.

Le gouvernement fut lent à s'avouer (ou à avouer) l'ampleur de la crise. Contrairement au gouvernement impérial lors de la crise de 1811, Laîné et Decazes s'efforcèrent de maintenir la libre circulation des grains et la liberté des transactions. Cependant des tendances plus réglementaires furent marquées par les préfets qui surveillèrent les boulangers, fixèrent la composition des farines, interdirent la distillation des grains pour les eaux-de-vie ou l'emploi de l'orge dans les brasseries, instituèrent même parfois des cartes de pain. Le gouvernement par ailleurs consacra 70 millions à faire venir des grains des provenances les plus diverses de Liverpool ou de Hollande, comme du Levant ou de la mer Noire. L'apparition du blé russe à Marseille était une nouveauté et amorçait un nouveau courant de trafic qui remontait le Rhône.

Les préfets, en accord avec les notables suivirent l'exemple du gouvernement. A Bordeaux on fit venir des grains de Mogador, on en commanda en Amérique. Mais leur action essentielle fut d'organiser l'assistance, grâce à des ateliers de charité, des distributions de pain ou de riz.

La plupart de ces émeutes de la faim n'ont pas débouché sur des revendications politiques, même lorsqu'« un nom proscrit » apparaît épisodiquement sur quelque mur. On a vu dans certains cas le rôle qu'y ont joué les forces populaires royalistes. Il faut cependant noter qu'il est difficile dans l'Yonne, l'un des départements les plus agités, de faire la part de la misère des vignerons et de la fidélité à l'empereur. De même dans l'obscur « complot » de Lyon (voir tome suivant, p. 104) le contexte de disette a certainement joué un rôle. Mais l'opposition politique au régime n'a pas dans l'ensemble tenté d'utiliser ces fureurs populaires.

C'était cependant la crainte du parti ultra et en particulier de l'état-major du pavillon de Marsan. On craignait donc le départ des troupes étrangères. Wellington, sans doute plus perspicace, sentait que le peuple attribuait ses maux à leurs réquisitions réelles et supposées. Il pensait, en 1818, à regrouper ses forces sans en diminuer le nombre dans des positions défensives, mais qu'à tout prendre le meilleur moyen d'éviter les troubles en France était leur départ. La haine de l'occupant, capable de regrouper les mécontents autour de cadres bonarpartistes, périrait ainsi faute d'aliment.

4. Le duc de Richelieu
et la libération du territoire

Les finances et la fin de l'occupation.

Au milieu de ses doutes et de ses découragements, le duc de Richelieu demeurait dominé par une unique pensée : libérer le territoire et rendre à la France son indépendance et sa place légitime en Europe. Pour cela, il n'y avait, à ses yeux, qu'une seule voie : l'exécution loyale, si difficile fût-elle, des engagements souscrits par le gouvernement français envers les autres États ou les particuliers. Il était conscient que cette politique n'était pas « propre à faire chérir la famille qui a été rendue à la France », mais cette bonne volonté rendrait au pays un prestige moral, grâce auquel le gouvernement serait plus fort pour obtenir des allégements des alliés en faisant appel à leur bonne foi ou leur bon sens.

C'est parce qu'ils risquaient d'amoindrir la confiance qu'on faisait au gouvernement de la France, que les projets de banqueroute partielle et de démagogie fiscale de la Chambre introuvable avaient profondément indigné le duc de Richelieu : « Ces Messieurs, écrivait-il au marquis d'Osmond, ont attaqué la prérogative royale, déconsidéré les ministres du roi et tué le crédit, le tout au cri de : Vive le Roi! » La Chambre élue en 1816 permettait de dresser un plan de redressement financier, dont Corvetto, ministre des Finances, fixait les principes le 14 novembre : paiement loyal de toutes les dettes, excédent de recettes sur les dépenses, appel à la confiance des capitalistes par la sûreté des engagements, sécurité donnée à toutes les fortunes.

Le projet de budget s'inspirait de ces principes et se présentait comme le premier acte d'une œuvre à long terme : il distinguait clairement dépenses ordinaires et dépenses extraordinaires et si le poids de celles-ci, qui comprenaient le paiement de l'indemnité de guerre et l'entretien des troupes d'occupation, empêchait de l'équilibrer par les recettes, ces dernières (774 millions) n'en étaient pas moins très supérieures aux dépenses ordinaires (630 millions sur un total de dépenses de 1 080 millions). Quant à la caisse d'amortissement créée en avril précédent, elle voyait sa dotation annuelle portée à 40 millions, recevait 150 000 hectares de bois et les arrérages des titres rachetés. Clarté du budget, effort fiscal, économies sévères, devaient rendre possible de contracter les emprunts indispensables. Cependant, à la fin de 1816 la rente française était tombée à 40 F et le gouvernement qui s'était fait autoriser à émettre 30 millions de rentes nouvelles ne pouvait placer ces emprunts considérables qu'à des conditions rigoureuses.

Après de difficiles négociations, il traita avec les maisons Baring de Londres et Hope d'Amsterdam, alors à la tête des banques internationales. Après un premier accord conclu le 22 mars 1817, deux autres prêts furent consentis la même année portant sur un total de 26,7 millions de rentes et une avance de 315 millions de F. La troisième tranche de ces emprunts associait pour un tiers des banques françaises comme Laffitte et Delessert. Le premier emprunt avait été contracté en rentes nominales de 100 F à 5 %, mais au cours de 55 F, c'est-à-dire que pour un intérêt de 5 F les banquiers n'avançaient que 55 F au trésor; sur cette somme, en outre, ils recevaient une commission de 2,50 F; enfin, l'entrée en jouissance des rentes concédées précédait en moyenne de 6 mois l'émission des traites par Baring et Hope, qui faisaient là encore un bénéfice d'environ 2,50 F. Les capitaux surabondants à Londres ne pouvaient guère y trouver de conditions aussi avantageuses. Et l'éventualité d'une hausse de la rente française leur ouvrait des perspectives dorées. Il est vrai que le prestige même de Baring donnait confiance aux capitalistes et réévaluait la rente en Bourse. Aussi, malgré ces émissions massives, les cours de la rente montèrent et les emprunts suivants furent conclus à des conditions un peu plus favorables.

Les paiements quadrimestriels à verser aux alliés étaient assurés et Richelieu put obtenir que les troupes d'occupation fussent ramenées de 150 000 à 120 000 hommes à partir du 1er avril 1817, ce qui représentait pour l'État français un allégement annuel de 30 millions.

Cependant surgit un péril inattendu. Les traités avaient mis à la charge de la France, les créances particulières contractées par elle à l'étranger ou les dommages qu'avaient pu subir de son fait, les ressortissants alliés. On estimait, au moment du traité de Paris, le total à à peu près 200 millions. Mais les réclamations s'élevèrent à 1 600 millions. Si celles des Anglais avaient fait l'objet d'un contrôle sérieux, de petits États allemands présentaient les demandes les plus extravagantes. Le tsar était prêt à faire droit à la demande de réduction de Richelieu, qui alléguait l'impossibilité absolue de payer cette somme, mais la Prusse la combattit par un mémoire violent destiné à l'opinion allemande et dont l'effet fut de paralyser la bonne volonté de l'Autriche. Finalement Alexandre suggéra de prendre Wellington comme arbitre. Les créances anglaises et espagnoles furent traitées à part et évaluées au capital correspondant à 4 millions de rentes. En ce qui concerne les autres, Wellington s'acquitta consciencieusement de sa tâche, grâce aux rapports de Rothschild : il évalua l'ensemble à 240 millions, réduisant les diverses demandes de façon considérable et autorisant le paiement par une inscription de 12 millions de rentes qui prenait date au 22 mars 1818. Ainsi au total, le gouvernement devait émettre à nouveau 16 millions de rentes. Cette fois, il procéda différemment, mettant en souscription 14,6 millions sur le marché. Les demandes des capitalistes atteignirent 163 millions et le gouvernement choisit les souscripteurs qui lui paraissaient offrir de meilleures garanties.

Richelieu décida, malgré ces émissions répétées d'emprunts, de payer par anticipation les deux dernières années de l'indemnité due aux alliés. Bien que le traité de Paris n'ait pas établi de lien formel entre le paiement de cette indemnité et l'occupation, il pensait que celle-ci liquidée, celle-là pourrait être ramenée à 3 ans au lieu des 5 ans prévus par le traité de Paris. La seule objection qui pouvait être faite à ce retrait des troupes à la fin de la troisième année, était la crainte d'une révolution au départ des troupes étrangères. On sait les terreurs des ultras, effrayés des troubles populaires et des progrès électoraux des libéraux. Le comte d'Artois eut le tort de saisir les alliés de la question : une *Note secrète* rédigée par Vitrolles fut remise par son ordre au comte Orloff, aide de camp du tsar (mai 1818); il est probable que le résultat que visait Monsieur était une pression des souverains sur Louis XVIII pour qu'il changeât son ministère, mais Decazes publia une copie tronquée de cette Note et l'opinion

fut convaincue que le parti du comte d'Artois sollicitait une pro-
longation de l'occupation. Ces maladresses aboutirent à faire
retirer au prince héritier le commandement général des gardes
nationales.

Le Congrès d'Aix-la-Chapelle et la fin de l'isolement de la France.

Les problèmes français furent examinés dans un nouveau
Congrès qui se réunit à Aix-la-Chapelle le 27 septembre. Les trois
souverains continentaux étaient présents, Castlereagh dirigeait
la délégation anglaise, Richelieu celle de la France. L'accord de
Metternich et de Castlereagh avait fait écarter les puissances secondaires, malgré le désir du tsar qu'on soupçonnait de vouloir, grâce
à elles, établir une hégémonie russe en Europe. On se mit facilement
d'accord sur la fin de l'occupation, sur la dissolution de la conférence des ambassadeurs à Paris, tutelle désagréable pour le gouvernement français. Le règlement financier des deux dernières
années, que des négociations de ce gouvernement avec Hope et
Baring avaient bien préparé, ne souleva pas de difficultés particulières. La France devait 280 millions, somme qu'on abaissa à 265;
100 millions furent inscrits en rentes sur le grand livre de la dette
française à la date du 22 septembre 1818, il fut convenu que les
165 millions restants seraient payés par Hope et Baring en 9 traites
mensuelles à partir du 6 janvier 1819.

La Prusse proposait de substituer à l'occupation l'entretien d'une
force internationale aux Pays-Bas; cette proposition fut rejetée.
Richelieu avait espéré que le traité de Chaumont conclu pour
vingt ans contre la France, serait abrogé; il n'en fut rien et le tsar,
en qui il avait mis sa confiance, déclara à Metternich et à Castlereagh son désir de le renouveler. Mais le traité devenait secret et
ne jouerait qu'en cas d'une révolution en France.

Cependant, pour l'organisation future de l'Europe, deux
conceptions se heurtaient; à celle du Tsar, qui aurait voulu un
organisme représentatif de toutes les nations, fut préférée la
conception anglo-autrichienne de Congrès non périodiques des
seules grandes puissances. Mais pour éviter qu'Alexandre isolé
au sein de la quadruple alliance ne soit tenté de lui faire contrepoids
par des accords bilatéraux parallèles avec la France comme son
ambassadeur à Paris, le Corse Pozzo di Borgo l'y poussait, on

élargit ce directoire européen en y admettant la France à égalité.

Le 4 novembre, les alliés proposèrent donc à celle-ci de « prendre part à leurs délibérations présentes et futures ». Richelieu, après avoir consulté le roi, répondit favorablement le 12.

D'abord déçu par le renouvellement de la quadruple alliance, il était satisfait du résultat obtenu. Devenu un traité secret qui ne jouait qu'au cas de révolution en France, l'accord de Chaumont perdait sa portée. Par contre, l'admission au grand jour et sans restriction de la France à égalité avec les alliés au sein d'un directoire qui discuterait des grands intérêts de l'Europe, marquait qu'elle avait repris sa place de grande nation. Richelieu avait accompli l'œuvre à laquelle il s'était voué.

On n'a guère contesté alors la loyauté habile du duc qui, avec des moyens bien différents de ceux de son prédécesseur, avait redressé en trois ans un pays dont l'unité nationale même était menacée. Mais le redressement financier accompli avec l'aide de Corvetto, condition indispensable du relèvement diplomatique, a, par contre, fait l'objet de critiques très vives.

L'un des principaux griefs adressés à Corvetto fut d'avoir traité pour les principaux emprunts avec des maisons étrangères et non des banquiers parisiens. Il fut formulé avec vivacité à la fois par Casimir Périer et par Villèle qui prétendit qu'en soumissionnant ces emprunts avec concurrence, on aurait pu emprunter au pair à 10 %. C'est sans doute ne tenir compte ni de l'étroitesse du marché français (les capitalistes qui souscrivirent à l'emprunt émis directement dans le public semblent avoir été plus des joueurs à la hausse que des prêteurs), ni surtout de la confiance exceptionnelle qu'inspirait Baring aux puissances étrangères. Le fait que celui-ci acceptait de prêter à la France, même à des conditions onéreuses, donnait confiance dans son relèvement. Et, à tout prendre, il fallait peut-être mieux financer ces versements avec de l'or anglais ou hollandais qu'opérer une ponction massive de capitaux, susceptible de tarir les investissements intérieurs nécessaires à l'économie française.

Quoi qu'il en soit, un effort très lourd était imposé aux propriétaires fonciers et surtout au petit peuple par le biais des impôts de consommation. Le régime ne pouvait guère en retirer que de l'impopularité.

3

La réaction royaliste

1. Le second ministère Richelieu (20 février 1820 - 14 décembre 1821)

L'assassinat du duc de Berry consterna l'opinion, mais ne provoqua pas une de ces réactions d'union entre les partis qui sont parfois la conséquence des catastrophes. Au contraire, l'hostilité des ultras et des libéraux en fut exacerbée.

Répression.

En dépit des aveux de Louvel, les ultras ne croyaient guère à un attentat isolé. Toute l'Europe leur paraissait secouée par les menées d'un vaste complot contre les dynasties légitimes : depuis 1817, des troubles universitaires avaient agité l'Allemagne et, en mars 1819, l'écrivain Kotzebue, suspect d'être un agent du tsar, était assassiné à Mannheim par l'étudiant Sand. En janvier 1820, l'insurrection de Riego à Cadix imposait à Ferdinand VII la constitution des Cortès de 1812 et, en juillet, un pronunciamiento militaire imposait aussi la même constitution à son vieil oncle Ferdinand Ier roi de Naples. Bientôt les troubles gagneront le Portugal, puis le Piémont (mars 1821). Restés sous l'impression des Cent-Jours, les royalistes exigeaient des mesures de précaution et de répression. Si quelques exaltés voyaient en Decazes un ennemi de la dynastie, les autres lui imputaient une responsabilité morale par ses ménagements envers les libéraux.

Ceux-ci soupçonnaient les ultras de viser par tout ce tapage à supprimer la Charte. La défense des libertés qu'elle reconnaissait

leur paraissait justifier le recours à l'illégalité. La Fayette le déclara
à peu près ouvertement à la Chambre.

Aussi, lorsqu'au lendemain de la mort du duc, Decazes proposa à la Chambre des mesures d'exception, la gauche s'y montra
hostile; la droite également, à cause de leur auteur. Pour remplacer
Decazes le seul recours était un homme au-dessus des partis et
cet arbitre ne pouvait guère être que Richelieu.

Celui-ci, conscient de son peu de capacité de dénouer cette
crise intérieure, céda cependant, après que le comte d'Artois
lui eut promis de le soutenir. Il forma une administration de
royalistes constitutionnels où son principal appui fut le comte de
Serre, garde des Sceaux. Effrayé maintenant des progrès de la
gauche, de Serre était prêt à défaire son propre ouvrage et à lutter
contre ses anciens amis les doctrinaires, franchement passés du
côté libéral. La Chambre se divisait en deux camps irréductible-
ment hostiles : ministériels et droite unis vont faire passer de
justesse au cours de débats passionnés des mesures limitatives des
libertés publiques qui n'étaient guère que des mesures préparées
par Decazes à la veille de son départ :

1. Suspension de la liberté individuelle qui permettait d'arrêter
et de détenir sans jugement pendant trois mois les individus
suspects de complot.

2. Modification du régime de la presse avec le rétablissement
de l'autorisation préalable et, à titre temporaire, de la censure
pour les journaux et écrits périodiques. Une répression sévère
s'abattit sur *la Minerve, la Bibliothèque historique* qui succom-
bèrent, tandis que Chateaubriand sabordait *le Conservateur*. Les
journaux d'opposition survivants comme *le Constitutionnel*
menèrent une existence précaire.

3. Nouvelle loi électorale dite du « double vote ». La Chambre
des députés comprenait 258 membres élus par les électeurs censitaires à 300 F. Désormais, ces députés seront élus, non plus dans
le cadre du département, mais dans celui de l'arrondissement, modification que la gauche se montrait prête à accepter. Mais un « grand
collège » électoral, formé du quart des électeurs les plus imposés de
chaque département, se réunissait au chef-lieu de ce département.
172 députés supplémentaires (soit 2/5èmes de la Chambre portée
à 430 membres) étaient ainsi élus par ce quart des plus imposés.

Réveil de l'opposition.

Les débats qui occupèrent la session 1820 furent parmi les plus remarquables de la Restauration. Les députés de l'opposition, pour suppléer aux informations des journaux, parlaient « par la fenêtre ». Et c'était à peine une image, car une foule recevant les nouvelles, se tenant au courant des votes, applaudissait ou conspuait les députés (Chauvelin député d'extrême-gauche qui, malade, s'était fait porter à la Chambre connut un véritable triomphe). En juin, des rixes éclatèrent au cours desquelles, le 3, l'étudiant Lallemand fut battu à mort par des gardes du corps ; son enterrement faillit tourner à l'émeute.

Ces premiers troubles annonçaient le passage d'une partie des libéraux à l'illégalité. Un véritable complot se produisit dès le mois d'août, complot que le gouvernement réussit à déjouer. Mais ni les violences de l'opposition ni le recours à l'illégalité n'avaient beaucoup d'écho dans les masses provinciales. Le loyalisme monarchique se manifesta à l'occasion de la naissance du duc de Bordeaux, fils posthume du duc de Berry, « l'enfant du miracle », et les élections de novembre marquaient un retour de faveur de la droite : non seulement les élections aux « grands collèges » lui étaient favorables mais pour le cinquième renouvelable devant les collèges d'arrondissement les libéraux subirent un échec. Ils n'eurent plus à la Chambre que 80 représentants sur 430 membres, le reste se partageant entre ministériels et ultras.

En fait, c'était un nouveau danger pour Richelieu. Il tenta d'y obvier en créant des ministères d'État pour Villèle et Corbière, les chefs les plus raisonnables du parti ultra, qui entrèrent au conseil des ministres en décembre 1820. Ils y portèrent avant tout les exigences de la droite, pour se dédouaner de ses méfiances. En juillet 1821, ils demandèrent pour leur parti l'Intérieur ou la Guerre : ce fut la rupture et ils redevinrent simples députés. Cependant les élections d'octobre 21 renforçaient encore la droite. Elle passa à l'opposition avec l'appui de la gauche qui pensait qu'un ministère de droite prouverait son incapacité à gouverner.

La politique étrangère fournissait d'ailleurs un thème facile aux mécontents. Nous avons vu que le roi de Naples avait été contraint d'accepter la constitution espagnole de 1812 et Metternich songeait à faire rétablir par les troupes autrichiennes le régime absolutiste. Il accepta cependant la réunion d'un congrès des cinq grandes puissances qui se tint à Troppau (octobre-décembre 1820), puis à Laybach (janvier-février 1821). La France était partagée entre le désir de ne pas rester à l'écart des puissances continentales et celui de ne pas voir les Autrichiens à Naples. Elle espérait s'entendre avec la Russie et imposer une médiation réconciliant Ferdinand Iᵉʳ et ses sujets sur un régime constitutionnel plus modéré. Mais Alexandre n'était plus favorable aux institutions libérales et sa pensée se tournait surtout vers l'Orient. Le ministre des Affaires étrangères Pasquier ne sut donner que des instructions irréalistes à nos représentants, La Ferronnays, ambassadeur à Saint-Pétersbourg, et Caraman, ambassadeur à Vienne, tous deux en parfait désaccord. A Laybach, l'arrogante présence de Blacas donna une figure un peu moins piteuse à la représentation française. Mais celui-ci ne put convaincre son gouvernement d'envoyer des forces françaises à Naples pour devancer les Autrichiens.

Ceux-ci eurent donc le champ libre en Italie. Leurs troupes occupèrent non seulement le royaume de Naples, mais encore le Piémont après l'insurrection de mars 1821, et tous les États intermédiaires pour des nécessités stratégiques. Les critiques de la droite, sensible à notre perte de prestige, et de la gauche qui reprochait au ministère de n'avoir rien fait pour les constitutionnels italiens, se joignirent dans un paragraphe de l'adresse exprimant le vœu que la paix ne soit pas « achetée par des sacrifices incompatibles avec l'honneur de la nation et la dignité de la couronne ».

Sur le plan intérieur, les deux oppositions réclamaient aussi la fin de la censure des journaux et Richelieu fut acculé à l'option démission ou dissolution. Le comte d'Artois, en dépit de ses promesses, lui était hostile et le roi Louis XVIII de plus en plus indifférent à la politique, lui retira son soutien. Le 15 décembre, un ministère uniquement « ultra » était formé.

La seconde administration de Richelieu a donc été un gouvernement de transition entre les constitutionnels et la droite. Mais elle a introduit dans le régime un germe de mort; par peur d'une révolution et par une conscience pessimiste de sa faiblesse, Richelieu n'a vu de salut qu'en des mesures répressives et en l'appui politique des classes supérieures, surtout de la noblesse. Cette renonciation à l'élargissement de la vie politique qu'avaient préconisé jusqu'alors beaucoup d'ultras, mettait le régime à la merci d'un corps électoral exigu et arbitrairement choisi.

2. Les complots et la charbonnerie (1820-1822)

Les sociétés secrètes.

Les mouvements révolutionnaires libéraux qui troublent l'Europe de la Sainte-Alliance, agitent aussi en 1820 et 1821, la vie politique française. Là, comme ailleurs, ils sont l'œuvre des sociétés secrètes· Si les conspirateurs français eurent des contacts avec des émigrés allemands d'Alsace, des émigrés italiens du Sud-Est et s'ils rencontrèrent parfois d'autres exilés en Suisse, ces contacts furent épisodiques. Une fédération internationale des révolutionnaires dirigée par un comité central siégeant à Paris, comme la dénonçait Metternich, ou, en Italie, comme la voyait le directeur de la police, Franchet-Despéret, relève de la pure imagination. Certes le courant proromantique ou romantique plongeant par certains côtés dans le mystère, l'occultisme, l'initiation était un contexte européen favorable à ces mouvements parallèles mais, en dépit d'imitations, ils restent autonomes.

En France d'ailleurs, les libéraux n'ont eu ni le monopole, ni l'initiative des sociétés secrètes : on a vu le rôle des Chevaliers de la foi; la franc-maçonnerie, libérée de l'asservissement impérial et où les options politiques se diversifient, voit ses loges proliférer. Mais pour les libéraux il existait à la base de l'action clandestine, le mécontentement de classes sociales bien définies auquel le régime censitaire ne donnait pas d'autres moyens d'expression. C'était le cas surtout de l'armée et des étudiants.

On comprend les regrets de l'armée, et l'on a mis en valeur, non sans exagération, le demi-solde qui vit dans la gêne en se souvenant des jours glorieux du passé. Mais l'armée n'est pas que nostalgique : l'officier en activité gagne peu, n'avance guère, craint les épurations comme celle qu'en 1820 pratique le ministre de la Guerre Latour-Maubourg. Par ailleurs, bien des passe-droits sont accordés aux officiers nobles, en dépit même des termes de la loi Gouvion-Saint-Cyr. Le problème de l'avancement est particulièrement grave pour les sous-officiers dont l'avenir est bouché par l'absence d'opérations militaires. Dans une armée qui se conçoit comme la partie la plus pure de la nation, les conspirations, à vrai dire, n'ont guère cessé depuis 1814.

Le problème des sous-officiers se retrouve à une bien plus large échelle pour les étudiants. La Révolution et l'Empire ont fait appel à des cadres jeunes pour remplacer les vides causés par l'émigration ou la guerre. La Restauration a réduit le nombre des fonctionnaires (à 190 000), n'a pas créé d'emplois économiques... Dans le pays de forte natalité qu'est demeurée la France, une jeunesse bourgeoise nombreuse n'a souvent d'autre perspective que d'accroître le nombre des avocats sans causes et des médecins sans clients. Conflit de génération, auquel prennent part les commis, les calicots, et aussi une partie des classes libérales qui vivent difficilement.

Un troisième élément plus varié sociologiquement comprend ceux que l'attachement à la Révolution rend hostiles à toute politique de réaction : propriétaires de biens nationaux, manufacturiers protestants de l'Est, etc.

Aussi les sociétés secrètes ont très vite proliféré.

A l'origine se trouvent des groupes militaires bonapartistes comme l'Épingle noire, le Bazar français surtout qui, sous le couvert d'une affaire commerciale, réunit dans un café des officiers en activité ou en retraite, officiers parmi lesquels on rencontre, de Fabvier à Caron, beaucoup de fauteurs des futurs complots. Parallèlement, dès 1815, se sont fondées des sociétés estudiantines, dont certains membres ont le prestige d'avoir été volontaires pendant les Cent-Jours : la Société diablement philosophique, dont deux des fondateurs, Bazard et Buchez, exercent plus tard une influence révolutionnaire importante; cette société se convertit en une loge maçonnique, les Amis de la vérité, qui prit de singulières libertés avec le rituel, mais groupait au milieu de 1820 un millier de membres. Dans l'Ouest, une grande société secrète semble être la plus ancienne de toutes : les Chevaliers de la liberté qui sous un autre nom existait dès la première Restauration. Fondée par un ex-major de l'armée impériale établi à Saumur, ayant ses premiers adeptes aussi bien à l'École de Cavalerie que chez les civils, elle trouva un terrain d'élection chez les bourgeois des villes de l'Ouest auxquels se joignirent des éléments plus populaires, mariniers de la Loire ou artisans.

Dans un style différent, une autre société fondée à Paris par un avocat de Grenoble, Rey, l'Union, semble s'être préoccupée surtout de donner un état-major à un futur mouvement révolutionnaire : on y trouve des hommes politiques et de grands avocats, La Fayette, Corcelle, Mérilhou. etc. Une partie des éléments provient de la Société des amis de la liberté de la presse.

Lors des manifestations de juin 1820 se trouvèrent mis en contact les hommes des Amis de la vérité et ceux du Bazar français. La loi du double vote violant, à leurs yeux, l'esprit de la Charte, le recours à l'insurrection fut décidé. Le 19 août, les militaires devaient appeler aux armes dans les casernes et marcher sur le fort de Vincennes, tandis que les étudiants groupés en face du Panthéon dans l'immeuble habité par un de leurs chefs, Joubert, appelleraient les faubourgs à l'insurrection. Des mouvements de soutien éclatèrent en province.

Mais le mouvement fut dénoncé à Marmont qui alerta le gouvernement dont les mesures de précaution amenèrent les conjurés à décommander au dernier moment le soulèvement. La Cour des pairs chargée de poursuivre le complot, ne le prit pas très au sérieux et, en condamnant des comparses, évita de poursuivre les chefs.

La flambée carbonariste.

C'est à la suite de cet échec que s'organise la Charbonnerie. Les Carbonari italiens étaient une association secrète fondée à l'origine contre le régime du roi Joseph à Naples et dont le vocabulaire était emprunté au langage des bûcherons et fabricants de charbon de bois, qui ont toujours vécu en marge de la société dans le sud de l'Italie comme ailleurs. Depuis, cette société secrète avait adopté — tout en gardant une symbolique chrétienne — une attitude libérale. En France des Italiens émigrés et des Corses revenus dans leur île (l'un d'eux Limperani va jouer un rôle dans les complots) étaient restés affiliés. Mais la Charbonnerie française n'a vraiment pris naissance que lorsque Joubert et son ami Dugied s'étant enfuis après le 19 août en Italie ont été initiés. Ils sont revenus en France (mars 1821) adaptant les statuts napolitains au milieu français. Ils vont créer la Charbonnerie, dont le caractère rigoureusement clandestin et l'organisation militaire leur paraissent un gage de succès. Chaque charbonnier appartenait à une « vente » de 10 membres, versait une cotisation et devait tenir prêts un fusil et 25 cartouches ; il y avait toute une hiérarchie de ventes, communales, départementales, centrales ; l'échelon supérieur était formé de délégués des échelons inférieurs, mais les affiliés de base ne connaissaient que les camarades de leur vente, cloisonnement qui limite les infiltrations policières. A la tête, la haute vente ou vente suprême comporte deux éléments : des jeunes comme Buchez, Bazard, Dugied, des politiciens chevronnés ou de grands notables : La Fayette, Dupont de l'Eure, Voyer d'Argenson, Kœchlin, Corcelle, etc.

Si la phraséologie reste celle de la Révolution française et le drapeau tricolore l'emblème vénéré, le programme politique demeure flou et il ne pouvait en être autement dans une société où se trouvaient militaires et civils, bonapartistes et républicains.

Le recrutement se fait avec une rapidité explicable seulement par la vigueur des souvenirs de la Terreur blanche et le fait que des sociétés secrètes comme les Chevaliers de la liberté furent incorporées en masse. C'est par des délégués venus en mission de Paris, qu'étaient constituées les ventes. Soixante départements furent atteints par le mouvement qui eut ses plus gros effectifs dans la capitale, l'Est et l'Ouest. Le chiffre total des affiliés atteignait peut-être 30 000.

Sans perdre de temps, la Charbonnerie prépara des complots. Le premier soulèvement envisagé combinait un mouvement à Saumur pour le 24 novembre 1821, puis une insurrection à Belfort qui gagnerait toute l'Alsace. Cette dernière était soigneusement préparée, Kœchlin ayant récupéré dans ses manufactures les cadres militaires échappés à la répression de l'insurrection du 19 août et les garnisons étant soigneusement travaillées. Cependant ce fut un double échec : à Saumur le directeur de l'École de cavalerie était vraisemblablement au courant ; à Belfort, le zèle suspect de quelques conjurés fit découvrir le pot aux roses au dernier moment à l'autorité militaire, les hommes trop compromis s'enfuirent. La Fayette déjà en route pour l'Alsace changea d'itinéraire. En février, le mouvement de l'Ouest fut repris par le général Berton qui, de Thouars marcha avec 150 hommes, surtout des paysans, sur Saumur sans y éveiller d'écho.

Bien qu'il n'ait pas saisi l'ampleur des premiers complots, le gouvernement était alerté. C'est ainsi qu'en février 1822 il fit transférer de Paris à La Rochelle le 45e de ligne qui avait mauvais esprit. De fait, d'assez nombreux sous-officiers avaient été affiliés dans la capitale à la Charbonnerie. En route, ils multiplièrent les imprudences et arrivés à destination s'abouchèrent avec les ventes locales pour préparer un soulèvement. Certains, pris de peur, dénoncèrent leurs camarades qui furent arrêtés. Ils furent transférés à la cour d'assises de Paris, devant laquelle le procureur général Marchangy dressa un tableau de toute l'organisation, les avocats des prévenus, eux-mêmes charbonniers, réussissant surtout à empêcher ceux-ci de parler. Quatre sergents furent condamnés à mort et montèrent sur l'échafaud le 20 septembre. Le roi Louis XVIII eût été bien inspiré en leur faisant grâce, car la sensibilité populaire fut émue de pitié par le sort de ces jeunes gens « martyrs de la liberté ».

D'autres complots furent déjoués d'autant plus facilement qu'ils étaient des provocations policières. Jamais le régime n'avait été sérieusement menacé. Une répression sévère démantela le réseau (au total il y eut 12 exécutions) et le reflux du carbonarisme fut aussi rapide que sa montée. D'ailleurs la Charbonnerie était travaillée par des dissensions internes. A l'enthousiasme de la base avait répondu une prudence personnelle excessive des chefs. Et la vente suprême ne pouvait en fait associer efficacement des étudiants pleins d'ardeur et de vieux routiers de la Chambre et du barreau.

Elle a formé une partie du personnel politique qu'on verra plus tard à l'œuvre, mais le romantisme de son action la condamnait à l'échec. Les dernières tentatives pour soulever l'armée lors de la guerre d'Espagne soulignèrent son impuissance.

3. Le ministère Villèle et ses succès

Le ministère ultraroyaliste formé le 14 décembre 1821 comprenait : Villèle aux Finances, Corbière à l'Intérieur, Montmorency aux Affaires étrangères, Peyronnet à la Justice, le maréchal Victor, duc de Bellune, à la Guerre, Clermont-Tonnerre à la Marine, Lauriston à la Maison du roi. Les libéraux, complices de l'accouchement, prédisaient une brève existence à cette administration choisie par Monsieur. Or, Villèle demeura plus de six ans au pouvoir, jusqu'en janvier 1828, près des deux cinquièmes de la durée de la Restauration.

Mathieu de Montmorency, grand seigneur monarchien de 1789, intime de Mme de Staël, n'était plus que l'homme de la Congrégation et des Chevaliers de la foi et Louis XVIII se méfiait de son esprit de coterie; Peyronnet était un procureur bordelais, avantageux et médiocre; l'ancien tambour Victor était le plus glorieux soldat de fortune rallié aux ultras, mais personne ne lui prêtait une vive intelligence ni des talents d'administrateur; Corbière, grand propriétaire breton, était sous une écorce rustique un esprit fin et cultivé, mais sa paresse était incurable. Son ami Villèle, bien qu'il n'y eût pas de président du conseil avant le mois d'août suivant, dominait la nouvelle équipe.

Villèle.

Né en 1773, issu d'une famille de petite mais ancienne noblesse du Lauraguais, Villèle avait été par son père destiné à la Marine royale. Il voguait vers les Indes à l'époque de la Révolution; emprisonné un moment comme suspect sous la Terreur à l'Ile-de-France, il se reconvertit en planteur à l'île Bourbon où il épousa une créole, fille d'un grand propriétaire. De 1798 à 1802, il siégea à l'Assemblée qui administrait la colonie coupée de la métropole, et y joua un rôle important. En 1807, il revient en France prendre possession du domaine familial de Morvilles, près de Toulouse; il semble tout absorbé par ses moissons et son carnet de comptes.

Mais, en 1813, il devient Chevalier de la foi, écrit en 1814 contre la Charte et en faveur de la décentralisation, devient en 1815 un maire de Toulouse suspect de faiblesse pour les verdets. Député, il défend les libertés parlementaires et la démocratisation des élections. Jeu d'un ambitieux ou exaltation passagère qui traverse une existence bien ordonnée? En tout cas, en 1819, il se range et négocie avec Decazes; contre les « impatients » de son parti, c'est le chef des « circonspects ».

La réputation de Villèle n'est pas sortie indemne des griffes de Chateaubriand, ni des calomnies des libéraux. Plus équitablement, Lamartine conseille de ne pas juger sur une première impression cet homme malingre, au visage anguleux marqué de petite vérole, cet orateur qui nasille avec un fort accent toulousain.

Ouvrons donc sa correspondance et ses carnets. Les vertus domestiques surabondent chez ce terrien dont la probité s'accompagne d'un goût très vif pour l'argent bien acquis. Ce dernier trait, il le mettra au service de l'État pour lequel il a un culte désintéressé. Analyste lucide des problèmes concrets, travailleur acharné, il a la faculté d'exposer clairement les affaires les plus embrouillées. Au sein de ce parti ultra qui délirait beaucoup et alimentait ses rêves de métaphysique et de mystique, Villèle, tiède chrétien d'habitude et sans culture humaniste, a percé paradoxalement par une intelligence précise et terre à terre, nourrie de l'étude des dossiers financiers ou administratifs. Avec l'intention dénigrante que l'on devine, Chateaubriand l'a dit précurseur des politiciens économistes de la monarchie de Juillet. Avec d'autres passions, il est peut-être plus proche des grands administrateurs du régime impérial.

Pour lui, la politique consiste à agir avec adresse, à plier devant les oppositions trop fortes en tâchant d'atténuer le mal, jeu de compromis qui a contribué à assurer sa longévité ministérielle. Dès le début de son ministère, Villèle qui ne possède ni les charmes ni l'esprit orné d'un favori, assure ses arrières en liant partie avec la dernière passion platonique du roi, Mme du Cayla, accorte « nymphe de sacristie ». Ce n'est pas sans risque car la dame est avide et, en outre, l'instrument du parti dévôt.

On peut faire, semble-t-il, à Villèle un reproche plus grave : celui d'avoir tenté de rétrécir le régime à un idéal mesquin de comptable, au moment même où le pays retrouvait sa liberté d'action. A une époque de romantisme et d'enthousiasme, Villèle reste profondément étranger au bouillonnement intellectuel de son temps. En cela, cet administrateur et ce politicien souvent adroit n'a pas su s'élever au niveau d'un véritable homme d'État. Ici, l'ironie du vicomte frappe juste : « [M. de Villèle] était un grand aideur d'affaires; marin circonspect, il ne se mettait jamais en mer pendant la tempête et, s'il entrait avec dextérité dans un port connu, il n'aurait jamais découvert le nouveau monde. »

De fait, au ministère des Finances, Villèle a accompli une œuvre remarquable : il a parachevé la centralisation des services, fixé les règles de la comptabilité publique, rendu possible le contrôle de la Cour des comptes sur toutes les dépenses de l'État. Les principes de cette administration financière qui, pour la première fois, proscrit les virements abusifs et les malversations, sont encore en vigueur aujourd'hui. Et, dans le domaine du budget, son action aussi est efficace : dès 1823 il met fin à la pratique jusque-là régulière des douzièmes provisoires, et ses estimations sont précises et sincères. Ce budget, il le fait voter par sections et non plus par ministères, renforçant dans ce domaine le contrôle parlementaire. A l'exception de celui de 1827, tous ses budgets furent en excédent, ce qui permit d'opérer des dégrèvements; mais ceux-ci portèrent moins sur les droits de douane et les impôts de consommation que sur l'impôt foncier. En abaissant celui-ci, Villèle obtenait un double but : éliminer du cens électoral des membres de la classe moyenne et alléger les charges des grands domaines obérés par l'abaissement du prix des céréales depuis 1820. Les préoccupations sociales de Villèle étaient à l'échelle de Morvilles.

Mais, chef du gouvernement, Villèle demeure homme de parti et les libéraux ont dénoncé un « système déplorable » certes pratiqué avant lui et que Guizot perfectionnera plus tard, mais qui n'en mérite pas moins d'être accolé à son nom : épuration des fonctionnaires, listes électorales établies de mauvaise foi par les préfets, députés ministériels distributeurs des faveurs du pouvoir. Ce qui caractérise le mieux ce système, c'est peut-être la tentation de bâillonner sournoisement l'opposition en revenant sur ce grand progrès pour la liberté d'opinion qu'avaient été les lois de Serre. Certes, la censure établie provisoirement par le ministère Richelieu est supprimée. Mais les lois de mars 1822 soumettent la presse périodique à l'autorisation préalable et surtout créent les procès de tendance; sous des rubriques aussi vagues qu'atteinte au roi ou à la religion, elles permettent après plusieurs procès de supprimer un périodique. Parallèlement, le ministère s'efforce de racheter secrètement des journaux qui le gênent.

Pourtant, vers 1824, il serait sans doute très abusif de croire que l'indignation de l'opposition et des milieux intellectuels parisiens était partagée par la province. Les classes censitaires créditaient à tort ou à raison le pouvoir d'une prospérité renaissante; elles blâmaient les complots et, dès le renouvellement partiel de la Chambre de 1822, les chefs libéraux, comme La Fayette et Voyer d'Argenson, avaient été battus. Enfin, le déroulement de la guerre d'Espagne marquait le ralliement de l'armée et la consolidation d'un régime dont jusque-là l'avenir paraissait incertain.

Le débat autour de la rente.

Villèle sut profiter de la conjoncture en faisant décider le renouvellement intégral de la Chambre. La nouvelle Chambre, élue en 1824, pour 7 ans, n'eut plus que 19 opposants libéraux sur 430 membres et cette Chambre « retrouvée » qui a environ trois cinquièmes de nobles et plus de la moitié de son effectif d'anciens émigrés, est au fond plus « à droite » que l'ancienne chambre introuvable et aussi indisciplinable.

Villèle put alors présenter deux grandes lois, liées l'une à l'autre. Ouvrant la session le 23 mars 1824, le roi fit allusion à la nécessité de « fermer les dernières plaies de la Révolution » en indemnisant les émigrés. C'était un problème qui, depuis qu'en 1814 une proposition du maréchal Macdonald l'avait soulevé, n'avait guère cessé d'alimenter un courant de pétitions de brochures, de polémiques. Mais Villèle, par une prudence financière qui était sans doute une faute tactique, voulut s'assurer les voies et moyens en proposant une conversion de rente.

Le cours des rentes 5 % avait en effet atteint 104,80 F le 5 mars, non seulement à cause du relèvement du crédit de l'État, mais aussi de la baisse générale du taux de l'intérêt. Il y avait un paradoxe à faire rembourser au-dessus du pair par la Caisse d'amortissement avec l'argent des contribuables, des titres achetés à 50 ou 60 F dix ans auparavant, quand ce n'était pas à 7 F sous la Convention. En outre, ce cours élevé d'intérêt drainait vers la rente des capitaux qui auraient pu s'investir dans l'industrie ou le commerce. Villèle, dans son projet de loi, posait aux rentiers le dilemme suivant : ou le remboursement au pair des titres 5 % ou leur échange contre du 3 % émis à 75 F. Un syndicat de banquiers Rothschild, Baring et Laffitte, effectuerait ces opérations et soutiendrait les cours. Chaque année, le service des rentes du 5 % aux particuliers grevait le budget de 140 millions. En 3 %, émis à 75 Francs, il s'abaisserait à 112 millions, donc avec un allègement de 28 millions.

Parmi les rentiers il y avait de très petites gens, anciens boutiquiers et anciens domestiques, presque tous domiciliés à Paris. Mais près de 100 millions de rente étaient aux mains de capitalistes (22 100 touchant plus de 1 000 F, 1 600 plus de 10 000 F). Le baron Roy, ancien ministre des Finances du second ministère Richelieu, possédait pour sa part 500 000 F de rentes et fut l'un des adversaires les plus acharnés de Villèle.

La Chambre ne vota la loi qu'à moins de 100 voix de majorité. Le lien avec l'indemnité aux émigrés de la conversion étant connu, des émigrés proclamèrent qu'ils n'entendaient pas dépouiller les rentiers pour obtenir celle-ci. A la Chambre des pairs, les possesseurs de rente trouvèrent, d'après le duc de Broglie, « un bon prétexte et un metteur en œuvre... » ; le bon prétexte, c'était l'intérêt des petits rentiers ; le metteur en œuvre c'était « l'archevêque de Paris... [qui] s'épancha dans une oraison dolente et piteuse dont l'effet bien préparé fut un attendrissement général et la formation d'une majorité qui... ne voulut plus entendre à rien. Inutilement M. de Villèle, tout éperdu, offrit-il une exception au profit des inscriptions au-dessous de 1 000 F. La loi fut rejetée à la majorité de 128 voix contre 94. »

Chateaubriand, ministre des Affaires étrangères, avait participé au complot « en rivalité avec son principal, il n'avait pas été fâché de lui donner un croc-en-jambe. Ce fut une niche qu'il paya cher et comptant » ; il fut renvoyé « comme un laquais » du ministère, entraînant dans une opposition sans répit à Villèle *le Journal des Débats*.

Vingt ans plus tard, Villèle écrivant ses *Mémoires* avoue avoir encore « sur le cœur le poids de 800 millions que le rejet de la loi a coûtés à la France sans parler des dommages que ce vote fatal a portés à d'autres intérêts ». Une loi, l'année suivante, décida une conversion facultative destinée à des dégrèvements d'impôts ; c'est à la suite de cette loi que la rente française s'est diversifiée en 3 %, 4,5 % et 5 %, mais l'opération, accomplie dans une conjoncture de crise, s'avéra décevante.

Le « milliard des émigrés ».

Cependant la loi d'indemnité des émigrés ne fut que retardée par l'échec de la conversion. Louis XVIII qui mourut le 16 septembre en avait souhaité le vote ; Charles X le désirait ardemment.

Il est évident que cette loi posait une question de légitimité autour de laquelle s'affrontèrent partisans et adversaires de la Révolution et pour faire triompher la loi (avril 1825) le gouvernement dut lutter sur deux fronts. Les libéraux y virent une amende honorable imposée au pays pour la Révolution et Benjamin Constant déclara qu'on voulait « jeter l'opprobre » sur les acquéreurs ; une opposition d'extrême-droite se montra encore plus violente et réclama — en dépit du texte de la Charte — la restitution des biens « volés ». En fait le problème était encore compliqué par des restitutions qui avaient porté peut-être sur la moitié du total des biens, mais avaient été accomplies avec le plus parfait arbitraire : l'Empire avait restitué les biens non vendus, sauf certaines catégories, et en favorisant les nobles ralliés ; une loi de 1814 avait restitué des biens restés aux mains de l'État, mais en exceptant ceux affectés à certains services publics. Enfin, dès la première Restauration, des émigrés avaient obtenu des restitutions par transactions avec les acquéreurs. Dans l'ensemble les anciens biens d'émigrés connaissaient sur le marché une dépréciation atteignant jusqu'à 30 % de leur valeur réelle.

C'est donc comme mesure d'apaisement, que Villèle avait conçu la loi d'indemnité et le rapport sur la loi présenté par Martignac mettra ce point de vue en valeur. Une estimation sérieusement faite mais qui ne tenait pas compte de la hausse des prix des terres depuis 1790, fixait le total de l'actif de ces biens à 988 millions. Le gouvernement décidait de les payer en rentes 3 % et demandait pour cela l'émission de 30 millions de rentes en cinq ans ce qui correspondait à 1 milliard en capital d'où la formule du « milliard des émigrés ». En fait il n'y eut que 26 millions de rentes 3 % de versées, correspondant à un capital nominal de 867 millions ; avec des retranchements de rente effectués sous la monarchie de Juillet, M. Gain a évalué le total de l'indemnité à 630 millions de francs.

Il y eut 25 000 demandes d'indemnité agréées concernant 70 000 personnes. Certains départements frontières sont à la tête pour le nombre d'indemnités (le Bas-Rhin 1 507, mais 1 432 de moins de 100 F de rente); mais pour le total versé, la région parisienne, l'Ouest, le bassin de la Saône furent les grands bénéficiaires, tandis que le Midi recevait fort peu. 42 indemnisés reçurent plus de 30 000 F de rente, 842 plus de 6 750 F. Les Orléans purent reconstituer un véritable apanage et on note parmi les autres grands bénéficiaires, les Montmorency, Talleyrand, Rohan, La Fayette. Mais, à côté de ces grands seigneurs, la masse des anciens émigrés ne reçut que des sommes trop médiocres pour acquérir des domaines ruraux. Au total, l'indemnité ne semble guère avoir influencé l'évolution de la propriété foncière.

Paradoxalement, les principaux bénéficiaires furent sans doute les possesseurs de biens nationaux qui virent la fin de leurs angoisses et de la dépréciation de leurs biens et ce problème intéressait plus d'un million de Français. Ceux qui lisaient les journaux durent trouver leurs porte-parole à la Chambre bien pessimistes.

Mais Villèle ne profita pas de sa victoire, tant le combat avait déchaîné de passions. Par malheur aussi, la liquidation de l'indemnité se plaçait en pleine crise financière. En août 1825 il songea à se retirer et sa réputation y eût sans doute gagné. Avant de voir le déclin de son administration, revenons en arrière pour examiner le succès que fut l'expédition d'Espagne.

4. Les affaires d'Espagne et l'expédition française

L'Espagne et la Sainte-Alliance.

Les puissances avaient prévu de réunir un nouveau congrès, en septembre 1822 à Vérone pour examiner la situation des États italiens; mais la marche des événements en Espagne mettait en vedette la situation dans la péninsule : en juillet, les partisans de la monarchie absolue avaient tenté un coup de force à Madrid dont l'échec avait rendu le roi prisonnier des « exaltados »; mais les absolutistes avaient constitué une régence à la Seu d'Urgel et contrôlaient une partie de l'Aragon, la Navarre et la Galice.

Quelle était, face au problème espagnol, l'attitude des puissances?

L'Angleterre, avec Canning remplaçant de Castlereagh, était hostile à toute intervention. Pour elle, l'Espagne était depuis 1813 une sorte de chasse gardée et elle voulait aussi conserver la position économique privilégiée conquise dans les colonies d'Amérique révoltées.

Au contraire, le tsar voulait intervenir au nom de la solidarité des souverains, idée mère de la Sainte-Alliance. Il envisageait une expédition internationale qui aurait rouvert l'Occident aux troupes russes. Mais il n'était pas défavorable à une intervention armée, l'assurant de son soutien.

La position de Metternich n'était pas facile et il louvoyait : il espérait encore ramener les Anglais au sein de l'Alliance, s'effrayait d'une intervention qui aurait marqué l'hégémonie russe sur le continent, ne voulait pas non plus d'ingérence française dans la péninsule, car si les Français, par médiation ou intervention, imposaient un régime constitutionnel calqué sur la Charte, la contagion risquait de se répandre en Italie.

L'intervention française.

En France, Villèle était hostile à une intervention militaire, bien qu'il s'inquiétât de l'influence anglaise dans la péninsule et qu'il souhaitât rétablir des contacts avec les colonies d'Amérique. Il s'était borné à une attitude défensive, transformant, avec l'aggravation de la situation, un cordon sanitaire qu'il avait établi contre la fièvre jaune en corps d'observation. Mais, Montmorency, qui représenta la France aux conversations de Vienne, puis au congrès de Vérone (septembre-décembre 1822), embrassait avec ardeur l'idée d'une intervention faite au nom de la Sainte-Alliance.

En dépit des instructions de Villèle, Montmorency s'y fit le « rapporteur » de l'affaire d'Espagne en demandant aux alliés quelle serait leur attitude en cas de rupture des relations diplomatiques entre la France et l'Espagne, quel appui moral la France recevrait et, le cas échéant, quel appui matériel. Wellington qui représentait l'Angleterre rompit avec le Congrès, mais les autres alliés assurèrent la France de leur solidarité au cas où une attaque de l'Espagne ou un attentat contre Ferdinand VII forcerait la France à intervenir. Les puissances décidèrent d'envoyer des notes au gouvernement espagnol pour lui faire préciser ses intentions vis-à-vis du roi et rompre en cas de refus. Metternich d'ailleurs ne croyait pas arriver ainsi automatiquement à une intervention française armée; si celle-ci se produisait néanmoins, il la voulait contrôlée par la Sainte-Alliance. Montmorency s'était laissé gagner à cette idée, mais Villèle et le roi voulaient que si la France était obligée d'agir, elle le fasse « de son propre mouvement », d'où le conflit aigu qui aboutit à la démission de Montmorency (25 décembre).

Il fut remplacé par Chateaubriand qui l'avait déjà suppléé au Congrès de Vérone quand l'essentiel avait été réglé. Celui-ci n'était pas un novice en diplomatie; il avait servi sous le Consulat, puis, sous la Restauration, s'était montré un ministre appliqué et perspicace à Berlin et à Londres, où il avait remplacé Decazes. Il jugeait la guerre inévitable et l'annonça le 28 janvier 1823 à la Chambre; le 25 février il montra qu'il s'agissait pour la France de reprendre sa place en Europe [1]. Chateaubriand sut garder à l'expé-

---

1. C'est au cours du débat ainsi ouvert que Manuel prononça un discours semblant faire l'apologie du régicide. Expulsé par les gendarmes, Manuel fit figure de héros de la cause libérale ainsi que le passementier Mercier qui, sergent de la garde nationale, avait refusé de l'empoigner. L'iconographie populaire répandit dans toute la France les traits de Manuel et de Mercier.

dition son caractère national, contenant Canning dans la neutralité par la menace des Russes et confinant Metternich au rôle
d'observateur.

Quant à l'expédition conduite par le duc d'Angoulême encadré
de généraux d'Empire (Molitor, Oudinot, Moncey, Guilleminot,
major général), elle fut presque une promenade militaire. Le
duc d'Angoulême passa la Bidassoa au début d'avril et termina la
campagne à Cadix où les Cortes avaient entraîné le roi, le 28 septembre, peu après le seul fait d'armes qu'on put monter en épingle :
la prise d'assaut du fort Trocadéro. Les grandes difficultés furent
au départ les déficiences de l'intendance. Ouvrard survint à point
pour y remédier; il traita avec le duc à des conditions que Villèle
contesta par la suite. Puis, en Espagne même, l'impossibilité de
former une administration provisoire éclairée et obéie et de mettre
fin aux vengeances des absolutistes, dont le duc d'Angoulême s'efforça en vain de protéger les ennemis par l'ordonnance d'Audujar.

Le résultat le plus considérable, outre l'influence exercée dans
un pays où un corps d'occupation français demeura jusqu'en 1828,
était d'ordre intérieur : ce baptême du feu du drapeau blanc
s'était opéré sans la moindre indiscipline de l'armée contrairement
aux prévisions des libéraux. Le trône en paraissait consolidé.

5. La fin du ministère Villèle

Oppositions et dissensions.

La Chambre « retrouvée » qui semblait promettre à Villèle une
existence parlementaire paisible vit éclater sa majorité : « pointus »
comme La Bourdonnaye qui rêvent d'une monarchie aristocratique étrangère à la Charte et au présent, surtout « défection »
inspirée par Chateaubriand qui veut réconcilier la monarchie et
les libertés modernes, cléricaux ou Chevaliers de la foi, intrigant
contre le ministère depuis le départ de Montmorency, ces divers
courants tendent à réduire la majorité aux « ventrus » sensibles aux
faveurs du pouvoir. Polémiques inactuelles, règlements de compte
personnels, marchandages et chantages pour les places se croisent,

manifestant une nouvelle fois l'absence de sens politique de l'aristocratie française. A la Chambre des pairs, Villèle n'a pas de majorité : anciens fonctionnaires impériaux, pairs nommés sous la période constitutionnelle se font les défenseurs efficaces des libertés publiques et à l'éloquence d'un Pasquier, d'un Broglie, d'un Molé se joint la voix de Chateaubriand, tandis que la partie modérée des royalistes purs, les « cardinalistes », n'est pas sûre. L'opposition a partout la supériorité des talents. Il en est de même dans la presse où les violences du *Constitutionnel* et du *Courrier* contre le pouvoir rejoignent celles du *Journal des Débats*, de *la Quotidienne*, du *Drapeau blanc*. En face, la presse gouvernementale ne peut guère compter que sur *la Gazette de France* et *l'Étoile*. Villèle a donc à faire face à une contestation permanente sur sa droite et sur la gauche qui entretient l'opinion des classes supérieures dans une inquiétude permanente.

Enfin Villèle doit ménager la cour. Le feu roi avait eu des favoris, mais trop de mépris pour ce qui l'entourait pour en subir l'influence. Charles X écoute avec affection ses familiers, grands seigneurs médiocres qui considèrent Villèle comme un hobereau de province et qui parviendront à ébranler la confiance initiale du souverain dans le génie politique de son ministre. Celui-ci, lorsque, à la mort de Louis XVIII la maison du Roi fut rituellement dissoute, ne put « s'empêcher de penser combien ce serait un acte de bonne politique de la part de son successeur de ne point en reconstituer une semblable ; combien avait désormais de dangers, pour nos rois, l'existence d'une cour aussi nombreuse, aussi dispendieuse, aussi fertile en prétentions ; combien elle était en contradiction avec nos mœurs actuelles ; combien elle pouvait entraîner de compromissions pour le roi, surtout dans un pays comme le nôtre et avec la bonté naturelle aux princes de la Maison de France ». Mais, conscient du danger, Villèle dut tenir cependant compte des suggestions de l'entourage royal.

Le trône et l'autel.

La Chambre retrouvée et la cour sont d'accord pour accroître le rôle de l'Église dans l'État et cet aspect, mis en lumière dès le début de 1825, va alarmer de nombreux secteurs de la bourgeoisie et des classes populaires. Certes le clergé n'avait pas attendu jusque-là pour manifester ses liens avec la Restauration; il avait, avec un succès variable, dont le tome suivant donnera des exemples, entrepris une œuvre de rechristianisation et de reconstruction. Mais c'est sous le règne de Charles X qu'il semble avec la connivence du pouvoir exercer une action dominatrice qu'on impute souvent plus particulièrement aux jésuites.

Sans doute les « Pères de la foi » se sont insinués à des postes-clefs de directeurs de conscience (en particulier dans la Congrégation, société de bonnes œuvres qui groupe beaucoup d'hommes de cour et dont l'action se confond pour le public avec celle des Chevaliers de la foi), d'enseignement et de mission. Ils ne sont pourtant en faveur ni auprès de la famille royale, ni, bien entendu, de Villèle. Mais leur image mythique se charge de tout ce que le clergé peut exercer de puissance occulte, de négation de la liberté de conscience, de haine de l'héritage révolutionnaire, de l'intrusion en France d'un État étranger. Elle concrétise tout ce que les ingérences cléricales, en général, suscitent de réaction anticléricale aussi bien dans les masses que dans les élites libérales.

Le 29 mai 1825, Charles X se faisait sacrer à Reims avec un faste rappelant les grands jours de l'Ancien Régime, mais auquel on avait associé les hommes de la France nouvelle. Ce qui choqua l'opinion dans ce sacre de « Charles le Simple » ce n'est peut-être pas tant le fait en lui-même que le roi prosterné devant l'archevêque, l'homélie maladroite de Mgr de La Fare contre la Charte et la liberté des cultes, et le traditionnel toucher des scrofuleux. L'année suivante quand le roi suivit à pied les processions du jubilé vêtu de violet, couleur du deuil royal, le peuple parisien s'imagina qu'il s'était fait évêque et la légende courut qu'il disait la messe. Absurdité, mais symptomatique de la répulsion pour le gouvernement des prêtres.

Celui-ci apparaissait dans les provinces avec le concours prêté par les autorités ou l'armée aux missions et aux grandes manifestations religieuses. Fonctionnaires et étudiants accusaient la Congrégation de peser sur les choix à l'avancement ou à l'entrée de la fonction publique, de tenir en quelque sorte le même contrôle secret qu'on imputera à la maçonnerie aux belles années de la IIIe République. Le ministère de l'Instruction publique et des

Cultes confié à Mgr Frayssinous, permettait de noyauter d'ecclésiastiques l'Université, de créer des collèges de plein exercice qui échappaient à son contrôle, de replacer l'enseignement primaire sous la coupe des évêques. Mais Frayssinous était largement débordé par un parti ultramontain où brillait alors Lamennais et qui tonnait contre « l'État athée »; excès qui réveillaient d'ailleurs le vieux gallicanisme (le *Mémoire à consulter sur un système religieux et politique tendant à renverser la religion, la société et le trône* où Montlosier attaquait les jésuites eut un succès considérable).

Les manifestations anticléricales ne respectaient point le caractère des églises où chahuts lors des sermons, encre dans les bénitiers et autres plaisanteries, s'étaient doublés de déprédations ou de vols. Pour y répondre, le parti ultra imposa à Villèle la loi sur le sacrilège dans les églises qui punissait de mort le vol des vases sacrés contenant les hosties, de la peine de parricide (la mort précédée de la mutilation du poing) la profanation des hosties, défi incohérent à la législation moderne.

Échecs de Villèle.

Mais il n'est pas de cas aussi net de l'atmosphère passionnée de la vie publique que le projet dit « du droit d'aînesse ». L'idée — quoi qu'on en ait dit — semble bien appartenir à Villèle toujours préoccupé d'amorcer la création d'une aristocratie rurale à l'anglaise. Tel qu'il fut discuté, le projet permettait pour les 8 000 familles payant 1 000 F d'impôts de grossir — sauf dispositions testamentaires contraires — la part de l'aîné dans les successions de la quotité disponible et de permettre les substitutions. Les pairs rejetèrent cette entorse aux grands principes du Code civil (eux-mêmes bénéficiaient de majorats qui étaient des substitutions!) et Paris, bien peu concerné par cette affaire, illumina!

Villèle finit par perdre son sang-froid et pour lutter contre cette anarchie prit des mesures de rigueur : nous verrons la faute lourde de conséquences que fut la dissolution de la garde nationale parisienne (29 avril 1827). Une autre mesure eut un grand retentissement, la loi de « justice et d'amour » appelée ainsi ironiquement d'une expression malheureuse des considérants du ministre Peyronnet qui la présentaient le 26 décembre 1826.

C'est, en effet, la presse et l'indulgence de la répression des délits de tendance par les tribunaux, qui, aux yeux de Villèle, étaient les causes essentielles de ses malheurs. Ainsi que le dit G. de Bertier « il s'attaquait à la fièvre sans s'attaquer au mal ». Il y était poussé d'ailleurs par le roi, très scandalisé des caricatures, des chansons, des articles où on le ridiculisait ou dénaturait ses intentions. L'élévation des droits de timbre et l'accroissement des pénalités pour délits de presse, laissaient supposer l'intention d'étrangler purement et simplement la presse périodique. C'est ce que soulignèrent dans des discours célèbres Casimir Périer (« l'imprimerie est supprimée en France au profit de la Belgique ») et Royer-Collard (« Dans la pensée de la loi... il y a eu de l'imprévoyance, au grand jour de la création, à laisser l'homme s'échapper libre et intelligent au milieu de l'univers... ») Votée par la Chambre, la loi fut retirée devant l'accueil fait à la Chambre des pairs. Paris illumina de nouveau, et des barricades s'élevèrent dans le quartier de la Porte Saint-Denis.

Villèle joua alors sa dernière carte. Le 6 novembre 1827, il faisait nommer 76 nouveaux pairs et dissoudre la Chambre des députés, les élections des collèges d'arrondissement étant fixées au 17, celles des grands collèges au 24. En 1824, une semblable expérience avait montré que l'opposition libérale n'avait que peu de racines dans les classes censitaires et, depuis, on avait, semblait-il, donné un apaisement à une partie de leur clientèle, les possesseurs de biens nationaux. Mais, en novembre 1827, la jeune génération libérale, qui a renoncé aux coups de force romantiques, réussit à créer un courant d'opposition dans tout le pays contre les ultras et les prétentions du clergé. La société Aide-toi et le ciel t'aidera! dont Guizot est le secrétaire, se livre à cette tâche avec enthousiasme, multipliant les brochures et les appels, prenant en main la cause des électeurs « oubliés » sur les listes électorales (les listes connaissent ainsi un accroissement de 23 %), dénonçant les pressions administratives. Les deux oppositions, celle de gauche et celle de droite, s'unirent et la première obtint environ 180 élus, la seconde 70; il demeurait donc environ 180 ministériels. Villèle se résigna à partir (5 janvier 1828).

Il ne laissait pas seulement derrière lui une Chambre difficile à gouverner, mais une situation politique dont le retournement depuis 1824 était spectaculaire. Le parti ultra y avait sans doute plus de responsabilités que son chef et la crise économique dont nous retracerons le développement ajoutait à l'atmosphère de mécontentement.

Déjà les esprits réfléchis s'inquiétaient de l'avenir même de la dynastie et une brochure de Cauchois-Lemaire préconisant les Orléans eut du succès. Pourtant la grande majorité de la classe politique — libéraux compris — ne souhaitait pas la chute du trône, mais un changement de politique. Le roi comprendrait-il que les institutions impliquaient le jeu de l'alternance ou se raidirait-il dans un exercice de sa prérogative que la lettre même de la Charte semblait justifier?

6. L'expérience Martignac

Charles X et Martignac.

Le roi sembla pencher vers la conciliation. Le nouveau ministère formé d'hommes du centre droit ou de personnages politiquement incolores, fut dirigé par Martignac, un avocat bordelais, souple et éloquent, issu de cette partie de la droite que l'évolution du régime inquiétait. Parlementairement parlant, Martignac manquait de poids, mais sa tentative éveilla des espoirs dans l'opinion, surtout en province. Le voyage entrepris en septembre 1828 par Charles X dans l'Est en compagnie de son ministre fut presque triomphal et les notables libéraux vinrent saluer partout le roi, qui crédita à tort sa popularité personnelle de ce succès.

Pour que l'expérience Martignac pût rétablir un dialogue entre les pouvoirs, il eût fallu qu'elle fût sincère. Or, en fait, Martignac fut toujours bridé par la volonté du roi qui voulait faire du villélisme sans Villèle. Il fut contraint à de difficiles exercices d'équilibre et ne put réorganiser l'administration préfectorale, le roi protestant qu'on voulait chasser ses meilleurs serviteurs.

Pour désamorcer une demande de mise en accusation de son prédécesseur, Martignac s'efforça de détourner l'attention vers cette cible de choix qu'étaient les jésuites (juin 1828). Deux ordonnances excluaient les membres des congrégations non autorisées de l'enseignement dans les écoles secondaires ecclésiastiques (les jésuites en avaient alors 8, dont celle très célèbre de Saint-Acheul) et ces écoles étaient soumises au contrôle de l'Université. Ces ordonnances provoquèrent une rébellion d'évêques qui tourna court.

En ce qui concerne le régime de la presse, Martignac fit voter une nouvelle loi (le 24 juin 1828) qui abolissait l'autorisation préalable et les procès de tendance, sans pourtant rétablir la compétence du jury pour les procès de presse.

Au cours de cette année 1828, Martignac avait fait étudier une réforme de l'administration communale et départementale et présenta deux projets dans ce domaine devant la Chambre, en février 1829. Aux membres choisis des conseils municipaux et généraux, ils substituaient des membres élus, mais par un suffrage censitaire étroit. La Chambre imposa la priorité au second projet, qui réservait le droit de vote à des électeurs moins nombreux que ceux des élections législatives. Malgré Martignac, elle amenda ce projet et le roi le retira. Il triomphait, avait démontré l'impossibilité de traiter avec les libéraux et, laissant Martignac jusqu'à la fin de la session, prépara un ministère de son choix.

Mais le ministère Martignac, si faible dans sa politique intérieure, a achevé de rendre à la France un rôle important dans les affaires européennes.

La France et l'indépendance de la Grèce.

Villèle, après avoir remplacé Chateaubriand par l'insignifiant baron de Damas, avait pris en main la politique extérieure : pas d'initiatives, les puissances continentales formant un bloc trop puissant, l'Angleterre étant maîtresse des mers. Malgré les protestations des deux oppositions, cette politique d'abstention aboutit au désintéressement de la France lors de l'émancipation des colonies espagnoles, à la reconnaissance du droit des Anglais d'agir militairement au Portugal, à la limitation de notre action à la défense de nos intérêts commerciaux au Levant.

Or, l'Empire ottoman était passé au premier plan des préoccupations des puissances. Les Grecs révoltés en 1821 avaient en 1822 proclamé leur indépendance à Épidaure et obtenu de notables succès; mais, depuis 1824, ils connaissaient des revers dus à leurs divisions et surtout à l'entrée en lice des Égyptiens. Le sultan avait demandé en effet l'aide de Méhémet Ali et celui-ci avait envoyé sa flotte sous les ordres de son fils Ibrahim reprendre Candie et la base de Navarin en Morée. Par ailleurs, la chute de Missolonghi (1826) où était mort Byron, celle d'Athènes (1827) défendue par le colonel Fabvier, ancien chef d'état-major de Marmont, semblaient marquer la fin de l'indépendance grecque.

Plusieurs fois, le tsar Alexandre avait été tenté d'intervenir, mais avait reculé devant les représentations de Metternich et l'hostilité des Anglais. Après sa mort (décembre 1825), Nicolas Ier était bien plus décidé à aller de l'avant. Il voulait préalablement imposer les clauses du traité de Bucarest (1812) sur l'autonomie des provinces danubiennes et la liberté de commerce en mer Noire. Ce qui incita Wellington, alors premier ministre, à faire la part du feu : le protocole du 4 avril 1826 reconnaissait au tsar le droit de régler ces problèmes du nord de l'Empire ottoman, mais l'Angleterre serait médiatrice entre Turcs et Grecs. La convention d'Akkerman (octobre) ayant donné satisfaction à Nicolas Ier, celui-ci pressa les Anglais d'accomplir leur médiation. Canning pensa alors y associer Villèle, dont le peu de zèle pour les Grecs pourrait faire contrepoids aux Russes, et le traité de Londres (juillet 1827) décida que les trois puissances imposeraient leur médiation au sultan pour organiser une Grèce autonome.

C'était l'opinion publique qui forçait Villèle à sortir de sa réserve. Un mouvement puissant en faveur des Grecs était né, engendrant une riche littérature de la belle préface aux *Chants populaires grecs* de Fauriel (1824) aux *Messéniennes* de C. Delavigne, à des *Chansons* de Béranger et plus tard (1829) aux *Orientales*. Les libéraux, au nom du principe des nationalités, avaient d'abord montré leur enthousiasme, mais la presse de droite (sauf *la Gazette* fidèle à Villèle) protestait elle aussi contre les massacres de chrétiens et évoquait les Croisades. Le tableau des *Massacres de Chio* de Delacroix avait profondément ému les visiteurs du Salon de 1824. Un comité philhellénique, présidé par Chateaubriand, envoyait secours et volontaires aux insurgés. Personnellement Charles X était gagné à la cause grecque. De tout cela, Villèle ne

comprenait guère que l'épiphénomène d'embarras parlementaires, mais, en exécution du traité de Londres, l'escadre française
de Méditerranée joignit les escadres anglaise et russe. Le sultan
refusant une médiation amicale, il fallut opérer une médiation
armée. Le 20 octobre 1827, à Navarin, des incidents entraînèrent
l'envoi par le fond de la flotte turco-égyptienne par les escadres
alliées. Villèle l'apprit sans plaisir : « Les écus n'aiment pas les
coups de canon », notait-il.

Mais La Ferronnays, ancien ambassadeur à Saint-Pétersbourg
et ministre des Affaires étrangères du ministère Martignac, était
d'une autre trempe. Tandis que le tsar décidait de marcher par
terre vers Constantinople, les Anglais se dérobaient; La Ferronnays
fit accepter que la France imposerait seule une médiation armée
entre Turco-Égyptiens et Grecs en Morée : le corps expéditionnaire du général Maison se substitua aux troupes égyptiennes,
en gardant, malgré les manœuvres anglaises, de bons rapports
avec Ibrahim. Les Russes imposèrent aux Turcs le traité d'Andrinople (septembre 1829) que nous retrouverons. Contentons-nous
de noter ici que l'action de La Ferronnays suivie par celle de Polignac et bien servie par Guilleminot, ambassadeur près de la Porte,
arracha à l'Angleterre réticente l'indépendance complète de la
Grèce, rendant à la France une position morale perdue au Proche-
Orient et posant les bases d'un accord franco-russe.

4

La vie intellectuelle
sous la Restauration

1. Société littéraire
et activités scientifiques

Le public et les salons.

C'est un lieu commun que la difficulté de cerner la notion de public. Sous la Restauration, ce n'est certes pas le même public qui visite le salon de peinture, lit les communications de l'Académie des sciences, parcourt les journaux dans les cafés.

La masse des classes rurales se satisfait d'une littérature d'almanach dont l'influence est bien difficile à mesurer. Elle est en effet très diverse, allant de brochures pieuses ou morales, comme *le Juste Châtiment de Dieu envers les enfants qui sont désobéissants à leurs père et mère et la peine qu'ils souffrent dans les enfers avec plusieurs exemples*, aux textes corrosifs comme *le Testament du curé Meslier*.

Les ouvriers des compagnonnages lisent davantage et parfois une littérature de qualité ; Agricol Perdiguier nous atteste l'admiration que provoquait la lecture des tragédies de Corneille dans les chambrées des « mères ». Les nombreux versificateurs populaires, même le perruquier Jasmin qui écrit en patois toulousain, s'inspirent de modèles classiques. Inversement, bourgeois ou aristocrates, lisent parfois des « romans pour femmes de chambre ». Cependant il existe une littérature spécifiquement populaire où le roman joue un rôle dominant. Paru en 1799, *Cœlina ou l'Enfant du mystère* de Ducray-Duminil atteint en 1830 un tirage d'un million d'exemplaires. Les éditeurs, qui depuis 1813, envoient en tournée des commis voyageurs, travaillent à en étendre la clientèle.

Cependant, la littérature continue surtout à viser la clientèle cultivée. Avec des tirages souvent très faibles de 300 exemplaires, les recueils de vers publiés annuellement l'emportent en nombre sur les romans. Il faut attendre la fin de la Restauration pour voir s'amorcer un déclin relatif des œuvres en vers.

Les journaux ont des tirages restreints, un abonnement coûtant 72 ou 80 F par an. Les quotidiens de la capitale n'ont en 1826 que 65 000 abonnés, dont 50 000 pour la presse d'opposition. C'est nettement moins que le nombre des électeurs censitaires, d'autant plus que salons de lecture ou cafés figurent dans ce chiffre. On ne peut guère évaluer la clientèle de lecteurs non abonnés. Quoi qu'il en soit, seuls *le Journal des Débats* et *le Constitutionnel* tirent à 20 000 exemplaires.

Si le public cultivé a reçu, dans son ensemble, une formation classique, celle-ci n'empêche point de grandes différences de tendances selon les générations ; la plus ancienne qui a au moins 45 ans en 1815, 60 en 1830, reste imprégnée de cette culture classique. C'est chez elle que se recrute le dernier et chauve carré du parterre au Théâtre-Français, lors de la bataille d'*Hernani*, celui à qui Préault crie du balcon : « A la guillotine les genoux ! ». La génération suivante (de 20 à 45 ans en 1815) a été modelée surtout par les événements auxquels elle a été mêlée très jeune et garde la nostalgie des gloires de l'Empire. Enfin, les « enfants du siècle », marqués par la défaite, face à un horizon social bouché, sont une génération contestataire des idées reçues aussi bien que de leurs aînés, génération dont les rapins « Jeune-France » sont l'élément agressif, mais au fond génération sérieuse, avide de juger par elle-même. Cependant, il est une atmosphère générale qui donne à l'époque sa noblesse : c'est l'ardeur des convictions et des discussions, la curiosité des choses de l'esprit qui multiplie les cercles littéraires, les cours publics même des sciences les plus arides. Un savant comme Ampère se veut philosophe ; Delacroix et Berlioz sont hommes de lettres, Hugo et Mérimée artistes et il est des destins d'intellectuels qui ne parviennent pas à se fixer dans une discipline. On dirait que l'esprit de conquête, prisonnier des vieilles frontières, se jette dans le champ illimité du savoir. Ce goût des choses de l'esprit marque la sociabilité du temps.

Le salon n'est pourtant pas obligatoirement un « bureau d'esprit »; Mme Ancelot, orfèvre en la matière, le définit dans ses *Souvenirs* « Une réunion intime qui dure depuis plusieurs années, où l'on se connaît et se cherche, où l'on a quelque raison d'être heureux de se rencontrer. » Ces raisons peuvent être le snobisme et le goût des intrigues ou des projets matrimoniaux. Mais les grands salons provinciaux et surtout parisiens nous attestent l'éclat intellectuel de la vie de société sous la Restauration, éclat dont les survivants garderont plus tard un souvenir nostalgique.

Certains n'étaient que la résurrection de ceux du XVIIIe siècle. Mme de Rumfort, veuve de Lavoisier, donnait dans son hôtel, à dîner le lundi aux habitués de la maison ou à des voyageurs étrangers et recevait le vendredi des invités plus nombreux, avec souvent ce jour-là des concerts réputés; on y voyait beaucoup de savants, Laplace, Arago, Berthollet, Humboldt. Chez Mme de Condorcet, dans son domicile parisien de l'actuelle rue de Penthièvre ou dans sa « maisonnette » de Meulan, on retrouvait les survivants de l'idéologie, comme Destutt de Tracy, et aussi Benjamin Constant, Fauriel, Guizot. Mme Vigée-Lebrun tenait dans un minuscule appartement rue de Cléry, un salon fréquenté de grands seigneurs nostalgiques du passé. Avant de mourir (1817), Mme de Staël avait eu la joie de faire revivre les fastes du salon Necker. Ainsi la grande tradition du Versailles et du Paris d'ancien régime se transmettait aux salons du faubourg Saint-Germain dont l'un des plus notables était celui de la duchesse de Duras, amie de Chateaubriand et romancière. Les salons de la noblesse d'Empire étaient bien moins nombreux : cependant, celui de la duchesse d'Abrantès servit de champ d'observation à Balzac.

Certains salons étaient surtout politiques : celui de Talleyrand, renommé par le faste de ses dîners, était tenu par sa nièce, la duchesse de Dino. Les diplomates, les étrangers de marque, les hommes publics (y compris des jeunes gens soucieux de faire leur chemin comme Thiers) le fréquentaient et pouvaient contempler le désinvolte maître de maison dans son éternelle partie de whist. La duchesse de Broglie, fille de Mme de Staël, recevait surtout philosophes et doctrinaires. La marquise de Castellane vouait son salon mi-politique mi-littéraire à la distraction de Molé, l'un des plus brillants causeurs du temps. Quant au salon de

La Fayette, rue d'Anjou, la noblesse libérale y était noyée dans une cohue bourgeoise, agrémentée d'Américains et de jeunes gens qui s'invitaient chez le grand homme; l'été, le château de la Grange où se réunissait tout le clan familial était à peine plus fermé. Dans les autres salons libéraux, l'exclusivisme est au contraire plus strict que dans les salons aristocratiques « Le libéralisme sous la Restauration est moins un parti qu'une société »; on se retrouve dans les mêmes maisons de ville ou de campagne, dans les mêmes dîners.

Ce sont dans des salons plus ouverts que la société intellectuelle se retrouve : celui du peintre Gérard, rue Bonaparte, où l'on rencontre aussi bien Humboldt que la princesse Belgiojoso, Delacroix que Rossini, Mérimée que Mᵐᵉ Ancelot. On y parle chaque soir très librement et vers minuit on sert du thé avec des gâteaux. Cependant, il est d'autres salons qui jouent un rôle plus important dans l'histoire de la littérature et des arts.

C'est le cas de celui du critique Delécluze, rue de Chabanais, où se retrouvent de jeunes écrivains (Mérimée, Stendhal, J.-J. Ampère) dont le romantisme est tempéré et lié aux idées libérales. C'est aussi le cas du célèbre salon de l'Arsenal, le cénacle, dont le bibliothécaire, le conteur Charles Nodier, reçoit tout le clan romantique, Hugo, Musset, Lamartine, Soumet; on y danse, on y joue aux cartes, mais surtout on y échange des vues sur la littérature et l'art. Un autre salon, celui de Mᵐᵉ Swetchine, grande dame russe à l'esprit original et cultivé, prépare un renouveau du catholicisme. Enfin le salon le plus célèbre est celui de Juliette Récamier, presque ruinée, qui s'installe en 1819 près de Saint-Germain-des-Prés, à l'Abbaye-aux-Bois. Sainte-Beuve nous dit bien l'importance de ce salon pour la société d'alors : « Mᵐᵉ Récamier ne tint jamais plus de place dans le monde que quand elle fut dans cet humble asile à une extrémité de Paris. C'est là que son doux génie se fit de plus en plus sentir avec bienfaisance... Elle n'avait point de repos qu'elle n'eût fait se rencontrer chez elle ses amis de bord opposé... C'est ainsi qu'une femme, sans sortir de sa sphère, fait œuvre de civilisation au plus haut degré. » Chez Mᵐᵉ Récamier la majorité des habitués appartenait au parti royaliste et Chateaubriand en était l'idole; c'était un honneur envié aussi bien par les grands seigneurs que par les écrivains d'y être admis. On y voyait outre Ballanche, philosophe lyonnais qui faisait partie du mobilier, les ducs de Montmorency, de Noailles, Barante, Sainte-Beuve, Lamartine, les deux Ampère, etc. Dans le modeste appartement, les chaises étaient placées en cercle où s'asseyaient les dames et les hommes circulaient. Cette « organisation monarchique » permettait à Juliette de mettre en rapport les visiteurs qui pouvaient avoir des affinités naturelles, de faire briller tel ou tel invité. Les grands jours étaient ceux où on lisait en petit comité quelque œuvre nouvelle. Chateaubriand y fit connaître à un public choisi des fragments des *Mémoires d'outre-tombe*.

La révolution de 1830 amena un déclin de vie des salons. Les haines politiques devinrent trop vives entre légitimistes et orléanistes pour qu'ils eussent des rapports cordiaux. Et l'ascension des hommes d'affaires amenait d'autres conceptions de la vie sociale que celles d'hommes de loisir allant chaque soir dans le monde. Les salons de la Restauration vieillirent sans être beaucoup remplacés.

L'activité scientifique.

La vie scientifique n'est pas indifférente au public cultivé et la publication de 1778 à 1823 de l'*Encyclopédie méthodique* de Panckoucke symbolise la poursuite de l'effort de vulgarisation du XVIIIe siècle. Un public plus spécialisé peut lire les *Comptes rendus de l'Académie des sciences* alors très active. La France ne dispose pas d'un réseau d'universités modernes, comme l'Allemagne ; les principaux centres de recherche sont l'École polytechnique, le Muséum, la Sorbonne, le Collège de France, qui renaît.

L'ère romantique est aussi révolutionnaire dans l'histoire des mathématiques que dans les lettres. Les problèmes posés par Descartes, Newton et Leibnitz, géométrie analytique, calcul des quadratures, intégration des équations différentielles, sont à peu près épuisés. La théorie des fonctions à variables imaginaires qui détache les sciences mathématiques du concret va les renouveler de fond en comble. Cauchy (1789-1857), professeur à Polytechnique, puis au Collège de France, légitimiste intransigeant qui cesse d'enseigner en 1830, en pose les fondements ; il a laissé plus de 700 mémoires où tous les domaines des sciences mathématiques sont abordés. En géométrie, Poncelet (1788-1867) publie en 1822 son *Traité des propriétés projectives* caractérisé par l'emploi généralisé de la perspective et des sections planes et l'introduction systématique des éléments à l'infini et des éléments imaginaires.

Un autre trait du temps est l'association étroite des mathématiques et de la physique. Les physiciens se montrent soucieux de résumer leurs recherches par des formules et sont parfois en même temps des esprits créateurs dans les deux sciences, tels Jean-Marie Ampère (1776-1836) ou Fourier (1768-1830) qui dans sa *Théorie analytique de la chaleur* définit de nouvelles séries.

En optique, Fresnel (1788-1827), à qui l'on doit la lentille par échelons qui augmente considérablement le pouvoir éclairant des phares, énonça la théorie ondulatoire de la lumière, bouleversant l'hypothèse newtonienne qui rattachait celle-ci à l'émission de corpuscules émanés du corps lumineux. Avec l'aide de François Arago, la théorie de Fresnel triompha et est toujours debout. Par ailleurs, de nouvelles branches de la physique prenaient naissance : la thermodynamique avec Sadi Carnot (1796-1832), fils du grand Carnot, qui, en 1824 établit l'équivalence de la chaleur et de l'énergie, l'électromagnétisme, qu'Ampère, en 1820, créa grâce à quelques expériences magistrales faites dans son appartement.

La chimie minérale exploite une hypothèse féconde : celle que les gaz renferment tous le même nombre de molécules dans un volume donné et à des conditions égales de température et de pression, hypothèse déduite (parallèlement en Italie par Avogadro en 1813, en France par Ampère en 1814), de la loi émise en 1806 par Gay-Lussac (1778-1850) de l'égalité de dilatation des gaz. D'autre part, l'électrolyse permet à Gay-Lussac et Thénard d'isoler de nouveaux corps simples. La chimie organique fait des progrès avec la publication du travail de Chevreul sur les corps gras.

Enfin, en astronomie, Laplace (1749-1827) émet une grande hypothèse qui porte la marque des idées d'évolution qui alors se font jour : le système solaire aurait été à l'origine une nébuleuse tournant autour d'un noyau central fortement concentré; le refroidissement des couches extérieures combiné avec le mouvement de rotation aurait créé des anneaux dont la condensation aurait donné des planètes, desquelles se seraient détachés des satellites. Conception qui n'est plus admise aujourd'hui, mais qui a joué un grand rôle dans l'histoire des idées au XIXᵉ siècle.

Au Muséum d'histoire naturelle (l'ancien « Jardin du roi » réorganisé en 1793), trois maîtres faisaient faire des progrès décisifs à la zoologie.

L'aîné, Lamarck (1744-1829), avait jadis travaillé avec Buffon. En 1793, il fut candidat au Muséum à la chaire des animaux sans vertèbres, et de botaniste se reconvertit en zoologiste. Le fruit de son enseignement est passé dans son *Histoire naturelle des animaux sans vertèbres* (1815-1822). Mais il s'est intéressé à beaucoup d'autres domaines des sciences, de la météorologie à la géologie, et dans tous il a jeté des hypothèses hardies, parfois aventureuses. Pour lui, la nature a créé la vie par des créations successives, mais c'est par « les plus simples qu'elle a commencé, n'ayant produit qu'en dernier lieu les organisations les plus composées, soit du règne animal, soit du règne végétal ». Ce passage du plus simple au plus composé se produit avec continuité sous l'action des circonstances. Ce sont celles-ci qui ont fait naître les pattes palmées des oiseaux qui vivent en milieu aquatique, les pattes capables de serrer un corps arrondi de ceux qui vivent dans les arbres et ces caractères acquis se transmettent ensuite par hérédité. L'homme lui-même n'échappe pas à cette règle et Lamarck lui fait perdre son rôle de roi de la création. A la conception d'un monde créé, aux caractères fixes, tel qu'on l'imaginait d'après la Bible, il substituait une vision dynamique de la vie sur le globe que Buffon avait entrevue, mais devant laquelle il avait reculé.

De son côté Geoffroy Saint-Hilaire (1772-1844) qui occupait au Muséum la chaire des animaux supérieurs constatait que la nature « n'a formé les êtres vivants que sur un plan unique, mais qu'elle a varié de mille manières dans toutes ses parties accessoires ». Cette idée fondamentale du monde animal le conduisit à découvrir les lois de ces différences et il posa de grands principes dans ce domaine : celui du balancement des organes, l'hypertrophie de l'un s'accompagnant de l'atrophie de l'autre, le principe des connexions qui empêche un organe de changer de position par rapport aux autres. Pour éclairer ces hypothèses, Geoffroy

Saint-Hilaire ne faisait pas seulement appel à l'anatomie comparée, mais à l'embryologie et à la tératologie. Il arrivait, lui aussi, à l'idée d'évolution des espèces.

Georges Cuvier (1769-1832), né dans une modeste famille protestante de Montbéliard, après des études à Stuttgart, s'était fait remarquer par des études sur les mollusques. Geoffroy Saint-Hilaire le fit nommer au Muséum en 1802. Sous la Restauration, Cuvier est un grand personnage du régime : chancelier de l'Université, conseiller d'État, directeur des cultes non catholiques. Ses conceptions restent conformes à l'interprétation littérale de la Bible et à la philosophie d'Aristote. Il voulait retrouver dans la nature le plan de la création et en soulignait l'harmonie. Prenant pour base l'anatomie comparée, Cuvier s'attachait à classer les espèces. Grâce au principe de la corrélation des organes, il a fait faire des progrès décisifs à la paléontologie, mais il n'expliquait la disparition des espèces que par les catastrophes qui ont jalonné l'histoire du globe. Ce fixisme l'opposa, en 1830, à Geoffroy Saint-Hilaire dans une polémique célèbre. Si la science de Cuvier lui donna un certain avantage, la grande question de l'évolution du monde et de l'homme n'en était pas moins posée en des termes que Gœthe résume magnifiquement dans ses *Entretiens avec Eckermann*: « A partir de maintenant... dans les sciences naturelles, c'est l'esprit qui dominera et sera maître de la matière. On jettera un regard sur les grandes lois de la création et dans le laboratoire mystérieux de Dieu. »

Une science appliquée, la médecine.

Les études médicales étaient distribuées dans les facultés de Paris, Montpellier et Strasbourg, auxquelles on doit ajouter le Val-de-Grâce où se formaient les officiers de santé. Les étudiants suivaient, outre les cours, un enseignement clinique obligatoire. Chirurgiens et médecins font les mêmes études et sont presque tous omnipraticiens. La formation première des futurs médecins resta classique, bien que le service des armées de la Révolution et de l'Empire ait recueilli dans le corps de santé des ecclésiastiques en péril de guillotine ou de simples empiriques.

La plupart des théories médicales voyaient dans la maladie

une sorte de combat entre deux forces antagonistes. Pour certaines existait un principe vital indépendant de l'âme ou de l'organisation physiologique. Dans cette perspective, la maladie avait une cause unique : les iatrophysiciens y voyaient une rupture d'équilibre entre les fluides du corps et l'élasticité des tissus, ce qui réduisait la médecine à des problèmes de plomberie ; les humoristes pensaient que la maladie était causée par un excès d'humeurs qu'il fallait évacuer en particulier par des émétiques ; pour Broussais et ses disciples, la maladie était le cri d'un organisme irrité ; il fallait donc le calmer par la guimauve ou l'application de sangsues.

Broussais, vieux briscard des armées impériales replié dans une chaire du Val-de-Grâce, tonnait contre ses collègues de la Faculté en particulier contre l' « homme au cornet », le pieux Laënnec et son stéthoscope. Ce sont cependant aux médecins de l'école clinique (Laënnec, Dupuytren, Cruveilhier) que l'avenir devait donner raison. Ils innovaient en examinant les malades et en tentant de déceler les lésions organiques. Mais cette méthode n'avait pas cause gagnée.

Les empiriques d'ailleurs faisaient, même dans le public cultivé, une rude concurrence à la médecine dogmatique. Au chevet de Casimier Périer mourant du choléra, on appela un magnétiseur. Le Dr Koref, disciple de Mesmer, faisait une belle carrière de charlatan. Et la thérapeutique de la médecine la plus officielle demeurait surprenante : non seulement on employait les plantes, mais encore des remèdes de sorcier, bouillon de vipère ou vin de cloporte. On dopait les asthéniques à l'alcool ou à l'opium. Récamier utilisait l'hydrothérapie aussi bien contre la typhoïde que pour la nymphomanie.

La médecine, elle aussi, est en pleine mutation, mais il ne se dégage pas d'hypothèse motrice féconde et les aspects archaïques continuent à l'emporter.

L'histoire.

Le grand public, on ne peut s'en étonner, s'intéressait avant tout à l'histoire de la Révolution. Les succès des collections de Mémoires sur cette époque (souvent enjolivés) l'attestent.

Un jeune marseillais, Adolphe Thiers, entreprend d'en donner un récit d'ensemble; il publie en 1823 le premier volume d'une *Histoire de la Révolution* dont le dixième et dernier paraîtra en 1827. Outre la documentation imprimée, il consulte les survivants du grand drame. Son récit clair, dans la lignée de Voltaire, dégagé de considérations morales est au total objectif, bien qu'on sente l'auteur partisan de la société nouvelle. Son ami Mignet, en 1824, avait fait paraître dans le même esprit une *Histoire de la Révolution française*, beaucoup plus brève. Mais avant de mourir, Mᵐᵉ de Staël avait écrit ses *Considérations sur la Révolution française*, plaidoyer pour les « monarchiens », mais plein de vues fécondes sur les forces sociales qui luttèrent sous la Révolution et dont le succès de Thiers ne doit pas faire oublier l'importance.

Autre centre d'intérêt pour le public, le Moyen Age, sur lequel le Musée des monuments français organisé par Lenoir sous la Convention avait contribué à attirer l'attention (Michelet y trouva sa vocation d'historien). Barante en 1824 donna une *Histoire des ducs de Bourgogne de la maison de Valois* qui eut un grand succès : simple marqueterie des chroniques du temps, elle flatta le goût du pittoresque des lecteurs de l'ère romantique. Il y a la même affectation de couleur locale chez Augustin Thierry (*Lettres sur l'histoire de France* d'abord parues en articles de journal, *Histoire de la conquête de l'Angleterre par les Normands* (1825), plus tard *Récits des temps mérovingiens* (1833 à 1840). Le récit de Thierry vibrant et coloré, reste proche des sources, sans que l'auteur manifeste beaucoup d'esprit critique. Il transpose dans le passé les luttes modernes de la noblesse et du tiers état, trouvant leur origine dans la lutte des Francs, ancêtres des seigneurs féodaux et des Gaulois romanisés, défenseurs de la civilisation.

Mais le plus grand historien du temps est Guizot qui publie ses cours à la Sorbonne de 1828-29, sur l'*Histoire de la civilisation en France* et son *Histoire de la civilisation en Europe*. Pour Guizot, le récit historique importe peu car « les relations des événements, le lien qui les unit, leurs causes et leurs résultats, ce sont des faits tout comme le récit des batailles et des événements visibles ». Dans l'espace européen, il montre, avec des nuances nationales, un développement parallèle depuis la chute de l'Empire romain jusqu'à l'âge des monarchies absolues. Si Guizot ne rejette pas l'action des grands hommes, les facteurs moteurs de l'histoire sont pour lui les grands corps (comme l'Église), les institutions nées des mœurs et agissant à leur tour sur la société, les classes dont la lutte joue un rôle déterminant. Ces forces sociales sont des manifestations de l'esprit humain qui concourent au progrès matériel et moral de la civilisation et se fondent dans l'unité de l'histoire « océan... où les éléments de la vie d'un peuple viennent se réunir ». Si la documentation est parfois hâtive, l'œuvre représente, en dépit d'une dette envers Mably, un effort d'interprétation sans précédent. Et Guizot se préoccupe aussi d'élargir le champ de l'information érudite en publiant les *Mémoires relatifs à l'histoire de France* et les *Documents relatifs à l'histoire d'Angleterre*. Jamais auparavant l'histoire n'a joué une place aussi importante dans la préoccupation des hommes et ses progrès sont alors décisifs.

2. Le libéralisme et ses critiques

Le Credo libéral.

La philosophie du temps marque peu d'originalité. L'effacement relatif du sensualisme et du matérialisme devant le renouveau du spiritualisme qui s'est produit sous l'Empire se poursuit. Le philosophe le plus original Maine de Biran a réhabilité l'introspection et a distingué chez l'homme, un état passif qui obéit aux déterminismes extérieurs, et une activité volontaire, marque de la liberté de l'esprit. Il s'intéresse maintenant à la vie mystique et à la faculté de la liberté humaine de se perdre en Dieu. Royer-Collard a opposé au sensualisme lors de son court passage à la Sorbonne à la fin de l'Empire, une philosophie de la perception inspirée des Écossais. Absorbé par la politique, il est, au début de la Restauration, suppléé dans sa chaire par Victor Cousin (1792-1867). Les succès d'éloquence de ce maître de vingt-deux ans inaugurent la carrière d'un des plus autoritaires mandarins qui aient jamais régi la pensée universitaire. Mais sa doctrine éclectique n'est guère autre chose qu'une histoire des idées.

Les problèmes métaphysiques demeurent cependant présents dans la conscience des hommes de la Restauration. Mais l'activité essentielle de leur esprit, au lendemain des grands bouleversements, s'oriente vers les relations de l'individu et de la société.

Le libéralisme en propose une solution : la combinaison libre des actions individuelles est bénéfique à l'ensemble du corps social. Les libéraux sont donc hostiles aux privilèges de corporations, de classes, de religion, ils laissent l'individu face à un État aux attributions réduites. Héritiers de l'esprit de 1789, ils admirent la Déclaration des droits de l'homme et la nuit du 4 août. Liberté de pensée, de religion, de parole, de la presse, garanties contre l'arbitraire (en particulier par l'institution du jury) sont les articles du credo libéral. L'égalité des individus consiste pour eux dans la jouissance des mêmes droits civils. Le régime représentatif, c'est-à-dire un pouvoir législatif élu par des électeurs assez éclairés pour choisir les représentants de la nation, marque la part de celle-ci à la gestion du pays. Mais ces principes communs comportent des nuances. Il y a sous la Restauration plusieurs familles libérales qu'on peut distinguer d'après leurs liens avec les partis.

Les familles libérales.

Tout d'abord, bien que parfois il s'y imprègne d'un jacobinisme ou d'un nationalisme étrangers à son essence, le libéralisme règne à gauche. Souvent sous une forme assez sommaire, celui du *Constitutionnel*, des chansons de Béranger, des pamphlets de Paul-Louis Courier : irrémédiablement hostile à l'Ancien Régime « à la dîme et aux droits féodaux » dont il entretient le souvenir et la crainte, d'un anticléricalisme vigoureux surtout dirigé contre Rome et les jésuites, défendant en bloc la société née de la Révolution et de l'Empire, avec une sorte de tendresse pour le petit propriétaire, le bourgeois laborieux ou le vieux militaire.

Mais la gauche comprend aussi des théoriciens originaux du libéralisme, dont le plus remarquable est Benjamin Constant (1767-1830). Né à Lausanne, d'une famille de réfugiés protestants français, cosmopolite par sa culture, il a mené une vie agitée, dont les amours tumultueuses avec l'effervescente Germaine de Staël forment l'épisode central; sa faiblesse de caractère s'est manifestée lors des Cent-Jours où, après un article virulent contre le « tyran », il a participé à l'élaboration de l'*Acte additionnel*. Son intelligence aiguë, ses luttes sans défaillance pour la liberté, rachètent les défauts de l'homme. Ses multiples ouvrages, mémoires, articles (dans le *Mercure, la Minerve,* etc.), discours, construisent un système politique cohérent. Benjamin Constant constate que dans les temps modernes, la vie privée est la part la plus précieuse de l'existence, celle qu'il faut préserver de l'arbitraire du pouvoir. La solution consiste dans l'accord de celui-ci et de l'opinion au sein du système représentatif. Constant reconnaît le principe de la souveraineté du peuple, mais réserve l'exercice des droits électoraux aux propriétaires qui seuls peuvent l'exercer en toute indépendance. Quant au souverain, c'est un pouvoir « neutre » qui n'agit comme arbitre qu'en cas de conflit entre le législatif et l'exécutif. Sans être attaché à l'hérédité ou la légitimité, Constant préfère la monarchie constitutionnelle parce que la république, lors du Consulat, a engendré le despotisme et parce qu'il est plus porté vers les évolutions que les révolutions.

Le parti constitutionnel a lui aussi ses penseurs libéraux : les doctrinaires, Broglie, Guizot, Barante, Rémusat et surtout Royer-Collard (1763-1843), dont chaque discours fait alors événement. Sous le brillant du langage, la doctrine est simple : la base de notre droit est la Charte, contrat fondamental entre la légitimité et la nation. C'est de là que découlent les fonctions législative, exécutive ou électorale. Cette dernière n'implique pas la souveraineté du peuple, seule la raison est souveraine. Cependant, ferme sur les prérogatives royales au début de la Restauration, Royer-Collard semble avoir senti la nécessité de les assouplir dans un pays « où la démocratie coule à pleins bords ».

A droite même, le libéralisme n'est pas absent. *Le Conservateur* au temps où il paraît (1818-1820), *le Journal des Débats* le représentent. Les principes du régime parlementaire, en particulier la responsabilité des ministres, ont été soutenus avec vigueur dès 1816 dans *la Monarchie suivant la Charte* de Chateaubriand et la liberté de parole, la liberté de la presse demeurent les idées fondamentales de la contre-opposition de droite.

Il est cependant chez les ultraroyalistes des conceptions antilibérales dont le meilleur avocat à la Chambre est M. de Bonald.

Ces conceptions doivent beaucoup aux idées émises à l'étranger par Joseph de Maistre et par Burke. Elles sont traditionalistes et théocratiques. L'individu, pour elles, demeure subordonné à la société, laquelle évolue lentement comme un arbre, développement organique qui ne peut être rompu par aucune révolution, crime de révolte dont le protestantisme a donné l'exemple. L'homme n'existe que par la société formée de cercles concentriques soumis à un chef, de la famille et la commune, jusqu'à l'État lui-même où le roi n'est qu'un « représentant de Dieu » comme chez Bossuet. L'aspect théocratique de ces théories est plus accentué encore chez Lamennais pour qui la seule société parfaite, reconnue par le sens commun, est l'Église.

Le libéralisme économique et les débuts du socialisme.

Cependant, le libéralisme ne s'applique pas seulement à la vie politique, mais aux faits économiques. Les physiocrates qui, au XVIIIᵉ siècle avaient proclamé la nécessité de « laisser faire, laisser passer » étaient déjà des libéraux. Mais l'Écossais Adam Smith est le véritable maître des économistes français du début du XIXᵉ siècle, en particulier de Jean-Baptiste Say (1767-1832). Celui-ci publie en 1828-1829 le *Cours d'économie politique* qu'il professe aux Arts et Métiers; il y développe les principes énoncés dans son *Traité* de 1803. On y trouve les idées fondamentales de la liberté nécessaire de la production et des échanges, avec l'accent mis sur le rôle de l'entrepreneur. Mais Say s'écarte des économistes anglais par une théorie de la valeur fondée non sur les coûts de production, mais sur l'utilité; enfin, il énonce la loi des débouchés, « les produits s'échangent contre les produits », loi qui réduit le rôle de la monnaie à être un simple intermédiaire des échanges et qui nie la possibilité de crises générales de surproduction. Ainsi se marque l'optimisme caractéristique de l'école française d'économie politique.

Cependant les bienfaits de la libre concurrence sont contestés par le Genevois Sismondi et les premiers socialistes, Saint-Simon et Fourier.

Le comte Henri de Saint-Simon (1760-1825), d'une branche cadette de la vieille famille de noblesse picarde qui a donné le célèbre mémorialiste, a mené à la fin de l'Ancien Régime une existence aventureuse. Sous la Révolution, il a spéculé sur les biens nationaux, ce qui ne l'empêcha pas de connaître la prison sous la Terreur. Puis il s'est consacré à la « carrière scientifique » reprenant ses études et recevant des savants. De 1802 à sa mort, il ne va pas cesser d'écrire. Mais, dès 1806, il est ruiné et, par la suite, il n'échappe à la misère que grâce à l'aide de quelques amis.

De 1802 à 1816, la préoccupation centrale de Saint-Simon est de créer une science de l'homme, en faisant entrer les faits moraux dans le champ de la connaissance rationnelle. Il reprend ainsi l'œuvre de l'*Encyclopédie*, mais avec la perspective historisante de son époque. Il analyse en particulier la crise révolutionnaire dans « le passage du système féodal et théologique au système industriel et scientifique ». C'est donc « dans l'industrie que résident toutes les forces réelles de la société » et, autour de cette idée, Saint-Simon va, à partir de 1816, proposer une réorganisation du monde moderne qui implique la fin de l'anarchie de la production, en unissant dans un « parti industriel » banquiers, commerçants, agriculteurs, industriels. Les capitaux seront mis à la disposition des plus capables et le gouvernement sera confié à trois Chambres : invention (écrivains, artistes, ingénieurs), examen (mathématiciens, physiciens), exécution (chefs d'entreprises). La propriété privée ne sera pas supprimée, mais l'héritage disparaîtra.

Dès 1819, dans sa célèbre parabole, Saint-Simon avait souligné l'opposition entre les classes oisives (noblesse, clergé, légistes, grands propriétaires) et les classes utiles qui participent à la production. Dans son dernier ouvrage *le Nouveau Christianisme* où il affirme la nécessité de créer une nouvelle religion basée sur l'amour et la fraternité, il affirme que celle-ci « doit diriger la société vers le grand but de l'amélioration la plus rapide possible de la classe la plus pauvre ». Il croit d'ailleurs que la transformation de la société est proche et meurt en disant à ses disciples : « La poire est mûre, vous devez la cueillir. »

Charles Fourier (1772-1837), fils d'un négociant aisé, a mené à Lyon une existence de « sergent de boutique » et de vieux garçon « pilier de tables d'hôte et de bordels ». Esprit bizarre, traversé de pensées loufoques qui coexistent avec des intuitions surprenantes,

Fourier élève contre la « civilisation » de son temps une contestation globale. La vente d'une pomme dans un restaurant parisien cent fois le prix qu'elle coûte sur le lieu de production, a été pour lui un trait de lumière : par le commerce et par l'agiotage, les intermédiaires organisent artificiellement la pénurie et s'enrichissent aux dépens des pauvres. Or, le problème de la misère hante l'imagination de Fourier.

A la « civilisation » il oppose « l'harmonie », la société de l'avenir fondée sur le principe de l'attraction newtonienne. Toutes les passions humaines pourront s'y manifester et la nature même en sera bouleversée. A la base de la société, le phalanstère formera un groupe complet d'hommes et de femmes animés de passions complémentaires et cette libre association donnera des produits où chacun puisera selon ses besoins. Fourier décrit intarissablement cette société heureuse où l'horticulture aura une place de choix. Encore plus intarissablement, il analyse et classe ces passions dont la diversité sera la base de l'harmonie future.

Fourier attendit chaque jour à midi le capitaliste qui l'aiderait à créer la phalange, première cellule de ce monde nouveau. Il ne se présenta pas.

3. Romantisme

L'ascension du romantisme littéraire.

Le romantisme est le plus profond et le plus universel courant de pensée et de sensibilité que l'Europe ait connu depuis la Renaissance. Il s'est d'abord manifesté dans les littératures du Nord : en Angleterre, poésie mélancolique de la nature et des ruines, intérêt pour les vieilles ballades populaires, exaltation au-delà d'un classicisme mal implanté, de l'âge de Shakespeare. En Allemagne, où le classicisme n'a été qu'imitation, naît en 1770 la littérature désespérée ou tumultueuse du *Sturm und Drang*, puis c'est aux alentours de 1800 la grande période romantique, philosophique, lyrique et mystique, réhabilitant et magnifiant le Moyen Age germanique.

En 1815, la France n'a pas été aussi profondément atteinte. Un courant de sensibilité qui remonte à Rousseau tente, certes, d'exprimer la mélancolie des sentiments et le goût de la nature. Surtout Chateaubriand a renouvelé les thèmes littéraires d'*Atala* à *René* en passant par le *Génie du christianisme*. Mais son « mal du siècle » n'est pas négation des valeurs littéraires établies.

L'ensemble du monde littéraire continue à professer que l'idéal du beau s'est transmis des Grecs aux Romains, des Romains à notre XVIIe siècle et de celui-ci à Voltaire. Créer en littérature œuvre valable c'est donc imiter et respecter les règles qui se dégagent de cette tradition : préférence donnée aux sujets antiques, séparation des genres tragique et comique, règle des trois unités au théâtre, pudeur du style qui prohibe la vulgarité du vocabulaire. Le lyrisme en est particulièrement embarrassé et ne trouve sa justification que dans son propre métier : passions abstraites, dieux avec leurs attributs bien définis, métaphores stéréotypées (le thermomètre est « le mercure captif », le ver « l'adroit sapeur »), tout un langage de chiffres convenus dont l'éducation classique donne la clef, place un voile menteur entre l'homme et le monde réel. En prose, une précise clarté narrative, héritée de Voltaire, ne se prête guère aux émotions et aux descriptions. Au total, le classicisme s'est sclérosé.

Or le public, lui, a changé : certes il en est encore une partie qui, formée dans les collèges de l'Ancien Régime prend plaisir à ces jeux formels; mais combien de lecteurs, plus modelés par les événements que par le collège, prétendent retrouver dans les livres les émotions de l'action ou de la vie!

Aussi, tandis qu'à l'âge du classicisme triomphant la littérature française envahissait l'Europe, c'est maintenant le reflux. La Restauration voit se confirmer la faveur de Shakespeare, qu'à deux reprises des troupes anglaises représentent à Paris, ce Shakespeare où, comme dans la vie, tragique et comique se côtoient. Elle lit Walter Scott qui évoque avec tant de vigueur poétique les aventures chevaleresques de jadis qu'il aide puissamment à la formation des rêveries historiques et médiévales du temps. Elle vibre avec Byron, dont la mort à Missolonghi provoque une extraordinaire émotion. La littérature allemande, elle aussi, est aimée, le théâtre de Schiller, le Gœthe de *Werther*, mieux compris que celui de *Faust*, malgré la belle traduction de Nerval et les scènes qu'elle inspire à Berlioz. Mais le public français s'intéresse aussi au théâtre baroque espagnol et Dante connaît une véritable résurrection, tandis qu'arrive d'Amérique *le Dernier des Mohicans*. La curiosité littéraire se manifeste aussi pour le folklore (Fauriel en 1824 publie ses *Chants populaires grecs* en langue originale et traduction).

Les émigrés ou les Suisses ont souvent servi d'intermédiaires : l'émigré Villers, apologiste de la femme allemande, inspire en partie *De l'Allemagne* que Mme de Staël ne révèle au public français qu'en 1814; Sismondi publie son cours de Genève sur *les Littératures du midi de l'Europe* avec un grand succès.

Le public ne pouvait que souhaiter qu'un enrichissement semblable se produisît dans les lettres françaises. Vers 1815, le romantisme est contestation de la férule des classiques et ce n'est que peu à peu que le mouvement, progressant en s'épurant comme tout mouvement révolutionnaire, proposera un credo positif.

Classicisme et patriotisme libéral sont au début étroitement unis : Shakespeare est traité « d'aide de camp de Wellington », la fidélité à Voltaire, à l'idéologie, au classicisme et à la France forme un tout. Les premiers romantiques (Soumet, Guiraud, Nodier) s'appuient sur la légitimité dont la doctrine paraît l'émancipatrice du despotisme napoléonien, sur le sentiment religieux qui réhabilite l'individu contre le sensualisme, dissolvant de la personne humaine. Ils se proclament donc légitimistes et catholiques (Nodier écrit régulièrement dans *la Quotidienne*) en face d'un classicisme libéral et rationaliste.

Celui-ci dénonce l'imitation de l'étranger (des « romans noirs » anglais en particulier) dans les œuvres d'imagination de style « frénétique » de la nouvelle école, romans du vicomte d'Arlincourt, nouvelles de Nodier ou encore le *Han d'Islande* du jeune Victor Hugo. Ils ne peuvent empêcher les succès romantiques en poésie : d'abord celui des *Méditations* de 1820, où Lamartine, jeune poète, catholique et ultraroyaliste, s'il n'était lié à aucune coterie, chantait l'amour, la mort, le sentiment religieux et celui de la nature, en termes simples et émouvants; les premières *Odes* de Victor Hugo (1822), les premiers *Poèmes* de Vigny (1822). Dans ces mêmes années, les classiques obtenaient paradoxalement des succès dans des œuvres d'actualité : *l'Hermite en province* de Jouy, les pamphlets d'une langue admirablement incisive de l'helléniste et vigneron Paul-Louis Courier, le second recueil des *Chansons* de Béranger (1821), dont d'ailleurs on se dispute gravement l'appartenance.

Cependant les jeunes romantiques se regroupent après 1820 d'abord dans la Société des bons livres, dont le titre dénonce l'inspiration, et dans *la Muse française* (1823-1824), dirigée par Émile Deschamps, caractéristique de la mode du style troubadour : « La chevalerie dorée, le joli Moyen Age des châtelaines..., le christianisme de chapelles et d'ermites, les pauvres orphelins, les petits mendiants faisaient fureur », écrira d'elle Sainte-Beuve.

La fraction conservatrice du parti royaliste et catholique (nous sommes sous le régime Villèle) soupçonnait d'hérésie ces alliés inquiétants. L'année 1824 est marquée par une offensive violente contre eux, partie du sein de la droite de l'Académie, avec Auger, et du ministère, avec Mgr Frayssinous. On assiste en somme à deux phénomènes parallèles : la rupture de Villèle et de Chateaubriand en politique, de la vieille droite et du romantisme en littérature. Certes l'année suivante, Lamartine et Victor Hugo chantent le sacre de Charles X; mais ils revendiquent le droit d'être de leur temps et reconnaissent leur dette vis-à-vis de la Révolution française. « La moisson est-elle moins belle parce qu'elle a mûri sur le volcan? » écrivait Victor Hugo. Début d'une évolution qui devait conduire avant peu l'auteur à affirmer que le romantisme était le « libéralisme en littérature ».

La naissance du *Globe* en 1824 ne devait pas peu contribuer au retournement de front qui devait détacher les romantiques des doctrines de la légitimité. Le *Globe* groupe autour de Dubois, une équipe libérale allant des carbonari aux doctrinaires : Rémusat, Thiers, Duvergier de Hauranne, Sainte-Beuve, etc. Celle-ci répudie certains excès des romantiques, mais professe que la littérature ne peut être que l'expression de la société, ainsi que l'avait marqué Mᵐᵉ de Staël; ils rejettent donc les règles du classicisme en qui ils ne voient pas une expression immuable du goût national. Ce goût a varié et « les grands maîtres n'ont été appelés ainsi que parce qu'ils étaient créateurs ». Sainte-Beuve publie dans les colonnes du *Globe* une partie de son *Tableau historique et critique de la poésie française et du théâtre français au XVIe siècle* et il montre dans Ronsard et les écrivains de la Pléiade des précurseurs lointains du romantisme. L'idée que la littérature est une conséquence de l'histoire, idée qui est bien de ce temps, triomphe donc dans les colonnes du *Globe* et sur ce point, Victor Hugo ne dira guère autre chose dans sa célèbre préface de *Cromwell* (1827). Ainsi se constitue une sorte de coalition pour la liberté en art, pour le choix des sujets (l'exotisme par exemple qui triomphe avec les *Orientales*) qui, malgré des divergences, réunit les romantiques modérés du salon Delécluze (Mérimée qui vient de publier le *Théâtre de Clara Gazul*, Stendhal alors auteur de *Racine et Shakespeare* et aussi d'*Armance*) à ceux plus extrémistes du « Cénacle ». On est d'accord pour faire triompher le drame, pour écrire des romans historiques ou d'actualité.

C'est au théâtre que va avoir lieu la bataille décisive. Les classiques gardaient jalousement l'accès du Théâtre-Français où, cependant depuis 1825, régnait un administrateur, le baron Taylor, favorable à l'art nouveau. Faire jouer par la troupe du Français, alors prestigieuse, mais hostile, un drame romantique et le faire triompher, marquera la consécration de l'école. Aussi la « bataille d'Hernani » n'est que l'épisode décisif d'une véritable guerre. Déjà, en 1828, *Henri III et sa Cour* d'Alexandre Dumas a triomphé sur les Boulevards, mais *Marion de Lorme* de Victor Hugo est, au Théâtre-Français, interdite par la censure. Cependant, *Othello* de Vigny, d'après Shakespeare, y est accepté en 1829 et son succès ouvre la voie, ainsi que l'échec piteux d'une tragédie faite suivant les recettes classiques par l'académicien Arnault, *Pertinax* (« le père tignasse », disent les romantiques). Enfin, le 25 février 1830, les deux camps s'affrontent à la première d'*Hernani*, un triomphe qui est celui de la liberté dans l'art.

Le romantisme et les arts plastiques.

Le courant romantique a pénétré inégalement les arts plastiques. En peinture, la rivalité des écoles et des styles, fait de cette époque, riche en talents, l'une des plus vivantes et variées de l'art français.

Sous l'Empire, David régnait : le peintre à ses yeux devait s'inspirer de l'Antiquité qui nous avait donné des modèles du beau idéal aussi bien que des vertus civiques. Aussi, David composait-il de grandes toiles, d'ordonnance équilibrée, inspirées de Tite-Live ou de Plutarque (*Enlèvement des Sabines*, *Serment des Horaces*, etc.) où le dessin cerne de lignes strictes les personnages, de préférence des nus, où la couleur mise à plat n'a pour fonction que de le rehausser. Dans ces œuvres statiques et sévères, le maître glaçait son propre tempérament et prétendait enseigner à ses élèves la même discipline austère. Mais en 1815, David, ancien conventionnel régicide, partait à soixante-sept ans en exil à Bruxelles. Un groupe de peintres, nés aux environs de 1770, se trouve ainsi au premier plan. Or, s'ils ont subi son influence, tous tendent à s'en affranchir.

C'est à Gros que David avait confié son atelier. Cet illustrateur de l'épopée impériale, va maintenant fixer *les Adieux de Louis XVIII en 1815*, *l'Embarquement de la duchesse d'Angoulême à Pauillac*, alterner scènes historiques et compositions mythologiques. Entre un art de couleur et de mouvement et la fidélité à David, Gros hésite, déconcerte ses élèves et le public, se sent lui-même en déclin. Il se suicidera en 1835. Girodet, malgré ses sujets empruntés à la littérature romantique, est demeuré plus académique par sa facture. Gérard est devenu portraitiste officiel. Prud'hon, qui a toujours été en marge de l'école, achève sa carrière par des tableaux religieux : *l'Assomption de la Vierge* (1819), *le Christ expirant sur la croix* (1823). Par son éclairage, son pathétique, sa grâce inspirée du Corrège il confine au romantisme.

Celui-ci éclate avec Géricault (1791-1824), passionné de chevaux, de peinture anglaise, mais qui se consacre aussi à l'étude des fous, des cadavres. Son célèbre *Radeau de la Méduse* (1819) unit la composition en diagonale des baroques à celle en pyramide des classiques, jette sur les masses un clair-obscur lugubre, emploie des tons bitumineux. Cette grande œuvre tragique unissait fougue inspirée et parfaite maîtrise. A la mort prématurée de Géricault, son ami Eugène Delacroix (1798-1863) incarne le romantisme. Sa mère, fille du grand ébéniste allemand Œben, avait épousé Charles Delacroix, conventionnel et ministre des Relations extérieures. Talleyrand qui l'avait remplacé à ce dernier poste est sans doute le père réel du peintre. Orphelin à seize ans, désespérant peut-être à cause de son nom de faire une carrière publique, Delacroix choisit la peinture de préférence à la littérature pour laquelle ses dons aussi étaient certains. Son premier grand tableau, au salon de 1822, fut *Dante et Virgile aux enfers;* en 1824, ce furent *les Massacres de Chio*, en 1827 *la Mort de Sardanapale*, inspirée de Byron, où on le voit en pleine possession de sa première manière, après un séjour en Angleterre où le contact des aquarellistes lui a appris à éclairer sa palette. Delacroix pose les couleurs par touche, mais leurs rapports font du tableau une véritable symphonie visuelle, où rutilances et ombres s'opposent. La peinture pour Delacroix est d'abord « une fête » mais elle est plus, et le public partage l'émotion avec laquelle cet aristocrate cultivé a lu Byron ou Dante. Il se laisse entraîner par la libre imagination créatrice du peintre.

Ce frémissement créateur n'était pas conforme aux règles académiques. L'Institut se jeta alors dans les bras d'Ingres (1780-1867) qui, en 1824, revenait d'Italie où il avait fait un long séjour, et en fit le successeur de David. A vrai dire, Ingres est surtout académique par ses défauts : un caractère pontifiant et intolérant, une incapacité de rendre la vie, une couleur sèche. Mais son dessin tant vanté est une admirable arabesque qui n'a rien de commun avec les lignes austères du dessin davidien, non plus que ses nus, sensuels parfois jusqu'à l'érotisme. Le véritable classique de tempérament est sans doute le paysagiste Camille Corot (1796-1875) qui, ayant renoué avec la grande tradition des paysagistes français peint de 1825 à 1828 ruines et paysages de la campagne romaine en des tableaux lumineux et sereins, première maturité d'une carrière qui s'achèvera au seuil de l'impressionnisme.

Tels nous paraissent être les grands peintres de l'époque de la Restauration. Mais la hiérarchie des valeurs n'était pas la même pour les contemporains qui plaçaient très haut Horace Vernet ou même Delaroche que nous considérons aujourd'hui comme d'habiles médiocres. Tout classement est d'ailleurs arbitraire. Des peintres, classiques de tempérament, ont souvent succombé à quelque moment à la mode du pittoresque ou de l'orientalisme. Ce qu'on peut constater chez les petits maîtres, c'est l'extrême variété des genres, des scènes bourgeoises d'un Boilly aux turqueries d'un Decamps, aujourd'hui bien oublié mais qui fit fortune. D'ailleurs, les personnalités intéressantes abondent, tel le Provençal Granet.

La sculpture française a été touchée plus tard que la peinture par le romantisme. Canova a dominé de très loin l'ère impériale. Au Corse Bosio, dont Louis XVIII aimait la faconde, fut confié le *Louis XIV* de la place des Victoires, le *Louis XVI* priant de la chapelle expiatoire et l'*Henri IV enfant* qui fut placé dans la chambre du roi, l'*Henri IV* du Pont Neuf étant confié à Lemot. Tout cela demeure strictement académique.

L'architecture, elle aussi, restait académique. On verra (cf. t. 7, pp. 205 et 208) que la Restauration poursuivit à Paris les chantiers de l'Empire. Le temple passe-partout, à l'aspect trapu, l'église inspirée des vieilles basiliques romaines et précédée d'un portique, sont des prototypes qui se répètent avec plus ou moins de bonheur. Percier et Fontaine, comme sous l'Empire, dominent le lot des architectes par leur inspiration sans sectarisme de l'antique, leur ingéniosité élégante. Cependant, l'évolution du goût public devait à la longue influencer sculpture et architecture. En 1821, le décor de Notre-Dame pour le baptême du duc de Bordeaux est d'inspiration gothique comme le sera la pompe du sacre de Charles X. Les lithographies d'Achille Devéria et de Johannot mettent à la mode le style troubadour; les bals costumés en habits médiévaux font fureur, tandis que les bijoux de femmes évoquent un décor chevaleresque, quand de leur corsage ne saillent point d'incommodes gargouilles. Hugo et d'autres artistes vivent dans un bric-à-brac de cathèdres et de bahuts. Cette mode archéologique eut l'heureuse conséquence de créer un mouvement de protection des monuments français dont les magnifiques albums du baron Taylor reproduisent les richesses. Du cri poussé par Hugo en 1825 « Guerre aux démolisseurs » à la nomination en 1831 de Mérimée, inspecteur des monuments historiques, où il emploiera Viollet-le-Duc, et à la création de la Commission des monuments historiques par Guizot en 1837, une œuvre de protection utile, en dépit de quelques erreurs, a été mise en place.

Mais ce n'est pas seulement la mode du Moyen Age qui remet en cause l'académisme. Une meilleure connaissance de l'art antique le montre varié et peu conforme aux canons. La frise du

Parthénon amenée à Londres par lord Elgin, étonne par sa vie et sa liberté. Bientôt Hittorf va montrer dans son *Architecture antique de la Sicile* le bariolage polychrome des temples antiques.

Aussi le salon de 1833 marque l'invasion massive des romantiques : Barye présentait un *Lion aux serpents*, Rude un *Pêcheur napolitain jouant avec une tortue*, Moine, un portrait réaliste et émouvant de la reine Marie-Amélie, Étex, *Caïn et sa race maudits de Dieu*... Mais le barrage du jury se fit dès l'année suivante et ne laissa passer que la *Tuerie* de Préault « pour punir l'auteur, à titre d'exemple effrayant pour la jeunesse ». L'espoir de commandes officielles maintenait d'ailleurs serrés les rangs des éclectiques dont le type demeure l'élégant, mais médiocre, Pradier. Il est vrai que le sculpteur prôné par les écrivains romantiques, David d'Angers, qui donna des médaillons de toutes les célébrités contemporaines, n'était aussi qu'un talent de seconde zone.

Quant à l'architecture, son romantisme tardif ne consistera guère qu'en une imitation du style gothique. Si la période romantique est éclatante en peinture, si le développement plus tardif de quelques génies comme celui de Rude, compensent les incertitudes des sculpteurs, l'architecture demeure le moins original des arts plastiques du temps.

La musique.

La richesse de la peinture française ne se retrouve pas dans la musique, cet art majeur du romantisme germanique.

Pour une très large partie du public bourgeois, la musique c'est essentiellement l'Opéra, un art d'accompagnement au drame et au spectacle, dont l'Italien Ciceri renouvelle les décors vers 1830. La période est dans l'histoire de l'Opéra de Paris et des Italiens exceptionnellement brillante, avec des artistes hors de pair, de Nourrit à la Pasta, pour les voix desquels les compositeurs adaptent leurs œuvres. Le répertoire n'est pas systématiquement médiocre, on y relève *Don Juan*, le *Freischütz* (qui y fut triomphalement créé en décembre 1824) mais dans des tripatouillages de Castil-Blaze (avec des morceaux venus d'ailleurs, ballet obligé, etc.) qui n'indignent ni les critiques, ni le public. Le récital dont à douze ans, en 1833, le jeune Hongrois Liszt a créé la vogue, est lui aussi un exercice d'acrobatie où virtuosité et improvisation sont surtout prisées chez les pianistes et les violonistes, qu'éclipsera le « sorcier » Paganini en 1833-1834, lequel réussit par surcroît à donner asile à la musique dans ses diaboliques « caprices ». Certes, il existe quelques formations de musique de chambre ; surtout en 1828, Habeneck fonde les Concerts du Conservatoire qui révèlent les symphonies de Beethoven. Mais une élite seule reçoit cette révélation.

On ne peut comprendre cet état des choses qu'en les voyant de haut : la dépréciation de la musique française remonte à la fin du règne de Louis XV où le goût public a préféré la facilité italienne à la savante école française d'alors. Sous la Révolution, le mécénat cultivé disparaît presque sans retour, les salons de la Restauration ne le ressuscitant pas. La Révolution eut, par contre, l'idée d'une musique de plein air, populaire et civique, avec des chœurs et des ensembles de bois et de cuivre, tentative dont l'échec reste à étudier. Plus que les Italiens, les musiciens belges y avaient participé, dont les meilleurs disparaissent autour de 1815 : Grétry vient de mourir, Méhul va le suivre, Gossec prend sa retraite. La veine transalpine paraît, elle, inépuisable. Spontini, fixé à Paris sous l'Empire, se voit confier en 1816 les fastes musicaux du mariage du duc de Berry ; l'inamovible Cherubini, directeur du Conservatoire de musique, surintendant de la chapelle royale, écrit la même année un *Requiem* pour la translation des restes de Louis XVI. Cherubini, d'ailleurs, vaut mieux que la réputation que lui a faite son caractère étroit et hargneux. Son métier sévère n'exclut pas une inspiration originale. Mais il serait vain d'énumérer tous les petits maîtres qui débarquent d'Italie pour exploiter le marché parisien.

Rossini est très au-dessus de ceux-ci. La première du *Barbier de Séville* dans la capitale est un triomphe (1819) et quelques années plus tard, il accepte de venir diriger avec d'exorbitants privilèges le théâtre des Italiens ; il dominera pendant quelques années la vie musicale de Paris. Ses œuvres usent de procédés sans fard : insistance du thème, accélération du rythme qui les font entendre à l'auditeur le moins doué. Mais on ne peut contester la verve scénique, la grâce de la mélodie, l'élégance de l'orchestre. Chose curieuse, les opéras serias aujourd'hui délaissés, séduisaient plus que ses opéras buffas. Rossini fit en 1829 un remarquable effort pour renouveler son style avec *Guillaume Tell*. Le public de l'Opéra ne le suivit pas. Sa faveur se porte alors vers Fromental Halévy et son pathétique laborieux, vers Meyerbeer dont *Robert le Diable* en 1831 fut un triomphe. Si Meyerbeer n'est pas le « zéro absolu » qu'a dit Wagner, la pompe boursouflée, le métier froid et solennel remplacent largement chez lui l'inspiration, à laquelle suppléaient aussi les dons remarquables que ce fils de banquier allemand avait pour assurer sa propre publicité. Cependant Bellini dont la grâce mélodique ne s'appuie que sur un maigre flonflon orchestral et le surabondant Donizetti vinrent maintenir la présence italienne.

Il y eut cependant un groupe non négligeable de compositeurs français : Boieldieu (1775-1854), musicien rouennais, qui vécut en Russie sous l'Empire, dont *la Dame blanche* de 1825 parut le chef-d'œuvre du style troubadour. A vrai dire, Boieldieu vaut mieux que ce succès. S'il manque de métier, il a une élégance qui lui est propre et il est peut-être regrettable qu'il ait peu écrit hors de la scène. L'aisance et la clarté caractérisent aussi l'industrieux Auber qui connut plus de quarante ans de succès sur la scène parisienne et dont la postérité a surtout retenu *la Muette de Portici* (1828). Wagner le mettait au-dessus de Rossini. Herold conquit avec des moyens d'un romantisme facile une large audience internationale et l'estime des milieux cultivés pour ce musicien nous surprend aujourd'hui.

Cette large audience, Hector Berlioz (1803-1869), ne l'a jamais acquise. En 1828 avec les *Huit Scènes pour Faust* et en 1830 avec *la Symphonie fantastique* il a atteint la plénitude de ses moyens. Qu'il commente en musique Gœthe ou Byron, ou qu'il écrive sur sa propre littérature, c'est toujours lui-même, héros solitaire et bafoué, qui est présent, avec son cœur mis à nu. L'exaltation des passions, désespoir, colère, tendresse virile, anime un orchestre dont la magnificence sonore n'est qu'à lui. Il ne pouvait trouver qu'outre-Rhin (lui qui comme critique a si bien parlé de Beethoven) de grands symphonistes qui soient ses proches, bien que sa phrase soit plus latine, descriptive, lumineuse sous le grand vêtement d'harmonie. Il faudra du temps pour que les musiciens comprennent qu'il y a chez lui le genre nouveau du poème symphonique.

Le public de 1830 ne voit que cabotinage dans sa fougue, provocation dans sa liberté.

Il rejette ainsi le message du seul grand musicien romantique français. Du romantisme cependant il accepte des apports extérieurs : union étroite du texte à la musique (Scribe et Meyerbeer associés!), évocation plus mouvante du drame et de la vie. Il existe quelques professeurs, quelques organistes, qui préparent obscurément la renaissance de la musique française. Le public de l'opéra et même des récitals, les ignore.

Sous la Restauration, la vie intellectuelle est souvent audacieuse et passionnée. L'œuvre du XVIIIe siècle, ce grand inventaire de la mécanique de l'univers, se poursuit au milieu des controverses. On tend à réhabiliter le rôle des forces irrationnelles et à substituer l'idée d'une création continue à celle de lois immuables et stables. Les bouleversements de la Révolution ont donné conscience de la fragilité des structures sociales ou mentales et le XIXe siècle s'annonce dominé par l'idée d'évolution, siècle de l'histoire au sens le plus large. Mais, dans cette transformation de l'horizon humain, les sciences ne progressent pas d'un pas égal.

Elles mettent cependant en question les rapports de l'homme avec la nature, avec Dieu, avec ses semblables. Dans ce dernier cas, l'individu affranchi de contraintes qui fixaient sa place dans la société éprouve dans la liberté une dimension nouvelle : c'est par son propre jugement ou par son propre goût qu'il veut juger du vrai, du beau ou du bien.

5

La révolution de 1830

1. De la prospérité à la crise

Avant d'aborder les faits politiques qui conduisent directement à l'explosion de juillet 1830, il convient de fixer le changement de climat économique qui oppose les années 1821-1825 et les dernières années de la Restauration.

Les premières de ces années, en dépit de la ponction opérée par les fonds publics et les emprunts pour les canaux, virent d'énormes investissements dans l'industrie. A celle-ci, le régime de protection douanière ouvrait des perspectives d'expansion, tandis qu'il condamnait le grand commerce à ne pas reprendre sa place de jadis dans l'économie française. Aussi, les années 21-25 voient à la fois la première fièvre des chemins de fer avec la construction des lignes de la Loire, le développement rapide de la navigation à vapeur sur les fleuves, la création de grandes entreprises métallurgiques dans le Massif central ou dans l'Est, la multiplication des broches dans l'industrie cotonnière du Haut-Rhin et du Nord, le doublement des métiers dans la soierie lyonnaise, la construction des quartiers neufs du nord de la capitale. Cette poussée industrielle engage banquiers et capitalistes à déséquilibrer dangereusement le marché monétaire en gonflant avec excès les capitaux fixes aux dépens des capitaux circulants.

En Angleterre, ce déséquilibre, bien plus accentué, s'aggrave encore de l'importance du portefeuille de placements à l'étranger. En 1825, une grave crise éclate à Londres qui se répercuta à la Bourse de Paris en novembre ; la Banque de France, menacée dans ses réserves, éleva le taux de l'escompte. Cette restriction du crédit et la panique boursière mirent de nombreuses banques en liquidation et les faillites se multiplièrent dans l'industrie et le commerce. Le chômage frappa durement la Flandre, la Normandie, l'Alsace (pour celle-ci la déconfiture prit de telles proportions qu'au début de 1828 la Banque de France décida de ne plus escompter de signatures alsaciennes). Paris prit souvent l'aspect qu'il avait encore lors des journées de Juillet, d'un grand chantier abandonné.

Cette crise due à la spéculation et la surproduction fut très longue à se résorber : une sorte de maladie de langueur atteint l'économie française jusqu'au-delà de 1830. Par malheur, elle coïncidait avec une crise agricole. De 1826 à 1829, un effondrement de la production de pommes de terre, qui jouait maintenant un rôle dans l'alimentation populaire, l'avait amorcée. Surtout les années 1827-1830 furent marquées par de mauvaises récoltes de céréales. En 1829, le prix de l'hectolitre de blé monta d'environ 50 % par rapport au prix de 1826 et se stabilisa à ce haut niveau jusqu'en 1832. L'élévation du prix du seigle fut encore plus considérable.

On revit dans les petites villes et les campagnes les troubles traditionnels des années de disette : rixes sur les marchés où sont assommés quelques représentants de l'autorité ou quelques meuniers, où la foule accuse le roi et les jésuites de vouloir affamer le peuple et taxe d'autorité les denrées; attaques de convois de céréales; bandes d'errants formées d'ouvriers agricoles ou d'artisans en chômage, qui mendient, menacent ou parfois incendient. Toute une zone du Nivernais à la Vendée et de là à l'estuaire de la Seine, connaît ces troubles dont le paroxysme se situe de février à juillet 1829.

A Paris les statistiques de l'octroi montrent qu'en valeur les marchandises importées dans la capitale passent de 30 millions en 1826 à 24 en 1830. Surtout à partir de 1827, les faillites se multiplient aussi bien dans le moyen commerce que dans les entreprises. Une partie de la main-d'œuvre quitte la capitale où l'on est obligé cependant de créer des ateliers de charité. Le pain de 4 livres (or 13 sous est une cote d'alerte qui équivaut à la moitié du salaire moyen)... augmente considérablement : de 11 ou 12 sous au début de 1827, il passe à 18 ou 19 sous pendant l'hiver 1828-29 et à 21 sous en mai 1829. On imagine combien l'hiver 1829-30, où la Seine est gelée, a pu être redoutable aux classes pauvres, sous-alimentées et sans feu. Une légère amélioration se produit au printemps 1830, ramenant le prix du pain à 15 sous où il se stabilise à peu près.

Cependant à l'été 1830, un climat d'inquiétude subsiste, aussi sensible chez l'ouvrier, incertain du salaire du lendemain, que chez l'artisan presque sans commandes ou le petit commerçant presque sans clientèle.

2. Le ministère Polignac et le suicide de la monarchie

L'inconscience de Charles X va réussir à cristalliser les mécontentements de toute sorte dans une opposition antidynastique.

En effet, le 8 août 1829, se séparant de Martignac à qui il reprochait de n'avoir plus de majorité à la Chambre, il constituait un ministère selon son cœur. Il réussissait à mettre aux postes-clefs les hommes les plus impopulaires : le prince Jules de Polignac aux Affaires étrangères, La Bourdonnaye à l'Intérieur, Bourmont à la Guerre.

Polignac réunissait en sa seule personne les qualités de fils d'une favorite de Marie-Antoinette (et on insinuait qu'il était fils adultérin du comte d'Artois), d'être ancien émigré (à neuf ans!), d'avoir comploté sous Napoléon, d'être congréganiste et d'avoir épousé une Anglaise. La Bourdonnaye avait en 1815 réclamé contre les complices des Cent-Jours « des fers, des bourreaux! », Bourmont, ancien chouan rallié à Napoléon, était passé à l'ennemi à la veille du combat de Ligny et on chuchotait qu'il avait livré les plans de l'empereur. Du *Journal des Débats* au *Globe* la presse se déchaîna et l'article du 10 août du premier de ces journaux est resté célèbre : « Ainsi, le voilà encore une fois brisé ce lien d'amour et de confiance qui unissait le peuple au monarque! Voilà encore une fois la cour avec ses vieilles rancunes, l'émigration avec ses préjugés, le sacerdoce avec sa haine de la liberté, qui viennent

se jeter entre la France et son roi... Coblence, Waterloo, 1815!
Voilà les trois principes, les trois personnages du ministère! »
   L'opinion crut le roi décidé à « monter à cheval ». En fait il
n'en était rien : le roi avait aussi offert des portefeuilles à des
modérés et les autres ministres n'étaient pas des fauteurs de coup
d'État. C'était par un manque total de psychologie qu'il avait
appelé au ministère l'impopulaire trio.
   Eux-mêmes qu'en pensaient-ils? Bourmont doit être mis à
part, personnage déplaisant, homme de coup de main, qui avait
su capter la confiance du duc d'Angoulême. La Bourdonnaye
était un brouillon, tout en violence verbale. Il s'en ira d'ailleurs
dès novembre. Polignac, le personnage principal, un dévot presque
mystique, le contraire d'un homme d'action; il avait montré
des qualités de diplomate lors de son séjour à l'ambassade de
Londres (1823-1829), mais il était aveuglé par une extravagante
présomption. Étranger à la vie politique française et aux réactions
de ses contemporains, il ne désire pas supprimer la Charte.
   Le nouveau ministère montra son incapacité aussi bien à préparer
la session des Chambres qu'à épurer les administrations. En
politique extérieure, Polignac confirma la nouvelle orientation,
favorable aux Grecs, d'entente avec la Russie qu'avait indiquée
La Ferronnays. Il greffa audacieusement sur les perspectives de
partage de l'Empire ottoman un remaniement de la carte d'Europe
qui nous aurait rendu la Belgique et une partie de la rive gauche
du Rhin. Le tsar ne prit pas au sérieux ces chimères, mais manifesta
sa volonté de ne pas nous tenir à l'écart des remaniements éven-
tuels du Proche-Orient. Il assura Polignac de son soutien dans
l'expédition d'Alger.
   En effet le 31 janvier 1830, le ministère après de longues négociations avec Méhémet Ali, décida d'intervenir directement dans
la régence. Les préparatifs menés avec activité par d'Haussez
ministre de la Marine, amenèrent l'embarquement d'un corps
expéditionnaire commandé par Bourmont (dont les manœuvres
avaient éliminé Marmont, d'abord pressenti) qui s'empara d'Alger
le 5 juillet. Le roi et Polignac surent faire face à toutes les tentatives d'intimidation du gouvernement anglais et préserver la
liberté d'action future de la France en Afrique du Nord.
   Le gouvernement en attendait à l'intérieur, non comme on

l'a supposé sur quelques propos inconsidérés de militaires, une intervention directe pour rétablir l'autorité royale, mais un succès de prestige. Il ne l'obtint pas, car le 9 juillet quand on apprit la prise d'Alger, la crise intérieure était à l'état aigu et proche de son dénouement.

Le 2 mars, le roi avait ouvert la session des Chambres et tout en proclamant sa fidélité à la Charte fit allusion à de « coupables manœuvres » qu'il aurait « la force de surmonter ». En réponse, la commission de l'adresse rappela que la Charte « fait du concours des vues politiques de votre gouvernement avec les vœux de votre peuple la condition de la marche régulière des affaires publiques. Sire, notre loyauté, notre dévouement nous condamnent à vous dire que ce concours n'existe pas ».

Cette adresse fut votée par 221 voix contre 181, et lue le 18 mars au roi par le président de la Chambre, Royer-Collard, qui avait participé à sa rédaction. Le problème posé était celui du libre choix des ministres par le roi et il n'est pas sûr qu'en droit strict Charles X ait eu tort. Car le même Royer-Collard avait proclamé en 1816 : « Le jour où il sera établi que la Chambre peut repousser les ministres du roi..., ç'en sera fait non seulement de la Charte, mais de la monarchie. » Depuis, les conceptions du doctrinaire avaient évolué, le roi n'avait pas changé.

Plutôt que de renvoyer ses ministres, Charles X préféra dissoudre la Chambre et faire appel aux électeurs. Solution légale, mais au-delà de laquelle les partis envisagent la possibilité d'un changement de régime. Un parti républicain de jeunes gens s'était formé avec pour organe *la Tribune des départements ;* on parlait par ailleurs de plus en plus de la solution orléaniste que préconisait en termes voilés *le National* où collaboraient Thiers et Armand Carrel, sous le patronage occulte de Talleyrand.

Les élections elles-mêmes (23 juin et 3 juillet) où le roi et le clergé s'engagèrent maladroitement furent un désastre pour le ministère. Les « 221 » opposants étaient maintenant 274.

Cependant, ceux-ci étaient en majorité persuadés que le roi céderait et songeaient à lui faciliter la retraite. Mais le roi pensait que cette faiblesse le perdrait. Se fondant sur un paragraphe de l'article 14 de la Charte (cf. ci-dessus p. 20), il pensait que les circonstances justifiaient de sa part des mesures exceptionnelles et que d'ailleurs l'organisation des élections n'étant pas précisée par la Charte, il pouvait modifier à son gré le recrutement de la Chambre des députés, théorie alors soutenue avec éclat par le juriste ultraroyaliste Cottu. Il prit donc la décision de le réformer par ordonnance royale.

Préparées en grand secret les quatre ordonnances qui déclenchèrent l'insurrection de Juillet furent signées le 25 par le roi et les ministres.

Leur contenu était le suivant :

1. La première suspendait la liberté de la presse, rétablissait la censure, soumettait tout périodique et toute brochure de moins de vingt feuilles au régime de l'autorisation préalable.

2. La nouvelle Chambre était dissoute.

3. Le nombre des députés était ramené à 238. Les députés étaient élus par les seuls collèges de département, les collèges d'arrondissement n'ayant plus qu'un rôle de présentation des candidats. La patente et l'impôt des portes et fenêtres n'entraient plus en ligne de compte pour le calcul du cens électoral. On rétrécissait donc encore la base sociale sur la confiance de laquelle la monarchie aurait pu prendre appui. Les collèges électoraux étaient convoqués pour les 6 et 13 septembre.

3. L'insurrection

De la résistance à l'émeute.

En dépit de la tension politique qui régnait depuis plusieurs semaines la publication des ordonnances le 26 au matin consterna l'opposition. De nombreux députés étaient restés en province après les dernières élections. La baisse de la rente à la bourse était un premier symptôme; l'élection fortuite des juges au tribunal de commerce prévue pour ce lundi avait réuni à l'Hôtel de Ville de nombreux fabricants et commerçants qui se communiquèrent leur mécontentement et envisagèrent de fermer leurs entreprises pour mieux protester contre la décision royale.

Ce sont les journalistes, les plus directement touchés avec

les ouvriers typographes, qui furent les premiers à réagir en cette journée. Ils se réunirent dans les bureaux du *National;* des étudiants, des électeurs venaient discuter de la situation, les premiers parlaient de révolte, les seconds de refuser l'impôt, voulant imiter ainsi des procédés utilisés en Angleterre au XVIIᵉ siècle. Finalement, une protestation signée par 44 journalistes fut rédigée ; elle s'exprimait au nom de la Charte, refusait de reconnaître la dissolution de la Chambre des députés et l'autorité du gouvernement qui, disait-elle, « a perdu aujourd'hui le caractère de légalité qui commande l'obéissance », mais le pouvoir royal n'était pas remis en question, elle dénonçait « un coup d'État » mais elle concluait par ces mots : « Nous lui résistons pour ce qui nous concerne ; c'est à la France à juger jusqu'où doit s'étendre sa propre résistance. » Les principaux rédacteurs étaient Adolphe Thiers pour *le National*, Cauchois-Lemaire pour *le Constitutionnel* et Chatelain le gérant du *Courrier français*. Les gérants des journaux de l'opposition obtinrent du président du tribunal de première instance, Debelleyme, une autorisation de paraître malgré l'interdiction du préfet de police. Mais la journée fut calme et sans réaction populaire spontanée.

Le 27 juillet, la première des journées qu'on appela les « Trois Glorieuses », vit le passage de la simple résistance à l'émeute. Le gouvernement avait voulu faire preuve d'autorité ; *le National*, *le Globe* et *le Temps* qui avaient paru sans autorisation faisaient appel à la résistance ouverte ; le commissaire de police fit briser leur presse. Le maréchal Marmont, qui avait le commandement de Paris, disposait de 12 000 hommes alors qu'il avait rétabli l'ordre troublé en 1827 seulement avec un millier ; mais son nom était devenu synonyme de trahison pour le peuple parisien. Ses troupes eurent à intervenir à plusieurs endroits ; vers 15 h, pour disperser des attroupements autour des premières barricades, près de la rue Saint-Honoré et dans le quartier de la Bourse, au Palais-Royal et à la place Vendôme. Le soir, vers 23 h, il fit rentrer ses troupes dans les casernes en pensant que toute agitation était calmée.

Pourtant la journée avait vu s'organiser la résistance ; les députés libéraux réunis chez Casimir-Périer s'en tenaient encore à la seule résistance légale, bien qu'ils fussent dépassés par ceux que nous appellerions aujourd'hui des éléments incontrôlés. Jacques

Laffitte, le général La Fayette, Guizot sont rentrés à Paris le 27 au soir. Les députés de l'opposition s'en tiennent encore à la recherche seulement des moyens de protestation contre les ordonnances sans vouloir envisager un éventuel renversement du souverain.

De l'émeute à la révolution.

Dans la nuit du 27 au 28 juillet le mouvement est devenu révolutionnaire, partout des barricades se sont élevées dans la moitié est de Paris, les jeunes républicains ont servi de cadres au petit peuple venu des faubourgs Saint-Antoine, guidant le pillage des boutiques d'armurerie, l'abattage des arbres des boulevards (auquel contribuèrent concierges et propriétaires des maisons voisines).

C'est contre 8 000 hommes en armes au moins que se heurtent les troupes de Marmont. L'armée de ligne, dont les cadres subalternes sont souvent issus des armées de la Révolution et de l'Empire, est sensible à l'idée nationale dont se réclament les émeutiers, et elle fraternise souvent avec eux. Les trois colonnes qui doivent converger vers l'Hôtel de Ville se trouvent bloquées.

Pendant ce temps l'opposition parlementaire propose un arbitrage, une délégation avec Laffitte et Casimir Périer. Les généraux Lobau et Gérard demandent au maréchal Marmont de faire cesser le feu mais se heurtent à un refus, toutefois le chef des forces de l'ordre transmit l'objet de leur démarche au roi. Mais Charles X auprès de qui le baron de Vitrolles s'est entremis rejette toute demande de retrait des ordonnances, partageant les illusions de Polignac sur la situation.

Le 29 juillet au matin Marmont ne peut plus guère compter que sur les Suisses et sur la garde; ils se retirent du Louvre vers la barrière de l'Étoile. La caserne Babylone a été enlevée sous l'impulsion d'un jeune polytechnicien Vaneau tué dans le combat, et le Palais-Bourbon est aussi envahi par des insurgés.

Paris est désormais aux mains des révolutionnaires, qui ont eu près de 800 tués et près de 4 000 blessés (les troupes eurent moins de 200 tués et 800 blessés). Mais est-ce déjà une révolution?

Les députés longtemps hésitants, effrayés par la guerre de rue (même si elle tournait au désavantage des forces royales), étaient arrivés le 28 au soir à rédiger une protestation publiée le lendemain et signée par 73 députés (dont 41 présents).

Ils refusent de reconnaître la dissolution de la Chambre nouvellement élue, sans remettre encore en question l'autorité du roi. Pourtant une nouvelle autorité est déjà en train de s'instaurer; le directeur du journal *le Temps*, Baude, s'est improvisé préfet de police et le général (?) Dubourg s'est installé à l'Hôtel de Ville. Les députés réunis chez Laffitte songent de plus en plus à diriger ou plus exactement à contenir le mouvement révolutionnaire. Les combattants des rues souhaitent voir à la tête de la garde nationale de Paris le général La Fayette, tout prêt à retrouver son ancien rôle de 1789; les députés libéraux qui ne pouvaient qu'accepter cet état de fait, contrebalancèrent son influence par la nomination, toujours le 29 juillet, d'une *commission municipale* (on n'ose pas encore parler de gouvernement provisoire), qui comprend Casimir Périer, Laffitte, Lebau, de Schonen, Audry de Puyraveau et Mauguin. Le nouveau pouvoir s'élabore entre l'Hôtel de Ville et l'hôtel Laffitte qui reste au centre de tout le mouvement parisien.

La solution orléaniste.

Le roi Charles X ne s'est résolu que trop tard, le 29 juillet au soir, à un changement de ministère, la rumeur d'une marche populaire sur Saint-Cloud précipite le départ du roi et de la cour dans la nuit du 30 au 31 vers Rambouillet. Trop tardive aussi devait être la nomination du duc d'Orléans comme lieutenant général du royaume et l'abdication le lendemain 2 août en faveur du jeune duc de Bordeaux. Par Dreux et Cherbourg, Charles X devait gagner l'Angleterre sans grandes difficultés.

Cet effacement des Bourbons de la branche aînée ne profita point aux républicains, qui maîtres de la rue, souhaitaient le 30 juillet proclamer le lendemain la République en offrant la présidence au général La Fayette; on chante *Ça ira* sur les boulevards. Le 30 juillet, une proclamation rédigée par Thiers et quelques autres avait été diffusée dans Paris : « Charles X ne peut plus rentrer dans Paris, il a fait couler le sang du peuple. La République nous exposerait à d'affreuses divisions : elle nous brouille-rait avec l'Europe. Le duc d'Orléans est un prince dévoué à la cause de la révolution. Le duc d'Orléans est un roi citoyen. » Talleyrand, Laffitte, Béranger semblent avoir jouer un rôle — dont l'importance respective est difficilement appréciable — dans la présentation de la candidature orléaniste.

La proposition fut d'autant mieux accueillie par les députés de l'opposition, que la majorité de ceux-ci avaient multiplié les tentatives de conciliation, tant l'avenir les inquiétait; Thiers fut envoyé auprès du duc d'Orléans à Neuilly pour lui offrir la lieute-nance générale du royaume; en l'absence du duc c'est à sa sœur Mme Adélaïde que Thiers transmit la proposition des députés. Rentré dans la nuit du 30 au 31, le duc d'Orléans, sollicité aussi par Mortemart agissant au nom de Charles X, répondit finalement à la démarche des députés libéraux; le 31 juillet Louis-Philippe d'Orléans adressait aux habitants de Paris une proclamation rédigée avec Dupin et Sébastiani; il acceptait les fonctions de lieutenant général et déclarait : « La Charte sera désormais une vérité. » Le même jour, il se rendit à l'Hôtel de Ville où La Fayette et la commission municipale l'accueillirent. Du balcon de l'Hôtel de Ville, cette présentation symbolique tenait lieu de couronnement populaire.

Le duc d'Orléans n'était encore cependant que lieutenant-général du royaume et c'est à ce titre qu'il nomma une commission gouvernementale comptant Dupont de l'Eure (commissaire à la Justice), Gérard, Guizot (commissaire à l'Intérieur) et le baron Louis. Le 3 août, les chambres sont réunies, une révision de la Charte est décidée. Le choix d'une solution définitive devenait urgent; des mouvements révolutionnaires s'étaient étendus dans différentes villes de France, à Bordeaux, à Nantes, à Lyon... à Paris, des éléments révolutionnaires manifestent tout autour du Palais-Bourbon leur mécontentement. L'intervention du général La Fayette les apaise, mais la menace pèse toujours et inquiète les députés. Aussi, la discussion se déroule-t-elle rapidement; à la Chambre des députés, il n'y a que 252 votants sur les quelque 430 élus; 219 votent la révision de la Charte d'où allait sortir une nouvelle monarchie; 33 votèrent contre. A la Chambre des pairs, sur les 114 présents (il y avait alors 365 pairs en exercice), 89 votèrent la révision, 15 s'abstinrent et 10 la refusèrent parmi lesquels Chateaubriand qui exprima publiquement son opposition : « Inutile Cassandre — déclara-t-il — j'ai assez fatigué le trône et la pairie de mes avertissements dédaignés... Après tout ce que j'ai fait, dit et écrit pour les Bourbons, je serais le dernier des misérables si je les reniais au moment où, pour la troisième et dernière fois, ils s'acheminent vers l'exil. »

Après avoir déclaré le trône vacant le 7 août les députés allèrent au Palais-Royal annoncer officiellement au duc d'Orléans son élection de roi des Français. La cérémonie officielle d'intronisation eut lieu le 9 août au Palais-Bourbon; celui qui devenait Louis-Philippe Ier jura d'observer la Charte révisée; les fleurs de lys avaient été remplacées par des drapeaux tricolores. Le ministère officiellement connu le 11 août comprenait les commissaires nommés quelques jours plus tôt auxquels s'ajoutèrent Laffitte (qui était en même temps président de la Chambre des députés), Casimir Périer, Dupin, le duc de Broglie, Sébastiani; Thiers qui avait joué un rôle déterminant était secrétaire général des Finances et La Fayette commandant en chef de la garde nationale.

4. La signification et les interprétations de la révolution de Juillet

La révolution ayant surtout une signification politique, le changement de dynastie en donnait une solution politique.

Le nouveau souverain était né en 1773; sa réputation de libéralisme tenait d'abord au souvenir de son père Philippe-Égalité, jacobin, conventionnel régicide avant de mourir lui aussi sur la guillotine. Elle tenait plus encore à sa présence aux côtés de Dumouriez à la bataille de Jemmapes. Ces souvenirs n'étaient pas encore devenus en 1830 des lieux communs usés dans les discours officiels, le nouveau roi leur devait la plus grande part de sa popularité. Louis-Philippe après l'élimination des girondins en 1793 s'était exilé en Suisse, puis aux États-Unis et enfin à Naples, il avait épousé en 1809 la princesse Marie-Amélie, fille du roi des Deux-Siciles, en exil elle aussi. Bien que la Restauration lui ait rendu son immense fortune, il s'était tenu à l'écart de la politique contre-révolutionnaire. Ses habitudes apparemment simples, sa vie familiale (il avait cinq fils et trois filles), l'instruction de ses aînés dans les collèges royaux, sa réputation de voltairien et de libéral, faisaient de Louis-Philippe le modèle du « roi citoyen » tel que le concevait la bourgeoisie parisienne. Mais cette image du nouveau souverain devait s'accuser avec le développement du règne et lui donner de plus en plus le caractère de « monarchie bourgeoise ».

Au lendemain des journées de Juillet, la popularité de Louis-Philippe est encore très réelle, Louis Blanc le reconnaît lui-même en décrivant la revue de la garde nationale le 29 août au Champ-de-Mars. Le nouveau souverain restait précisément « le roi des Barricades » aux yeux des autres monarques européens. La peur de la France révolutionnaire et des Parisiens s'était réveillée dans l'Europe, inquiète de la propagation d'une agitation démocratique chez les Belges, en Allemagne, en Italie. L'agent du tsar Pozzo di Borgo appelait La Fayette « le protecteur et le provocateur évident de cette croisade de perturbation universelle ». Le gouvernement anglais, avec le duc de Wellington, a lui-même peu de sympathie pour le nouveau souverain, il est cependant le premier à le reconnaître, le 30 août, suivi par les autres États (la Russie la dernière); pour les souverains étrangers aussi, Louis-Philippe apparaissait comme un moyen d'éviter une république en France.

Pour les Français eux-mêmes, du moins pour ceux qui représentaient à l'époque l'opinion publique et qui acceptaient le nouveau régime, deux interprétations se présentèrent très tôt. Pour les uns — on les appela le parti du Mouvement, mais il ne faut pas s'abuser sur ce terme de parti qui ne correspondait nullement à une organisation structurée comme le suggère aujourd'hui ce mot —, la révolution de Juillet n'est pas achevée en 1830; elle doit se prolonger, élargir son action. Révolution libérale, elle doit être aussi nationale (et aider les aspirations des nationalités opprimées) et sociale; l'élément populaire, au moins à Paris, a commencé à prendre conscience de sa force. Aux yeux de Dupont de l'Eure, de Laffitte, d'Armand Carrel (qui est encore partisan du nouveau souverain), Louis-Philippe a été choisi « quoique Bourbon ». La plupart des nouveaux journaux, qui ont profité de la suspension de fait des mesures limitant la presse, sont favorables au Mouvement comme *le Patriote* ou *la Révolution de 1830;* son principal organe est encore *le National* tandis que *la Tribune des départements* est ouvertement républicaine.

Une fraction importante des anciens opposants libéraux de la Restauration présente une interprétation très différente de la révolution de Juillet; pour Casimir Périer, pour Salvandy et surtout pour Guizot qui se fit, avec les doctrinaires, le théoricien de cette résistance au mouvement révolutionnaire (plus tard seulement on devait parler du « parti de l'ordre »), il n'y a pas eu révolution, mais réaction à un coup d'État de Charles X perpétré par les ordonnances; si le duc d'Orléans a été choisi c'est « parce que Bourbon »; le mouvement de 1830 est — selon eux — l'aboutissement des principes de 1789. Des journaux libéraux comme *le Constitutionnel* ou ralliés au nouveau régime, comme *le Journal des Débats*, défendent cette opinion qui souhaite surtout appliquer le programme de la gauche libérale de la Restauration : assurer l'exercice des libertés publiques en limitant les pressions du clergé ou des fonctionnaires. Contre le premier se développe une agitation anticléricale attisée par les éléments les plus révolutionnaires; contre les seconds, est menée toute une politique d'éviction et d'épuration facilitée par le serment demandé aux fonctionnaires en faveur du nouveau souverain, ce qui provoque de nombreuses démissions dans la magistrature et dans l'armée. Les nominations, hâtives, donnèrent lieu à une course aux places qui fut dénoncée même par des partisans de la révolution de Juillet : le poète pamphlétaire Méry écrivit *la Curée* tandis qu'Armand Carrel refusait une préfecture (il est vrai qu'il s'agissait d'Aurillac).

Cette exploitation par une partie de la bourgeoisie d'une révolution qu'elle avait escamotée déconsidéra d'autant plus le nouveau régime aux yeux des classes populaires que tous ceux qui aspiraient à une fonction ne purent l'obtenir et qu'ils grossirent le lot des mécontents.

5. La poursuite et l'échec de l'agitation révolutionnaire

La révolution avait provoqué une nouvelle crise économique au moment où l'économie française commençait seulement à se remettre de celle de 1827; nous en verrons plus loin les aspects, mais elle contribue à aiguiser le mécontentement populaire dont profitent à Paris les petits groupes républicains mal résignés à l'issue des Trois Glorieuses. A Paris, la Société des amis du peuple qui prit naissance le 30 juillet 1830 avec Godefroy Cavaignac, Blanqui, Buchez, Trélat, Raspail, est à la fois républicaine et ouverte à des préoccupations sociales; composée en grande partie d'étudiants en droit ou en médecine et de jeunes commis. Son titre qui rappelle la première révolution, son style avec des grandes réunions de 1 000 personnes au manège Pellier inquiètent l'opinion et lui vaut d'être expulsée de ce local par les commerçants du quartier dès le 25 septembre 1830.

Pénétrés de l'histoire de la première République, ils souhaitent rééditer la première révolution. La démission du duc de Broglie, de Guizot et de Molé, à la fin septembre, était le résultat de dissensions au sein du ministère, le départ des éléments les plus défavorables au mouvement démocratique donnait à ce dernier un succès apparent plus que réel. En fait le nouveau ministère que dirigea Laffitte du 2 novembre 1830 au 12 mars 1831, ne comptait guère comme hommes du Mouvement que son chef et Dupont de l'Eure; des hommes liés à Louis-Philippe tenaient l'Intérieur (le jeune comte de Montalivet) et les Affaires étrangères (Sébastiani).

L'agitation autour du procès des anciens ministres de Charles X voulait rééditer le procès de Louis XVI sous la Convention; mais les circonstances n'étaient pas comparables, la discussion sur la mise en accusation par la Chambre des députés provoqua une première journée d'émeute le 17 octobre à Paris; mais ce fut surtout au moment du jugement par la Cour des pairs le 21 décembre et à l'annonce qu'il n'y avait pas eu de condamnation à mort, mais seulement à l'emprisonnement, qu'un véritable soulèvement se produisit dans les rues de Paris. Les élèves des écoles répugnant à la peine de mort servirent de modérateurs à cette agitation populaire qui se calma rapidement.

L'autre thème principal d'agitation exploité par les républicains concernait l'appui aux mouvements nationaux, principalement aux Belges, aux Italiens et aux Polonais.

Le ministère Laffitte.

Le ministère Laffitte plongé dans des difficultés financières, illustrées par l'augmentation très sensible du budget, devait donner des gages quant au maintien de l'ordre. Une loi, le 14 décembre 1830, avait réduit le cautionnement mais c'est aussi un procédé pour rappeler qu'il existe une législation de la presse (le droit de timbre est maintenu tel quel) et qu'elle doit être appliquée.

La démission de La Fayette du commandement général de la garde nationale (pour prévenir la suppression de ce poste) le 24 décembre équivalait à une destitution; Dupont de l'Eure, solidaire, se retira du ministère; ce qui déconsidéra à gauche le ministère Laffitte. Pourtant le gouvernement avait mis en chantier des projets d'extension du régime représentatif qui aboutirent à des lois promulguées après son départ. La loi du 21 mars 1831 sur l'organisation municipale, a modifié un des aspects essentiels de la vie politique française en introduisant le régime électoral dans le recrutement des conseillers municipaux. Il y a désormais plus de 2 millions d'électeurs municipaux mais leur nombre est inversement proportionnel à l'importance démographique de la commune.

Une loi du 22 mars 1831 accordant aux membres de la garde nationale le droit d'élire leurs officiers, démocratise l'institution la plus représentative de la monarchie de Juillet, celle qui s'harmonisait le mieux avec le roi citoyen. Enfin la loi électorale du 19 avril 1831 abaissait le cens d'éligibilité (de 1 000 à 500) et le cens électoral (de 300 à 200) ce qui doublait le corps électoral (environ 200 000 électeurs). Le pouvoir politique restait étroitement délimité; la conception de l'électorat, conçu comme une fonction (réclamant une capacité, garantie par un certain niveau de fortune) l'emportait encore sur la conception de l'électorat conçu comme un droit.

Laffitte pouvait se sentir appuyé par la Chambre; il n'y avait pas eu de nouvelles élections générales; mais les 113 élections complémentaires qui s'étaient déroulées à la fin de 1830 pour remplacer des députés qui avaient démissionné ou qui avaient refusé de prêter serment, étaient en majorité dans sa ligne politique; il est vrai que celle-ci était peu définie. Le banquier Laffitte n'avait rien d'un révolutionnaire et ses idées progressistes (en politique comme en matière de crédit) s'accompagnaient d'une bonhomie insouciante, et d'un goût trop marqué pour la popularité, ce qui entraînait une certaine irrésolution que ses adversaires ne manquaient pas d'exploiter.

L'agitation anticléricale.

Le mouvement révolutionnaire trouvait des échos en province surtout sous la forme d'une agitation anticléricale, des séminaires étaient mis à sac (à Saint-Omer, à Auxerre, à Metz), des croix des missions battues à Poitiers, à Niort, à Saint-Maixent, à Chalon-sur-Saône; Mgr de Forbin-Janson devait fuir Nancy. Le clergé était un peu partout soupçonné de sympathies pour les carlistes, les partisans de Charles X.

Une maladresse du clergé parisien — un service funèbre à la mémoire du duc de Berry célébré dans l'église de Saint-Germain-l'Auxerrois à Paris le 14 février 1831 — entraîna une manifestation populaire. La garde nationale, fortement anticléricale, laissa mettre à sac l'église puis le lendemain le palais voisin de l'archevêché. Le gouvernement eut une attitude ambiguë, Thiers, en tant que sous-secrétaire d'État à l'Intérieur, avait laissé faire les émeutiers; peut-être pour effrayer les légitimistes et pour détourner les passions révolutionnaires du roi et de la bourgeoisie. Mais le remplacement d'Odilon Barrot à la préfecture de police était inversement un gage (insuffisant) aux partisans du retour à l'ordre dans la rue. Sans ligne de conduite précise, contredit par les dépêches diplomatiques de Sébastiani, opposant une politique pacifique à toutes les déclarations des journaux du Mouvement et de Laffitte lui-même, isolé dans le Conseil des ministres qui ne veulent ni le renouvellement des émeutes, ni la guerre ni même la dissolution de la Chambre, Laffitte fut contraint de démissionner le 12 mars. Avait-il déconsidéré la politique du Mouvement ou bien avait-il servi à catalyser le mouvement révolutionnaire, à l'isoler de la grande majorité de la nation et même de la population parisienne jusqu'au moment où une politique de maintien de l'ordre, de résistance ouverte au mouvement révolutionnaire était devenue possible? Dans les deux cas le rôle est fatal à l'homme politique et Laffitte n'échappa point à ce destin.

La crise économique.

Le ministère Laffitte n'avait pas seulement connu de graves difficultés de politique extérieure analysées plus loin; l'économie française encore instable n'avait pas résisté à la secousse révolutionnaire. Dès le mois d'août 1830 une agitation plus sociale que politique avait provoqué à Paris et dans quelques villes de fabriques des manifestations, tantôt pour demander un tarif des salaires (les menuisiers et les serruriers à Paris), tantôt pour demander l'expulsion des ouvriers étrangers. Des manifestations de rue s'étaient produites à Nantes, à Mulhouse, à Saint-Étienne... Des grèves avaient éclaté. Cette agitation était dénoncée par les hommes de Juillet qui supposaient ou laissaient croire qu'elle était provoquée par des agents carlistes : « Les véritables ouvriers (ne songent) ni à briser des machines, ni à exiger des salaires plus élevés », avait écrit *le National* le 17 août 1830.

Mais ces incidents et quelques troubles agraires, sur des marchés pour faire baisser le prix du blé, contre l'administration des contributions indirectes (à Arbois ou à Besançon) ou contre l'administration forestière avaient eu surtout pour effet de paralyser l'activité commerciale et financière. Dans les campagnes une vague d'incendies pendant l'été 1830 provoque l'inquiétude des ruraux, de même en 1831. L'effondrement boursier était spectaculaire : en 1830 la rente 39 était passée de 84,5 F à 65 F et l'action de la Banque de France de 1 890 à 1 510 F. Le banquier Laffitte fut l'une des principales victimes.

De nombreuses maisons de banque durent suspendre leurs paiements à la fin de 1830, en 1831 à Paris où les investissements dans la construction avaient été trop élevés à la fin de la Restauration, mais aussi au Havre (en rapport avec la crise du textile), à Lille, à Grenoble, à Bordeaux. Le baron Louis fit ouvrir un crédit de 30 millions pour aider l'industrie et le commerce; des comptoirs d'escompte furent constitués dans plusieurs villes pour secourir le commerce dans 11 villes. La gravité apparaît nettement dans la baisse des escomptes de la banque de France; de 909 millions en 1830, on passe à 184,3 en 1832.

Les villes ont à leur charge un chiffre accru d'indigents; ce qui grève les finances municipales et déconsidère les municipalités mises en place au lendemain de la révolution de Juillet et composées souvent d'hommes du Mouvement. Ceux-ci au niveau de la gestion locale comme au niveau national avec Laffitte ont servi à catalyser le mouvement révolutionnaire. Confrontés aux plus graves difficultés, ils ont épuisé leur popularité, et les éléments les plus conservateurs, trop heureux de les avoir laissé s'user au pouvoir, les ont ensuite rendus responsables de la crise.

La grande peur de 1832.

Les difficultés commerciales et industrielles provoquent le marasme des affaires, le chômage des ouvriers avec un cortège de misère, de tension nerveuse, de sous-alimentation. C'est donc dans ce contexte que le choléra apparut en France et se répandit dans les villes semant l'inquiétude et la mort. Les quartiers insalubres de Lille et de Rouen furent durement touchés mais c'est à Paris que l'épidémie fut la plus meurtrière : plus de 18 000 morts dont 12 733 dans le seul mois d'avril 1832. Non que les habitants les plus riches soient nécessairement à l'abri; la plus illustre victime fut Casimir Périer, le président du Conseil. Mais, statistiquement, les masses populaires sont les plus touchées, les plus angoissées aussi. La grande peur de 1832 mêle épidémie, émeute et répression; la bourgeoisie se découvre une solidarité fortuite et forcée avec les indigents susceptibles de propager la maladie.

L'épidémie accroît l'exaspération populaire et celle-ci facilite par contrecoup la propagation de la maladie. Le moindre incident tourne à l'émeute tant les esprits sont excités; déjà au début d'avril 1831 une modification dans le service du nettoiement de Paris avait provoqué une émeute de chiffonniers. Au début juin l'émeute consécutive aux obsèques du général Lamarque (nous allons y revenir) donne un exutoire politique à l'agitation qui anime les quartiers populaires. Tout un relent de violence, décrit plus tard par Hugo dans *les Misérables*, s'étend sur Paris. La bourgeoisie inquiète oublie de plus en plus ses principes libéraux, prend de plus en plus ses distances envers les classes inférieures apparues à bien des titres comme « des classes dangereuses », l'heure n'est plus à la révolution, pas même à la conciliation.

Il n'y aura pas de révolution.

Avant même la chute de Laffitte, son successeur était désigné, ce fut Casimir Périer le président de la Chambre des députés. Les autres ministres (en particulier le maréchal Soult) et aussi le roi virent rapidement que le nouveau président du Conseil entendait diriger le gouvernement. Le ministère était formé le 13 mars, le 18, Casimir Périer exposait son programme à la Chambre : « Au-dedans l'ordre, sans sacrifice pour la liberté; au-dehors la paix, sans qu'il en coûte rien à l'honneur. » Homme d'action, banquier et industriel, un des principaux leaders libéraux à la Chambre sous la Restauration, ce représentant d'une des plus grandes dynasties bourgeoises puisait dans la tradition familiale l'esprit de Vizille [1], l'attachement aux principes libéraux de 1789; de santé précaire, mais autoritaire et travailleur, il présente un contraste très sensible avec son prédécesseur.

C'est avec les moyens légaux qu'il mène une politique de répression. L'épuration administrative frappe maires, préfets et surtout sous-préfets et procureurs (comme Cabet); quelques gardes nationales sont aussi dissoutes. Les procès de presse et les saisies de

1. C'est dans le château de Vizille appartenant à sa famille que les représentants des différents ordres aux états du Dauphiné en 1788 demandèrent la réunion des états généraux.

journaux se multiplient même si le jury acquitte souvent les journalistes. Une nouvelle loi, le 10 avril 1831, renforça les mesures contre les attroupements; elle est appliquée dès le 16 avril pour réprimer l'agitation qui a suivi l'acquittement de jeunes révolutionnaires (Godefroy Cavaignac, Trélat) arrêtés en décembre lors de l'émeute provoquée par le procès des ex-ministres de Charles X.

La politique de répression n'agit pas seulement contre le mouvement républicain; elle réprime aussi les mouvements sociaux; la révolte des canuts de Lyon en novembre 1831, présentée dans le tome suivant, fait ressortir le caractère de classe que prend la politique de la résistance. C'est aussi au nom d'un certain libéralisme, marqué par le refus d'intervention de l'État dans les rapports sociaux, qu'agit Casimir Périer.

Cette politique « libérale » répond encore à un certain nombre d'aspirations des anciens opposants de la Restauration; la loi instituant un deuil national le 21 janvier, anniversaire de l'exécution de Louis XVI, est abrogée. L'hérédité de la pairie qui avait trouvé des défenseurs en Guizot et Thiers est abolie par la loi du 29 décembre 1831; Casimir Périer avait transigé, mais il avait défendu le droit de nomination royale contre l'élection. En fait, l'abolition de l'hérédité de la pairie provoqua un déclin de la Chambre haute, devenue trop dépendante de l'exécutif; ce qui renforça l'autorité de la Chambre élue. Les premières élections générales depuis l'abaissement du cens avaient eu lieu en juillet 1831; la majorité des élus s'étaient prononcés contre l'hérédité de la pairie, mais les résultats étaient ambigus. Mouvement? Résistance? Ces élections inaugurent surtout cette volonté des députés de la monarchie de Juillet de tirer le maximum d'avantages pour leurs électeurs et leur arrondissement d'un appui conditionné au ministère. L'élection du président de la Chambre avait donné 181 voix à Girod de l'Ain, candidat du ministère, contre 176 à Laffitte candidat du Mouvement.

La politique de Casimir Périer continuait dans les rapports avec l'Église catholique le libéralisme anticlérical de l'époque de la Restauration; tout en affirmant la liberté des cultes et en détendant les relations du gouvernement et des évêques (restées difficiles à Paris à cause de Mgr de Quelen), le ministère reste très soupçonneux à l'encontre du clergé, surtout dans l'Ouest. Les interdictions de processions, les suppressions de subventions municipales au clergé dans de nombreuses villes contribuèrent à rejeter de nombreux catholiques du côté des légitimistes.

Un nouveau courant cependant, représenté par l'abbé de Lamennais, avait essayé de concilier l'Église et les principes libéraux en rompant radicalement avec l'ancienne alliance du trône et de l'autel ; mais son journal *l'Avenir*, mal vu de la plupart des évêques, la critique implicite du pape Grégoire XVI consulté à Rome par Lamennais, les poursuites intentées par le gouvernement au comte de Montalembert qui avait voulu ouvrir une école libre à Paris, rue Saint-André-des-Arts, ruinèrent rapidement ce premier courant catholique libéral.

Avant même sa mort, le 16 mai 1832, la maladie de Casimir Périer avait affaibli le ministère ; par contrecoup — et plus encore de mai à octobre 1832 alors que le ministère était maintenu tel quel sans chef — le rôle de Louis-Philippe s'accrut ; le roi qui se croyait le plus capable en raison de sa vieille expérience tenait lieu de président du Conseil : situation équivoque inquiétant l'opinion conservatrice. Les adversaires du régime profitèrent de ces circonstances pour reprendre l'agitation sur plusieurs plans. Les obsèques du général Lamarque, mort le 2 juin 1832 du choléra lui aussi, étaient une occasion pour les affiliés des sociétés secrètes républicaines. Le 5 juin la tentative pour s'emparer du corps du leader républicain au pont d'Austerlitz, aboutissement prévu du cortège, pour le mener au Panthéon échoue, toutefois plusieurs quartiers sont en état d'insurrection. Cette agitation croyait compter sur l'appui de l'opposition parlementaire ; celle-ci venait de publier le 28 mai un compte rendu de la réunion parlementaire rédigé chez Laffitte, sous l'impulsion d'Odilon Barrot ; 134 députés l'avaient signé et pour rallier les républicains comme Garnier-Pagès, Cabet, Voyer d'Argenson, le texte avait été rédigé en termes violents : « La Restauration et la Révolution sont en présence, la vieille lutte que nous avons crue terminée recommence. » Toutefois, les chefs de l'opposition parlementaire se refusent à prendre la tête d'une insurrection et le vieux La Fayette est toujours hésitant le 6 juin. Laffitte, Barrot et Arago ont une entrevue avec Louis-Philippe, ils désavouent l'émeute (qui a commencé la veille sous l'impulsion des jeunes républicains) mais souhaitent un changement de politique sans proposer aucun moyen de l'appliquer. L'ordre fut rapidement rétabli le 6 juin mais la lutte pendant ces deux jours avait été meutrière surtout dans le cloître Saint-Merri où les derniers insurgés furent massacrés par la troupe et par la garde nationale.

L'opposition parlementaire critique l'ordonnance du 7 juin 1832 qui mettait Paris en état de siège et qui traduit les insurgés arrêtés devant les conseils de guerre. Elle ne put rééditer contre elle l'opposition faite en juin 1830 contre les ordonnances de Charles X. La défaite des républicains (Louis-Philippe commue en déportation les 7 condamnations à mort consécutives aux procès d'insurgés), la mort du duc de Reichstadt le 22 juillet à Vienne, l'échec de l'agitation légitimiste en faveur de la duchesse de Berry, renforçaient par contrecoup la stabilité du régime de Juillet. La révolution s'était bien achevée en 1830. La politique de Casimir Périer inaugurait cette politique de juste milieu dont ses successeurs allaient se réclamer tout en l'interprétant différemment. Les journées de juillet 1832 mettent définitivement fin aux espoirs de relance du mouvement révolutionnaire. Les sentiments conservateurs l'emportent désormais dans le pays légal qui s'identifie de plus en plus à la bourgeoisie. Il n'y a plus de place pour les sentiments et les illusions dans la vie politique; celle-ci devient rationnelle et intéressée.

6

Le libéralisme conservateur

La plupart des libéraux de la Restauration s'accommodaient d'autant plus d'une évolution parlementaire que celle-ci limitait l'autorité de l'État et encourageait l'initiative individuelle. A peine le régime de Juillet avait-il apporté une solution politique aux difficultés que la question sociale brutalement posée à Lyon avait annoncé le conflit du prolétariat et de la bourgeoisie et transformé en conservateurs les bourgeois libéraux.

1. L'enracinement du régime de Juillet

La politique de résistance au mouvement révolutionnaire avait aussi fait ses preuves contre l'agitation légitimiste, l'échec de la duchesse de Berry consolida la position diplomatique de la France. Le maintien de Louis-Philippe devenait une garantie de la paix en Europe. Le ministère constitué le 12 octobre 1832 avait à sa tête un grand nom militaire, le maréchal Soult duc de Dalmatie, sans engagement parlementaire et sans opinions arrêtées; la réalité du pouvoir était partagée entre Thiers ministre de l'Intérieur et le duc de Broglie placé à la tête des Affaires étrangères; aristocrate libéral, il n'avait accepté d'entrer dans le ministère qu'accompagné de Guizot qui reçut le portefeuille de l'Instruction publique. Parmi les autres ministres Humann aux Finances, Barthe un ancien carbonaro à la Justice ne pouvaient rendre populaire un ministère qui se heurta tout d'abord à l'hostilité de la majorité des journaux parisiens.

Il opéra cependant un redressement important. D'abord en

politique extérieure, tirant profit sur le plan parlementaire de son intervention à Anvers contre les Hollandais; puis l'arrestation de la duchesse de Berry à Nantes le 7 novembre 1832 était un succès pour la police de Thiers qui voulut marquer fermement la rupture ouverte du ministère et des partisans de la dynastie déchue. Les violences de la presse légitimiste, les outrances verbales d'un Chateaubriand aggravèrent la répression, les perquisitions dans les demeures légitimistes, les surveillances policières, voire les arrestations; ce qui creusa un fossé entre le nouveau régime et ceux qui hésitaient à s'y rallier, détournant de lui une partie des notabilités catholiques choquées par les mesures de suspicion parfois justifiées, mais souvent excessives, à l'encontre du clergé.

Législation nouvelle et évolution conservatrice.

Sous l'impulsion du ministère, les Chambres poursuivirent la réalisation du programme annoncé en 1830. La loi du 22 juin 1833 complète l'extension du régime représentatif en introduisant l'élection dans le recrutement des conseillers généraux de départements et des conseillers d'arrondissement. Préparée par Guizot la loi du 28 juin 1833 sur l'instruction primaire s'inscrit dans la recherche d'une politique rationnelle marquée au niveau le plus élevé par la reconstitution de l'Académie des sciences morales et politiques, œuvre aussi de Guizot; elle devait être une chambre de réflexion destinée à guider la représentation nationale et à rationaliser le pouvoir. Par elle, ceux qui élaborent ou cautionnent la pensée sociale de l'époque apparaissent étroitement solidaires des notables du régime de Juillet, le libéralisme est le principal trait d'union de ses membres.

La loi sur l'instruction primaire traduisait au niveau le plus modeste une même conception, l'instruction apparaissait comme la préparation nécessaire à une participation ultérieure à la vie publique, à une amélioration des méthodes de travail et de production donc à une réduction de la misère. Il devait en résulter, dans la pensée des législateurs, une « moralisation » des classes populaires qui mieux instruites ne devaient plus songer à se révolter. Guizot ne sépare pas l'instruction de l'éducation morale et religieuse. L'obligation faite à chaque commune d'ouvrir une école et de rémunérer un instituteur en vue de l'instruction gratuite des enfants des plus pauvres, les autres payant une rétribution mensuelle, fut inégalement appliquée. Mais la loi n'en donna pas moins une impulsion à l'instruction. Le pourcentage des conscrits analphabètes passa de 50 % en 1835 à 39 % en 1850. Par contre en plaçant les instituteurs sous la tutelle des maires, elle faisait de l'instruction primaire le reflet des préoccupations locales souvent mesquines ; les conseils municipaux et les parents dans la plupart des communes rurales songèrent surtout à limiter le plus possible les dépenses et à ne rechercher dans l'instruction qu'une utilité immédiate. La législation scolaire de Guizot n'est nullement un instrument d'ascension sociale ; celle-ci n'était guère facilitée que par l'enseignement secondaire pour lequel la monarchie de Juillet ne réussit aucune réforme profonde, peut-être parce que le problème préalable de la liberté d'enseignement ne fut pas résolu. La réforme scolaire, conçue à un moment où la société française songeait à se rénover et à former d'une façon nouvelle les générations futures, joua en faveur d'une cohésion sociale dont la bourgeoisie était bénéficiaire ; 40 000 instituteurs dociles aux volontés des maires et des préfets devaient détacher les jeunes générations de la domination du clergé soupçonné de sympathies légitimistes et les prémunir aussi contre les idées démocratiques subversives. Il serait sans doute inexact d'attribuer à la politique scolaire de Guizot en 1833 le souci conscient de faire triompher un étroit conservatisme ; mais le moralisme libéral et individualiste qui inspire sa réforme y aboutit en fait.

La reprise économique à partir de la fin de 1833 et surtout de 1835 facilitait la tâche du gouvernement ; pendant quelques années la métallurgie, les mines mais aussi la construction des maisons, l'équipement des villes, les sociétés de transport multiplient les emplois.

Le maintien de l'ordre restait néanmoins le premier souci des gouvernants. La paix assurée, un retour progressif à une prospérité, relative certes, mais contrastant avec les années précédentes, contribuent d'autant plus à renforcer leur autorité que l'opposition démocratique en devenant plus révolutionnaire est aussi devenue plus minoritaire et plus isolée.

Les formes nouvelles de l'opposition démocratique.

L'évolution conservatrice du régime de Juillet met fin à l'espoir de rééditer la première révolution. L'opposition républicaine se réorganise sur des bases nouvelles; non qu'elle rompe entièrement avec tous les partisans du régime de Juillet; la gauche dynastique avec Laffitte bien usé par son ministère, avec Odilon Barrot, grand bourgeois avocat au Conseil d'État et à la Cour de cassation, avec un certain nombre de députés plus avancés que leurs électeurs, participe aux côtés des républicains à l'Association libre pour l'instruction du peuple qui s'épanouit en 1833 à Paris, ou à l'Association pour la liberté de la presse.

Mais devant la répression dont ils sont l'objet, les jeunes républicains passent à une action plus secrète, se distinguent de leurs aînés très attachés au libéralisme comme Armand Carrel, et retrouvent au contraire la tradition jacobine tout en étant plus ouverts aux idées sociales (on ne dit pas encore socialistes). C'est la Société des droits de l'homme et du citoyen qui anime ce mouvement. Issue d'une section des Amis du peuple chargée des rapports avec les ouvriers de Paris avant juin 1832, elle se reconstitua pendant l'été sous une forme plus secrète, à Paris comptant jusqu'à 170 sections et près de 3 000 membres. En province elle se ramifia surtout dans l'Est et autour de Lyon. La publication du manifeste de la Société des droits de l'homme dans le journal *la Tribune*, le 22 octobre 1833, montrait bien qu'elle se plaçait dans la tradition jacobine ainsi que son titre et les noms de *Robespierre*, *Marat*, *21 janvier* ou *Babeuf* donnés à plusieurs de ses sections. Ce texte affirmait la toute-puissance de l'État républicain à venir, dans tous les domaines. Mais il était aussi sensible à des idées socialistes; l'éclatement du groupe saint-simonien avait favorisé la pénétration de certaines de leurs idées, organisation du travail, limitation du droit de propriété, chez les républicains.

Ceux-ci pour leur propagande, avaient recours à la presse, à des brochures, à des pamphlets parmi lesquels ceux que publie Cormenin (une notabilité plus libérale que républicaine) sous le pseudonyme de Timon, entamèrent durement la popularité déjà fragile de Louis-Philippe. Les procès de presse rendaient précaire l'existence des journaux républicains, surtout en province, mais ils servaient de tribune aux démocrates, pour vulgariser leurs idées. Quant aux prisons elles devinrent des écoles de républicanisme, surtout à partir de 1832-1833, pour les meneurs ouvriers condamnés pour fait de grèves.

La propagande républicaine n'a plus guère d'effet sur le corps électoral hostile aux idées républicaines qui lui semblent synonymes de Révolution, c'est ce que montrèrent les élections de 1834.

Les quelques députés républicains qui font figure de révolutionnaires à la Chambre sont au contraire considérés comme trop timides par les partisans de l'action directe. Contre ces derniers les mesures répressives restent inefficaces en 1833, qu'il s'agisse de la dissolution de la Société des Droits de l'homme (maintenue en société secrète) ou de l'interdiction de la criée des journaux. Aussi le gouvernement prépare un nouveau projet sur les associations visant les sociétés de moins de 20 personnes. Ces mesures provoquent une réaction des républicains, des militants plus que des leaders; le mouvement éclata en avril à Lyon. A Paris le ministre de l'Intérieur, Thiers, prit des mesures préventives, suspendit le journal *la Tribune* et fit arrêter quelque 150 meneurs de la Société des Droits de l'homme. Sans organe, sans chefs responsables, le dimanche 13 avril au matin des membres des sections des Droits de l'homme à Paris élèvent des barricades dans le quartier Saint-Merry, rue Beaubourg, rue aux Ours, rue Transnonain (les plus exaltés ont pu se laisser influencer par des agents provocateurs). Le gouvernement pouvait compter sur la garde nationale et sur les troupes de plusieurs généraux. Le lendemain dès l'aube les soldats s'emparent des barricades; croyant qu'on a tiré d'une croisée du 12 rue Transnonain, la troupe pénètre dans la maison et tue presque tous les hommes qui l'habitent, paisibles bourgeois pour la plupart. C'était un excès déplorable de la répression; les républicains s'en servirent d'abord pour faire diversion à leur échec puis plus tard contre Bugeaud général commandant les troupes qui en 1834 avaient occupé la rue. Daumier en fit un dessin tragique. Les deux journées d'émeute avaient fait à Paris une dizaine de tués chez les forces de l'ordre, une quinzaine chez les insurgés et dans la population, bien moins qu'à Lyon. Les gouvernants profitèrent de la répression et du procès des accusés d'avril, pour rallier la bourgeoisie effrayée par l'ampleur de la révolution à laquelle elle pense avoir échappé, en lisant la presse conservatrice.

Le désarroi des républicains apparaît sur bien des plans. La mort le 20 mai 1834 du général La Fayette qui n'était désormais pour les plus jeunes qu'un vieillard vaniteux et dépassé, ne fut pas utilisée par eux. Le procès des accusés d'avril prolongé jusqu'en janvier 1836, marqué par l'évasion en juillet 1835 de 28 des principaux chefs (dont Godefroy Cavaignac et Marrast) fut en revanche organisé par les défenseurs comme un véritable congrès républicain. Mais, en se prolongeant, le procès accentua l'influence des plus extrémistes et finalement provoqua de nouvelles dissensions entre républicains. Complètement désavoués par les élections des députés en 1834, atteints par la disparition de *la Tribune*, journal des plus démocrates tombant sous le poids des amendes, les républicains sont isolés. L'attentat du 28 juillet 1835, boulevard du Temple, contre le roi Louis-Philippe passant en revue les gardes nationaux, fit 18 tués (dont le maréchal Mortier) et 22 blessés; les trois principaux coupables furent exécutés. Fieschi, leur chef, n'était qu'un aventurier, plusieurs fois condamné, ses deux autres complices avaient participé à l'agitation républicaine. Le gouvernement, et plus particulièrement Thiers, exploitèrent l'émotion justifiée par l'attentat de Fieschi pour régler radicalement le sort des républicains. Les chambres, convoquées d'urgence en août 1835, adoptèrent ce que l'on appela les lois de septembre; l'une réorganisait les cours d'assises et les conditions de jugement des actes de rébellion, une autre attribua le vote secret au jury et réduisit la majorité nécessaire pour obtenir une condamnation, d'autres enfin aggravèrent le régime de la presse, la répression des délits de presse et autres moyens d'expression (en particulier les gravures); le principe du régime ne pouvait plus être contesté et il était désormais illégal de se déclarer républicain.

Les lois de septembre 1835 ne réduisirent pas l'usage des libertés publiques aussi durement que leurs adversaires voulurent le faire croire; la virulence des journaux opposants dans la suite de la monarchie de Juillet suffirait à le démontrer. Dans l'immédiat elles firent disparaître quelque 30 journaux républicains, les jurys suivant l'entraînement général dans la bourgeoisie se montrèrent plus sévères. Les républicains s'effondrèrent en tant que parti;

quand Armand Carrel est tué dans un duel par Émile de Girardin, un jeune républicain Edgar Quinet peut écrire le 6 août 1836 : « Le parti républicain est avec Carrel dans le cercueil, il ressuscitera mais il lui faudra du temps. »

Le personnel politique et les élections.

La politique orléaniste qui avait triomphé du danger républicain et des menaces légitimistes est celle d'un groupe à la fois idéologique et social plus qu'une politique personnelle. Elle a été poursuivie par les successeurs de Casimir Périer, par des hommes politiques éminents, comme le duc de Broglie, Thiers, Guizot, le comte Molé, mais aussi Dufaure, Duchatel et d'anciens hommes de gauche comme Barthe. A ces hommes politiques recrutés parmi les avocats ou les professions intellectuelles et aussi, pour les plus âgés, parmi d'anciens fonctionnaires de l'Empire, s'ajoutaient, dans les différents ministères, des militaires. Le prestige de l'armée, héritage de l'épopée napoléonienne était d'autant plus utilisé que le gouvernement était pacifique ; il a valu au maréchal Soult, au maréchal Mortier et au maréchal Gérard de présider le Conseil des ministres. Avec Jacques Laffitte et Casimir Périer, la monarchie de Juillet avait paru inaugurer le gouvernement des banquiers ; les milieux d'affaires n'ont fourni pourtant qu'exceptionnellement des ministres, il est vrai qu'ils trouvaient d'autres mandataires.

Les ministères (et ils sont nombreux entre 1832 et 1837, sept pour la seule législature élue en 1834) comprennent presque toujours les mêmes hommes et diffèrent plus par des rivalités de personnes (aggravées par les préférences ou les antipathies de Louis-Philippe qui, par exemple, déteste le duc de Broglie) que par des divergences d'opinion. L'augmentation en nombre des pairs de France dans les ministères rendait ceux-ci moins représentatifs devant la Chambre élue ; le choix d'un président du Conseil parmi eux (notamment le comte Molé) contribua aussi à compliquer l'évolution normale vers le régime parlementaire.

Les élections appuient la politique du juste milieu et stabilisent le personnel parlementaire. Les élections anticipées du 21 juin 1834 entraînent l'écrasement de la gauche. Le ministère peut compter sur 320 voix contre 90 à l'opposition et une quarantaine d'indécis. Ces élections de 1834 font ressortir un déplacement des opinions plus que des hommes ou des catégories car plusieurs élus de 1831 qui avaient siégé très à gauche ont modéré leurs opinions soit par conviction (effrayés par l'agitation républicaine), soit par adaptation à leur électorat plus attaché qu'eux au nouveau régime et à l'ordre social. Il y a cependant près de 173 nouveaux députés sur 459 (quelques-uns avaient cependant déjà été élus avant la précédente législature). Le tiers parti avec une centaine de sièges gagne ce qu'a perdu la gauche républicaine qui n'est plus représentée que par une minorité très réduite. Mais le renouvellement de la chambre est très variable selon les départements ainsi que le montre la carte, puisque 15 départements (souvent les plus pauvres) réélisent tous les sortants alors que 15 autres départements prennent plus de la moitié des élus parmi les nouveaux.

Ces élections traduisaient un succès mais aussi un essoufflement de la politique de la résistance au mouvement révolutionnaire. L'ampleur du succès électoral des partisans du régime de Juillet rend plus difficile leur cohésion. L'adresse votée par 256 voix, inspirée par des députés souvent peu favorables à la personne même des ministres, révélait l'ambiguïté de la majorité.

Les élections de novembre 1837 tentées par Molé pour élargir sa majorité, et même celles de mars 1839 sur lesquelles nous reviendrons, furent moins remarquables par les orientations politiques qu'elles dégagèrent que par la stabilité du recrutement parlementaire (même si en 1837 il y a 152 nouveaux élus sur 459 députés). Le cens d'éligibilité et les frais qu'entraînait le séjour à Paris limitaient à un petit nombre le choix des candidats. L'incertitude des opinions politiques, l'absence de grands débats ou de grandes contestations font des députés une classe parlementaire soucieuse de réussites personnelles à faire valoir auprès des électeurs ; l'accord ou le refus d'un ministère à une faveur ou à une demande de crédit ou de poste consolide ou au contraire éloigne du ministère le suffrage d'un député.

Si les grands débats politiques ont moins d'ampleur devant les Chambres, la vie politique pénètre dans l'administration, influe sur le recrutement et la carrière des préfets, des grands corps, des magistrats, des fonctionnaires des ministères. C'est un lien

Électeurs censitaires dont le cens est supérieur à 1 000 francs vers 1840
Répartition départementale.

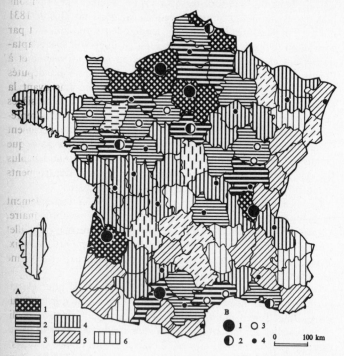

A.
1. Plus de 400
2. De 301 à 400
3. De 201 à 300
4. De 101 à 200
5. De 50 à 100
6. Moins de 50

Les traits en pointillé correspondent aux départements pour lesquels il n'existait pas de liste électorale censitaire complète de la monarchie de Juillet; nous avons utilisé les listes d'éligibles de la Restauration, en tenant compte de l'évolution des départements voisins, ou les listes censitaires de la monarchie de Juillet conservées pour certains arrondissements électoraux (par exemple, l'Aveyron et la Dordogne).

B.
1. Villes ayant plus de 200 imposés de plus de 1 000 francs.
2. Villes ayant 100 à 200 imposés de plus de 1 000 francs.
3. Villes ayant 70 à 100 imposés de plus de 1 000 francs.
4. Villes ayant 40 à 70 imposés de plus de 1 000 francs.

Pourcentage des électeurs censitaires (imposés de plus de 200 francs) par rapport au chiffre total des habitants

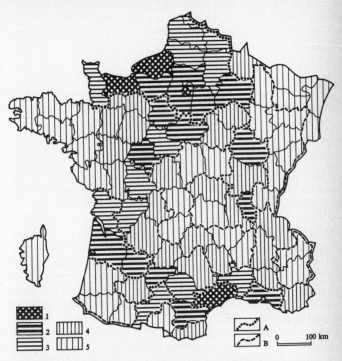

1. *Départements ayant plus de 10 électeurs pour 1 000 habitants.*
2. *Départements ayant de 8 à 10 électeurs pour 1 000 habitants.*
3. *Départements ayant de 6,5 à 8 électeurs pour 1 000 habitants.*
4. *Départements ayant de 5 à 6,5 électeurs pour 1 000 habitants.*
5. *Départements ayant moins de 5 électeurs pour 1 000 habitants.*

A. *Limites des départements comptant plus de 3 000 électeurs en 1840-1842.*
B. *Limites des départements comptant moins de 1 500 électeurs en 1840-1842.*

(D'après les chiffres fournis par Alfred Legoyt, La France statistique, 1845, tableau H, utilisant les chiffres donnés par les listes électorales censitaires de 1842.)

supplémentaire qui unit haute administration et milieux politiques, justifiant ainsi au moins partiellement l'accusation de « syndicat d'intérêts de la classe dirigeante » portée contre l'État orléaniste.

2. Les essais de rénovation politique

La vie parlementaire.

Les succès remportés par la politique de résistance en 1834 et la lassitude provoquée par les trop nombreuses collusions entre la pression administrative et la majorité ministérielle qui soutenait le cabinet Molé en 1838 donnèrent des élections reposant sur des clivages nouveaux de l'opinion en 1834 et en 1839, à la différence des élections de 1837, destinées sans trop de succès à renforcer la majorité du ministère Molé et marquées surtout par un renforcement du centre aux dépens des tendances les plus idéologiques (légitimiste, gauche dynastique, doctrinaires). Il s'agit désormais moins d'un clivage sur l'interprétation de la révolution (elle est résolue dans le sens le plus conservateur) que d'une séparation entre ministériels et opposants; en 1839, une coalition réunit tous les adversaires du cabinet Molé, des républicains avec Arago à des légitimistes comme Berryer en passant par les différentes tendances dynastiques, la gauche avec Odilon Barrot, le centre gauche avec Thiers, les doctrinaires avec Guizot. Nous verrons que le succès des opposants s'il entraîna la démission de Molé, ne fut pas à la hauteur de leurs efforts.

C'est l'application du pouvoir plus que son idéologie qui est en cause et en 1839 c'est l'intervention jugée excessive du roi dans la vie politique qui est en jeu dans l'opposition à Molé. Ce n'est qu'à la fin de la monarchie de Juillet, aux élections de 1846 que se dégagea une large majorité conservatrice et ministérielle. La monarchie de Juillet n'est donc pas arrivée à voir se constituer de grands partis parlementaires, à la manière anglaise comme l'auraient souhaité plusieurs de ses dirigeants.

Les partis les mieux organisés, ceux qui ont l'idéologie la plus précise, radicaux, légitimistes et plus tard gauche dynastique, sont ceux qui ont le moins d'emprise sur le corps électoral. Le corps électoral et les députés se satisfont des relations inter-personnelles établies entre électeurs et candidats. Le scrutin d'arrondissement y contribue et le député apparaît davantage comme le mandataire des intérêts locaux que comme le détenteur d'une parcelle de la représentation nationale. C'est ce qui explique le grand nombre d'hommes de loi (avocats, notaires, magistrats) ou des fonctionnaires choisis par les électeurs en raison de leur efficacité réelle ou supposée. La lenteur et l'imprécision de l'information en province permettent à un député de ne pas corres-pondre à la même image politique à la Chambre et devant ses électeurs. Garnier-Pagès et plus tard Ledru-Rollin sont plus avancés que leurs électeurs de la Sarthe, inversement bien des légitimistes ralliés, même appuyés par le personnel préfectoral, continuent dans leur département, comme Lahaye-Jousselin à Châteaubriant, à faire figure de légitimistes.

Même quand les idées politiques sont mises en avant comme ce fut le cas en 1839, le corps électoral ne se prononce pas tant en fonction des options idéologiques que des questions de personne; aussi les modifications ne sont pas aussi profondes que le laisse-raient croire le ton et l'ampleur des polémiques.

Cette dépolitisation, qui résulte de la quasi-unanimité du corps électoral sur la valeur du système social fondé sur la propriété individuelle, donne aux divergences économiques ou même poli-tiques un caractère de rivalités d'intérêts locaux ou personnels. Les cadres dirigeants de la monarchie de Juillet pensaient avoir trouvé une formule stable de gouvernement, un équilibre entre l'ordre et la liberté; l'amnistie, accordée à tous les condamnés politiques à l'occasion du mariage du duc d'Orléans et de la duchesse de Mecklembourg-Schwerin en mai 1837, avait été acceptée par les conservateurs aussi bien que par la gauche dynas-tique qui la réclamait. Les ouvertures de Molé aux catholiques et aux légitimistes dont une partie commençait à se rallier avaient contribué au même résultat.

Le développement de la prospérité.

La prospérité, stimulée par le progrès technique, était une des promesses du régime de Juillet. Outre les facteurs économiques envisagés plus loin, elle présentait aussi des aspects politiques. Le libéralisme, dont se réclamaient les dirigeants du régime, n'était appliqué que de façon très pragmatique. Il n'allait pas jusqu'à remettre en question la protection douanière dont bénéficiaient les producteurs français aux dépens des consommateurs. L'État se refusait d'intervenir dans les rapports sociaux mais, au nom de la liberté du travail, il appuyait les patrons contre les ouvriers en grève, alors que la législation du livret ouvrier (peu respectée il est vrai) entravait la liberté du travailleur.

L'État par l'intermédiaire des ministères pratiquait néanmoins une politique économique, d'abord par le souci qu'il affichait du développement des intérêts matériels, ensuite par la politique de développement des moyens de circulation. Circulation monétaire d'abord. Des banquiers, Jacques Laffitte et Odier, un des censeurs de la Banque de France, Hottinger, souhaitaient une diminution du taux d'escompte de la Banque de France, mais la majorité du conseil de la Banque de France se prononça contre cette politique, au nom des actionnaires et aussi par crainte d'inflation. Le gouvernement préféra multiplier les banques d'émission en province (à Lyon, Marseille, Lille); or le succès de ces créations amena la Banque de France à créer des comptoirs dès 1836 à Reims et à Saint-Étienne, puis dans d'autres villes.

Un autre aspect était représenté par la politique des grands travaux publics; celle-ci continua dans un premier temps la politique des canaux héritée de la Restauration en accordant des concessions à des compagnies privées. Une loi de 1835 établit un fonds permanent pour l'entretien d'un certain nombre de rivières. L'État stimula le trafic terrestre; la loi du 22 mai 1836 sur les chemins vicinaux obligea les communes à entretenir les routes locales tout en les autorisant à percevoir une taxe.

L'État intervint davantage dans les travaux d'aménagement des ports au Havre, où le bassin Vauban n'est achevé que tardivement après la loi du 9 avril 1839 qui approuve aussi la mise en chantier du bassin de Floride, et plus tard à Saint-Nazaire.

La construction des chemins de fer posa un problème politique dès que l'on dépassa le stade des premières voies de faibles distances. Le ministère Molé présenta dès 1837 un premier projet d'ensemble en vue de combler le retard de la France dans ce domaine. Un nouveau projet fut présenté en février 1838; son auteur le directeur des ponts et chaussées Legrand (député de Mortain puis sous-secrétaire d'État aux Travaux publics) avait arrêté un plan d'ensemble prévoyant sept lignes partant de Paris et deux transversales. L'ampleur du projet, qui prévoyait une dépense globale d'un milliard, fut une des causes du retard. L'expérience malheureuse sur le plan financier des deux chemins de fer de Paris à Versailles atteints par la crise commencée en 1837, montrait l'insuffisance des seuls capitaux privés; le plan Legrand prévoyait la construction par l'État. Au sein de la commission parlementaire, la majorité préconisait le recours aux compagnies privées; le choix comme rapporteur d'Arago, radical, mais esprit systématique, montrait que la crainte d'accroître l'influence du gouvernement Molé l'emportait sur la recherche de l'efficacité; il fut suivi par la majorité de la Chambre qui rejeta par 196 voix contre 69 le projet ministériel, paralysant ainsi l'une des rares tentatives d'impulsion politique directe de la vie économique.

Dans la pratique, c'est notamment par la protection douanière, que s'effectuait l'aide de l'État à l'activité économique. Les commandes de l'État pour l'armée et la marine étaient recherchées par les fabricants, notamment les drapiers du midi de la France intéressés ainsi à l'extension de la conquête en Algérie. Or le développement économique posait sans cesse de nouveaux problèmes que le gouvernement devait résoudre. C'était le cas de la lutte entre les deux sucres, opposant les partisans du sucre de betterave (surtout dans les départements du Nord) aux défenseurs du sucre de canne, nombreux dans les ports en relation avec les Antilles. C'est à la fois une conception idéologique, le libéralisme d'économistes, comme Michel Chevalier (suspects souvent aux hommes d'affaires), la recherche de débouchés (par les intérêts liés au vignoble, surtout à Bordeaux, et par les fabricants de soie ou de produits de luxe), enfin des préoccupations politiques ou diplomatiques (en 1834 pour parfaire le rapprochement avec l'Angleterre, en 1840 en vue d'une alliance plus étroite avec la Belgique) qui amènent à poser, plus ou moins ouvertement et sans aboutir, le problème de la libération des échanges extérieurs.

Une enquête menée en 1834 sur diverses prohibitions douanières montra que la plupart des fabricants interrogés considéraient une diminution de la protection douanière comme une cause inévitable de crise; ils firent valoir qu'il en résulterait des troubles sociaux, tellement la baisse des salaires leur apparaissait comme la seule réaction possible pour abaisser les prix devant la concurrence internationale. Le gouvernement n'effectua, dans ces conditions, que quelques légères modifications par ordonnance en 1834 et en 1835, les prohibitions des fils fins de coton et de certains fils de laine furent levées.

Ces différents problèmes, même s'ils n'ont pas trouvé une solution nouvelle par rapport aux règlements et à la situation en vigueur, n'en n'ont pas moins renouvelé profondément les sujets des débats parlementaires. Dans la Chambre élue en 1834 et dans les suivantes, les souvenirs directs de la Révolution (davantage conservés à la Chambre des pairs, plus âgés) et les grands débats idéologiques sont de plus en plus rares. Certes, les uns et les autres fournissent toujours les grands moments de la rhétorique parlementaire, mais des problèmes plus concrets, liés plus étroitement à des intérêts économiques et matériels pèsent davantage sur les majorités et les fluctuations des députés. Une nouvelle génération qui n'a pas connu directement la Révolution ni les divisions profondes qu'elle avait suscitées, s'est installée dans la vie politique et dans l'État. Dans la Chambre des députés élue en 1839, 58 % sont nés depuis 1789; le décalage est très sensible avec la Chambre des pairs, où 12 % seulement, à la même date, avaient moins de 50 ans. Or la priorité de la Chambre élue dans la vie politique est désormais bien établie. Les deux ministères Molé avaient contribué à ce renouvellement de l'opinion : le mouvement des affaires économiques accaparait les esprits et les éloignait de l'agitation politique. Il ne manquait pas d'hommes pourtant pour souhaiter une politique plus active.

Thiers.

L'ouverture politique avait déjà été représentée par un homme très soucieux de l'image qu'il voulait donner de lui-même à l'opinion publique mais prompt à en sentir les pulsations Adolphe Thiers. Le petit journaliste avait fait son chemin depuis sa venue de Marseille; s'il n'écrivait plus dans les journaux, il se préoccupait de ce qu'ils écrivaient et en patronna plusieurs, plus particulièrement *le Constitutionnel*. Homme d'ordre, ministre de l'Intérieur énergique, il n'en avait pas moins réussi à faire considérer un premier ministère, formé le 22 février 1836, comme un cabinet libéral. Entouré d'hommes effacés, dirigeant les Affaires étrangères et soucieux de pratiquer une grande politique nationale sans trop en choisir le sens, il avait mené une politique de « gages alternatifs » : profitant du morcellement de la Chambre des députés en six tendances, il s'était appuyé tantôt sur les uns tantôt sur les autres, tantôt sur les intérêts régionaux. Thiers avait introduit davantage un style d'homme politique qu'une politique nouvelle. Sa politique extérieure était déjà brouillonne, il s'était apprêté à une intervention directe en Espagne contre les carlistes au profit des libéraux. Mais ceux-ci débordés par les plus révolutionnaires, Louis-Philippe avait refusé de faire leur jeu.

La démission de Thiers lui avait redonné un caractère libéral (c'est le désaccord avec le roi et non les Chambres qui entraîna sa chute) et national : il apparaît désormais comme le champion de l'indépendance nationale et de l'alliance anglaise contre les puissances contre-révolutionnaires. Ces attitudes, même superficielles, plaisent à la petite bourgeoisie parisienne, volontiers cocardière. L'intervention française en Espagne était la porte ouverte à l'aventure, ni le pays légal ni les Chambres n'en voulaient, l'intervention du roi pour l'empêcher, résolvait une situation équivoque, or ce rôle du roi et plus encore le choix d'un président du Conseil pris en dehors de la Chambre des députés, ne devaient pas faciliter la tâche du nouveau cabinet dirigé par le comte Molé.

La retraite de Thiers n'était que provisoire; il avait un sens très aigu des penchants de l'opinion publique, c'est-à-dire de cette fraction nombreuse de la petite et de la moyenne bourgeoisie qui forme alors le gros du public des journaux et les principaux effectifs de la garde nationale. L'ascension sociale de M. Thiers, écrivaillon devenu ministre et beau-fils du receveur général Dosne, est le rêve de toute cette catégorie sociale; au contraire elle lui donne son caractère de parvenu aux yeux de l'aristocratie ou de la bourgeoisie ancienne. Quant aux paysans, Thiers les ignore, comme la plupart des hommes politiques du régime de Juillet. Retiré du pouvoir, Thiers revient à ses études historiques, ce qui est un moyen, à l'époque, de revenir à la politique. En juin 1839, les éditeurs Paulin et Cerfbeer négocient avec lui un contrat pour une *Histoire du Consulat et de l'Empire* qui commence à paraître en 1845. En Napoléon, Thiers exalte le soldat de la Révolution.

Sans que l'on puisse mesurer la part de conviction et la part d'exploitation politique, Thiers mobilisa les sentiments napoléoniens qui sommeillaient dans le cœur d'une majorité de la population. C'est lui qui avait inauguré en juillet 1836 l'Arc de triomphe de l'Étoile dont la construction avait été décrétée par Napoléon. Mais surtout, sous un second ministère en mai 1840, il annonça qu'il venait de négocier avec l'Angleterre le retour des cendres de Napoléon. Réclamée depuis dix ans par des pétitions, cette décision devait rehausser la réputation « nationale » de son ministère.

Jusque-là Thiers avait su attendre son heure. Dans la coalition nouée contre Molé, il avait joué un rôle essentiel en apportant une formule plus encore qu'un programme. Cette formule : « Le roi règne mais ne gouverne pas », peu importe qu'il l'ait ou non prononcée, elle lui fut attribuée et en fit le défenseur du régime parlementaire.

En février 1839 la dissolution de la Chambre élue en octobre 1837, fut décidée; elle venait de soutenir le ministère Molé par 221 voix contre 208 dans le débat sur l'adresse. Ces élections le 2 mars marquèrent l'évolution de la monarchie de Juillet provoquant par leurs résultats (environ 200 ministériels, quelque 240 opposants), la démission du ministère Molé, une longue crise ministérielle, et une séquelle de ministères aux politiques variables. Mais surtout la campagne électorale s'était déroulée dans un climat d'intrigues, de pressions, voire de corruption qui déconsidéra le régime. Le ministère Molé avait multiplié les destitutions de fonctionnaires soupçonnés de sympathie pour des opposants.

C'est dans la presse que la polémique était la plus violente et les accusations réciproques dévoilaient en dehors du pays légal, et amplifiaient même, les vices des catégories dirigeantes. Les difficultés économiques, consécutives à la crise américaine, le discrédit du régime, la vacance du pouvoir devant la difficulté de former un nouveau ministère rendirent espoir à la petite minorité révolutionnaire qui rêvait de s'emparer du pouvoir pour changer la société. La tentative le 12 mai d'une émeute préparée par la société secrète des Saisons ne réunit que quelques centaines d'affiliés autour d'Auguste Blanqui, de Barbès ou de Martin Bernard. En quelques heures, les forces de l'ordre ont rétabli la situation dans les quartiers Saint-Denis et Saint-Martin ; la peur ressentie après coup facilite la formation par le maréchal Soult le jour même d'un ministère sans leader véritable, sans majorité cohérente et sans ligne politique définie. C'était attribuer au roi une influence en contradiction avec les résultats des dernières élections. Aussi la maladresse de Louis-Philippe voulant obtenir des Chambres une dotation pour son second fils le duc de Nemours, qui fut rejetée par 226 voix contre 220, entraîna le 22 février 1840 la chute de ce ministère fantoche.

Devant ce nouveau désaveu d'une trop grande intervention du roi dans le gouvernement, le retour de Thiers au pouvoir s'imposait. Le cabinet du 1er mars comprenait comme principaux ministres Charles de Rémusat à l'Intérieur, Vivien à la Justice, Victor Cousin à l'Instruction publique, le général de Cubières à la Guerre.

Thiers imposait un style, les ministres se réunissaient sans le roi et inversement les grandes décisions étaient débattues entre le roi et Thiers, auxquels s'ajouta en août 1840 Guizot ambassadeur de France à Londres. Orateur parlementaire habile, celui que Sainte-Beuve appelait « le grand escamoteur » sut à la fois apparaître à l'opinion publique comme le défenseur du régime parlementaire et le représentant des idées nationale et libérale, et au roi un ministre avec qui il pouvait parler et s'entendre. Accueilli sans plaisir par les conservateurs et par les légitimistes, Thiers était à leurs yeux l'homme de la Révolution.

Le ministère du 1er mars s'efforça d'élargir sa majorité; 13 mutations de préfets, 19 de sous-préfets, étaient destinées à satisfaire principalement la gauche dynastique. Mais cette ouverture politique n'alla pas loin; tout un mouvement pour élargir le corps électoral s'était développé en 1839, plus de 188 000 signatures avaient été recueillies sur des pétitions demandant le droit de vote pour tout garde national. Or la Chambre des députés refusa de les prendre en considération et n'écouta qu'avec impatience le 16 mai un discours d'Arago réclamant à la fois le suffrage universel et « une nouvelle organisation du travail ». Thiers ne différait pas de la majorité et avait déclaré : « La souveraineté nationale, entendue comme souveraineté illimitée du nombre est le principe le plus faux et le plus dangereux qu'on puisse alléguer en présence d'une société. »

Le 1er juillet 1840 un banquet des communistes se tint à Paris; le gouvernement ne s'en émut pas mais il interdit un banquet qui devait avoir lieu le 14 juillet au faubourg Saint-Antoine pour célébrer la prise de la Bastille. D'autres banquets furent organisés à la même date à Poitiers, à Rouen, à Marseille, à Chagny...

La coïncidence des revendications radicales ou réformistes avec l'agitation déclenchée par l'annonce du traité de Londres et la crise diplomatique, et avec les réclamations ouvrières frappa l'opinion bourgeoise. Or les difficultés économiques, le marasme du commerce, la cherté des grains avaient provoqué d'abord des troubles agraires; à la suite d'une émeute le 13 janvier la troupe avait tiré à Foix, tuant 13 manifestants. Puis l'agitation s'était propagée aux ouvriers. Les grèves avaient été tolérées jusqu'en août à Paris. Leur ampleur au début septembre (près de 10 000 ouvriers se rassemblent à Bondy le 3), la construction d'une barricade faubourg Saint-Antoine amenèrent l'intervention des troupes le 7 septembre et le préfet de police interdit les rassemblements. En fait l'ordre fut vite rétabli, mais la presse conservatrice inquiète de l'exaltation patriotique et des déclarations fanfaronnes de Thiers confondait dans une même réprobation agitation politique, agitation ouvrière et déclarations bellicistes du gouvernement. Un nouvel attentat contre le roi, perpétré le 15 octobre par Darmès, qui avait appartenu à la société secrète des Communistes, semblait lui donner raison.

Thiers n'avait pas de programme politique bien défini; son cabinet semble plus favorable au dynamisme économique et il fit passer au cours de l'unique session parlementaire plusieurs lois intéressant le grand capitalisme auquel le chef du gouvernement était étroitement lié : renouvellement du privilège de la Banque de France, première garantie d'intérêt accordée par le gouvernement à une ligne de chemin de fer (le Paris-Orléans) par la loi du 15 juillet 1840; concession d'une ligne de navigation à vapeur entre la France et les États-Unis par la loi du 16 juillet 1840. La réputation d'affairiste de Thiers était suffisamment établie pour que le retard apporté par le gouvernement à connaître ou à publier le traité de Londres du 15 juillet qui isolait la France dans la question d'Orient, pût être dénoncé (sans doute à tort) comme une manœuvre destinée à permettre à son beau-père Dosne, receveur général et régent de la Banque de France, de spéculer en Bourse. Le journal de Girardin *la Presse* s'en fit insidieusement l'écho en même temps qu'il orchestrait — d'abord presque seul face à l'engouement pour une riposte belliqueuse au traité de Londres — la campagne en faveur de la paix avec l'appui de Lamartine.

La partie de poker diplomatique perdue par Thiers en misant sur la résistance de Méhémet Ali, les préparatifs militaires du gouvernement (augmentation des effectifs de l'armée et des unités navales, construction de fortifications à Paris), tout semblait se retourner contre Thiers. Il avait flatté l'opinion nationale en préparant le retour des cendres de Napoléon : une deuxième tentative, rapidement avortée le 6 août à Boulogne, de Louis-Napoléon Bonaparte apparaissait comme une réponse dénaturée à cette décision. L'exploitation politique de la légende napoléonienne n'avait pu prévoir la crise diplomatique de l'été 1840 qui aggrava le caractère anglophobe des sentiments populaires. Faisant ainsi figure d'apprenti sorcier, Thiers était le témoin d'une agitation nationale (qu'il avait lui-même excitée), libérale ou radicale (qu'il avait laissé faire), sociale (qu'il chercha au contraire à réduire). Conscient de son échec, menaçant de faire la guerre à l'Europe, sans trop y croire lui-même, Thiers n'attendit pas la réunion des Chambres et devant le refus du roi d'augmenter à nouveau les effectifs de l'armée, il se retira le 20 octobre.

L'échec de Thiers n'était pas seulement celui d'un homme et celui d'une diplomatie trop belliciste pour le roi et les catégories dirigeantes. C'était aussi l'échec d'une extension du régime parlementaire; par une politique plus tapageuse qu'active, le deuxième ministère Thiers avait renforcé la conviction des catégories dirigeantes, et de la grande majorité des députés dans la nécessité d'un pouvoir plus stable et plus oligarchique. L'irruption des sentiments populaires s'était manifestée en 1840 dans une explosion de nationalisme pendant l'été, prolongée dans l'apothéose napoléonienne du 15 décembre lorsque le cercueil de Napoléon fut déposé aux Invalides; il n'en fallait pas plus pour que le pays légal tempérât ses passions pour soigner ses intérêts et abandonnât le mouvement pour la conservation.

3. Guizot et le système conservateur

Le ministère constitué le 29 octobre 1840, sous la présidence nominale du maréchal Soult jusqu'en 1847, illustre l'étroite relation entre un homme politique, Guizot (qui dirige en fait le gouvernement en plus de son propre ministère des Affaires étrangères et qui devint président du Conseil en titre en septembre 1847) et un système politique reposant sur le pouvoir des notables.

Des conditions difficiles se présentent au nouveau cabinet. Sur le plan diplomatique la France est isolée dans la question d'Orient. Sur le plan parlementaire il n'existait aucune majorité cohérente; les allures bellicistes de Thiers ont pour résultat de faire dénoncer son successeur comme « le ministère de la paix à tout prix » et de la soumission à l'étranger. Sur le plan social, l'année 1840 est marquée par une agitation populaire consécutive à la crise économique sévissant depuis la fin de 1838. Enfin sur le plan financier, la construction des fortifications de Paris décidée par Thiers, devant la crise diplomatique, a déséquilibré le budget, tout en provoquant ultérieurement contre ses successeurs l'accusation de vouloir embastiller Paris. L'opinion, surtout à Paris, est défavorable au nouveau ministère. C'est pourquoi son président en titre n'est pas l'impopulaire Guizot qui réunit contre lui les légitimistes, lui reprochant son passé d'universitaire protestant, une partie des conservateurs qui ne lui ont pas pardonné sa participation à la coalition contre Molé, et la gauche radicale ou dynastique qui voit en lui le théoricien et l'orateur de la politique de résistance à la démocratisation de la vie politique.

Chancelant au moment de sa formation, ce ministère fut pourtant le plus long du règne et Guizot devait entraîner dans sa chute le régime avec lequel il s'était peu à peu identifié.

Le régime des notables.

Les notables, le terme sert aux contemporains pour définir la catégorie dirigeante : aristocrates, pseudo-nobles ou grande bourgeoisie. Un préfet arrive-t-il dans son département? il écrit le plus rapidement possible comme Bocher, d'Auch en mai 1839 : « J'ai déjà eu l'honneur de recevoir une partie des *notables* de la ville. »

Ce milieu des notables trouve les fondements de sa puissance d'abord dans sa richesse qui lui donne par le cens la capacité politique. Il y a environ 250 000 électeurs censitaires et 56 000 éligibles payant au moins 500 F de cens; les imposés de plus de 1 000 F (le chiffre du cens pour éligibilité avant 1830) sont environ 18 000 dans la France de 1840. Parmi ces derniers il n'y a guère que 16 % de négociants ou d'industriels, mais leur influence est supérieure à ce pourcentage.

Les traditions familiales définissent aussi le milieu des notables. Le notable, le plus souvent, est un héritier. Les notables orléanistes par la longue durée de leur activité dirigeante ont contribué à accroître l'influence des notables et à perpétuer la présence au pouvoir des mêmes familles et de la même catégorie sociale. Le notable vit dans un temps social de longue durée, il a un passé, il a un avenir, il maîtrise le temps; celui dont le revenu repose sur un droit aussi immuable que le droit de propriété sous la monarchie de Juillet ne pouvait que dominer ceux dont la condition de vie n'était assurée qu'à la journée, à la semaine ou au mois. Un troisième facteur de notabilité tient à la capacité personnelle et à l'influence exercée soit en raison de fonctions publiques, soit en raison de fonctions représentatives; il y a certes des parvenus qui arrivent à s'intégrer dans ce milieu avec des origines modestes et Thiers en est un exemple. Ce n'est pas par hasard que Balzac a campé à cette époque le type de Rastignac. Mais ces parvenus se sont souvent montrés, eux ou leurs descendants, les plus ardents défenseurs du système oligarchique dans lequel ils avaient réussi à prendre place. Ce n'est pas d'eux que proviennent les remises en question du système social et politique; celles-ci sont davantage le fait des antagonismes internes du monde des notables (légitimistes contre le régime de Juillet par exemple).

Le régime censitaire accentue la corrélation entre les différentes formes de pouvoir, économique, politique, administratif. Le cens d'éligibilité était fixé à 500 F mais dans la Chambre des députés de 1840, près des deux tiers (294 sur 459) paient plus de 1 000 F de cens; la fortune est considérée comme un gage d'indépendance, de capacité et aussi de solidarité avec le système. Une proportion importante de pairs de France, de députés, de conseillers généraux aussi, exerce des fonctions publiques. A la fin de la monarchie de Juillet le Conseil d'État compte 42 députés et 40 pairs membres ordinaires ou détachés.

Ces catégories dirigeantes exercent leur pouvoir au niveau local, car c'est en province que prend naissance leur puissance, qu'il s'agisse des grands propriétaires fonciers ou des chefs d'entreprises industrielles annonçant le grand capitalisme ultérieur. Mais, maîtres de l'administration locale, les notables ne maîtrisent plus leur région sans participer aussi à la direction nationale, en dominant le parlement, l'administration, les institutions économiques (encore peu développées) ou intellectuelles, par eux-mêmes ou par mandataires interposés.

L'accumulation des différents pouvoirs confondus dans les mêmes mains a toutefois pour contrepartie les antagonismes régionaux, au sein de la catégorie dirigeante; la faiblesse (relative) du pouvoir central entraîne des pressions contradictoires, le jeu des influences tenant lieu de doctrine. Il n'y a plus de rivalités conscientes entre propriété foncière et capitalisme mobilier comme à la fin de la Restauration, mais il y a opposition d'intérêts tantôt régionaux, tantôt locaux, tantôt personnels.

L'expansion économique.

Succédant à une époque de crise (en 1840) et à une période d'instabilité (15 ministères en dix ans...), le cabinet Soult-Guizot bénéficie de la crainte ressentie par les notables et par une grande partie de la bourgeoisie à l'encontre de la guerre et de la révolution. Il va jouer sur cette crainte et lui opposer comme programme de gouvernement la paix, la stabilité et la prospérité.

Le rétablissement de la situation diplomatique, par la solution apportée à la question d'Orient et l'alliance franco-anglaise, fait du maintien de la paix la condition préalable au développement économique.

Une bonne gestion financière contribue à cette prospérité, même si les efforts du ministre des Finances Humann pour accroître le rendement de l'impôt provoquent une agitation fiscale au moment du recensement de 1841. Les dépenses de l'État deviennent un facteur de croissance, 534 millions sont engagés dans des travaux publics surtout dans les chemins de fer, mais leur répartition aggrave les inégalités régionales.

Le maintien en place des préfets qui suivaient auparavant les instabilités ministérielles permettait à des administrateurs éminents de mieux suivre la modernisation de leur département, c'est le cas de Chaper à Nantes. La collaboration des agents de l'administration et des notabilités locales y contribue; maires et préfets stimulent la fondation des caisses d'épargne (345 existent en 1844), symbole d'une époque qui fait l'éloge de l'épargne et par-là du profit. Le maintien de l'ordre favorise aussi la prospérité et s'effectue aisément jusqu'à la crise de 1846. A Paris la garde municipale assure la police avec tout au plus 3 000 hommes.

L'ordre établi et la prospérité qui en résulte profitent principalement aux propriétaires des moyens de production; il est vrai que ceux-ci sont très nombreux en raison de l'importance de la petite propriété et de la petite entreprise artisanale. Il ne faudrait pas s'illusionner sur le mythe de l'État libéral s'abstenant de toute intervention dans la vie économique. D'abord la libre concurrence favorise les plus forts et aboutit à des concentrations qui commencent à se multiplier, précisément sous le ministère Soult-

Guizot, dans les chemins de fer, dans la métallurgie, dans les mines mais aussi dans les industries du verre, du sucre, dans la filature ainsi qu'on peut le voir avec les autorisations accordées par le gouvernement pour la formation des sociétés anonymes. De plus l'État fausse cette concurrence par la protection douanière mais aussi par les liens étroits entre l'autorité politique, l'autorité administrative et les grandes affaires. Après la loi du 11 juin 1842 qui devient la charte de la construction ferroviaire en France, associant l'État, les communautés locales et les grandes compagnies concessionnaires, ces dernières peuplent leurs conseils d'administration de pairs de France, de députés, de généraux, de magistrats ou de détenteurs de titres de noblesse. Entre les groupes rivaux prenant appui sur des antagonismes locaux opposant ville à ville ou département à département dans le choix des tracés, ou quartier à quartier pour l'emplacement des gares, l'État joue un rôle d'arbitre dont les décisions ne sont pas dénuées parfois de préférences politiques.

La liberté du travail est en fait surtout la liberté du patron dans son entreprise, assurée par l'appareil législatif et juridique qui permet une compression des salaires, une modification des conditions de travail et une suspension de l'emploi, tandis que l'ouvrier est soumis dans ses déplacements, comme nous l'avons dit, à la présentation du livret ouvrier, même si cette mesure est peu respectée par les chefs d'entreprise.

Ainsi donc, le libéralisme n'est pas la complète neutralité de l'État. Par sa non-intervention et aussi par les formes de son intervention, il avantage les producteurs aux dépens des consommateurs; et aussi par la protection douanière et plus encore par une fiscalité tirant la plus grande partie de ses ressources des taxes et contributions indirectes pesant le plus lourdement sur les consommateurs des classes populaires.

Mais l'État est obligé d'intervenir en raison des nouveaux problèmes qui se posent à lui; *volens nolens*, la monarchie de Juillet fit voter la loi du 22 mars 1841 réglementant le travail des enfants dans les manufactures (n'interdisant le travail il est vrai qu'au-dessous de huit ans). C'était le résultat de longues négociations entamées sous de précédents ministères. Laissant indifférente une bonne partie de la Chambre (il n'y eut que 235 députés présents sur 459 au moment du vote), la loi ne fut que lentement appliquée.

Il semble bien que Guizot et Duchatel aient souhaité donner une impulsion à l'activité économique mais des oppositions au projet d'union commerciale avec la Belgique (et peut-être la Hollande) les firent renoncer à ce qui aurait été un stimulant pour l'industrie française. L'essai de consultation des conseils généraux de département, en 1845 notamment, sur des problèmes agricoles et sur le crédit agricole, tourna court. Il était bien difficile de légaliser l'innovation dans un système conservateur; l'expansion économique sur laquelle nous reviendrons faisait éclater la société traditionnelle, appuyée sur les notables, au moment où se durcissait au contraire le système gouvernemental qui en était la traduction politique.

De la stabilité à la stagnation politique.

Le renforcement de sa majorité parlementaire finit par dominer toute la politique de Guizot. Son programme politique avait été exposé à la Chambre des députés le 3 mai 1837: « je veux, je cherche, je sers de tout mon pouvoir la prépondérance politique des classes moyennes en France ». C'est la même politique qu'il défend après 1840 et qu'il exprime soit devant les députés, soit devant ses électeurs de Lisieux (par exemple en août 1841). « Affermissez vos institutions, éclairez-vous, enrichissez-vous, améliorez la condition morale et matérielle de la France », déclarait-il le 1er mars 1843 à la Chambre. Mais la formule : « Enrichissez-vous par le travail et par l'épargne », n'était pas de celles qui provoquent les dévouements. Habitué à l'impopularité, plus admiré qu'aimé par ses propres partisans, Guizot, qui fut constamment soutenu par le roi, considérait que nul mieux que lui ne pouvait mener une politique de juste milieu, assurant l'ordre et la liberté selon les vœux de la bourgeoisie; mais la stabilité ministérielle, si souhaitée au lendemain de la crise de 1840, se transforma en immobilisme.

La tactique parlementaire amena Guizot à utiliser les menaces qui pesaient éventuellement sur le régime de Juillet, en vue de renforcer l'autorité gouvernementale. C'est ainsi que la mort du jeune duc d'Orléans, tué en juillet 1842, dans un accident de voiture, amena un regroupement des forces politiques favorables à la

La stabilité parlementaire sous la monarchie de juillet

1. Députés en fonction 1831-1848.
2. Députés en fonction 1834-1848.
3. Députés en fonction 1839-1848.
4. Autres sièges de députés.

La plus ou moins grande stabilité parlementaire est davantage fonction de la conjoncture locale que de tendances régionales en raison du scrutin d'arrondissement qui était pratiqué.

monarchie de Louis-Philippe. Ce fut la dernière des grandes manifestations de sympathie populaire en faveur du roi. Les journaux de l'opposition dynastique, à laquelle on le disait favorable, furent ceux qui exprimèrent le plus d'émotion ; *le Constitutionnel* parut le 14 entouré d'un cadre noir, *le Siècle* parla « d'un deuil véritable dans Paris ». Les élections législatives qui venaient de se dérouler n'avaient donné qu'une faible majorité au ministère. Les Adresses au roi envoyées par les municipalités, la garde nationale, les chambres de commerce, les tribunaux, les évêques (53 sur 81) traduisaient, même s'il y avait dans ces démarches une part de conformisme, un attachement au souverain qui ne pouvait que se reporter sur son gouvernement. Le vote de la loi reportant la régence éventuelle sur le duc de Nemours connu pour ses sentiments conservateurs, au lieu de la duchesse d'Orléans, fut un succès pour Guizot et pour le roi soutenu par Thiers qui se sépara de l'opposition sur ce sujet ; la loi passa le 20 août avec 310 voix sur 404 votants. Louis-Philippe et Guizot conclurent, des vastes manifestations de sympathie, que la dynastie des Orléans était plus solidement établie qu'ils ne le croyaient. L'accord entre le souverain et l'opinion ainsi exprimée fut interprété, abusivement, dans le sens de la poursuite de la politique ministérielle et de la persistance de l'influence royale dans le gouvernement. A plus long terme, le duc de Nemours étant réputé moins libéral que son père, une large fraction de l'opposition dynastique désespéra de voir une orientation du régime conforme à ses vœux. Le contrat tacite entre le roi et le pays reposait toujours sur la persistance de la paix intérieure et extérieure. C'est dans le débat sur la régence que Thiers avait affirmé : « Derrière le gouvernement de Juillet il y a la contre-révolution et devant il y a l'anarchie. »

Or, l'agitation légitimiste qui s'anime à la fin de 1843 est utilisée par le gouvernement de Guizot qui exagère volontiers le péril pour se maintenir. L'opposition légitimiste avait paru moins dangereuse en devenant parlementaire, avec Berryer notamment. Or, la mort du duc d'Orléans, en affaiblissant la nouvelle dynastie, relevait les espoirs du jeune duc de Bordeaux. Poussés à la fois par la nécessité de regrouper les tendances divergentes du légitimisme et par le désir de confirmer son rôle de prétendant (ne serait-ce que pour enrayer les ralliements à Louis-Philippe), ses partisans organisèrent un voyage à Londres sous l'incognito vite connu du comte de Chambord ; à la fin de novembre et en décembre 1843 près d'un millier de légitimistes allèrent saluer dans sa résidence de Belgrave Square celui qui était pour eux « Henri V ». La présence d'un pair de France et de cinq députés souleva à la Chambre des députés un débat à la suite duquel fut « flétrie » la visite à Londres des députés qui avaient ainsi donné une marque d'adhésion à une autre forme de gouvernement ; ce vote ne fut acquis que par 220 voix contre 190 après un débat très passionné contre Guizot. Cet incident permettait certes au régime de Juillet d'éviter le reproche d'oublier ses origines ; mais en arrêtant le ralliement des notabilités légitimistes au système conservateur, il affaiblit celui-ci et aggrave les tensions au sein des catégories dirigeantes.

Dans l'immédiat les divisions de l'opposition réduite à critiquer la diplomatie de Guizot et à exciter l'anglophobie et le chauvinisme, ne présentaient guère de danger. Mais le régime représentatif était faussé précisément par cette absence d'alternative politique dans le cadre même des institutions. La stabilité même entraîne une usure du pouvoir ; qu'il s'agisse de l'administration ou des municipalités, les mêmes hommes se perpétuent et ont tendance à monopoliser les avantages du pouvoir. Sous-préfets, magistrats, fonctionnaires de tout ordre comptent plus sur l'appui du député de leur arrondissement (surtout s'il est ministériel) que sur leur supérieur hiérarchique, pour obtenir une promotion. Dans les villes, les fréquentes difficultés des préfets à trouver des notabilités acceptant les fonctions de maire, monotones et absorbantes, amènent le ministère à soutenir les municipalités en place et les notabilités locales même contre ses propres agents.

La pression des intérêts particuliers.

L'action du pouvoir était neutralisée par la pression de groupes d'intérêts opposés, — d'intérêts matériels (par exemple dans la question des sucres, symbole d'imbroglio insoluble) ou d'intérêts moraux. Le gouvernement de Guizot était favorable à l'abolition de l'esclavage dans les colonies ; l'opinion publique aussi, la Chambre des députés en avait admis le principe en mai 1844, en 1845, en mai 1846, mais à défaut d'un accord sur le système d'émancipation, le statu quo se prolongeait, en raison de l'action coordonnée de la petite minorité « esclavagiste » usant de l'argent, de la presse (avec Adolphe Granier de Cassagnac notamment) et de la tribune. Les lois des 18 et 19 juillet 1845 sur les conditions de rachat des esclaves et sur la législation coloniale prévoyaient la fin de l'esclavage tout en la reportant à plus tard.

Le gouvernement ne fut pas plus capable de résoudre le problème de la liberté de l'enseignement secondaire. La question scolaire était certes compliquée par la situation tendue entre l'État et l'Église catholique. Toutefois sous la pression de la papauté, sous l'influence de la reine Marie-Amélie cherchant à tempérer les sentiments voltairiens de Louis-Philippe, sous l'action aussi d'un renouveau du spiritualisme auquel un homme comme Guizot était sensible, il n'y a plus, après 1840, entre l'Église et les légitimistes une solidarité aussi étroite qu'au cours des premières années du régime de Juillet. La nomination, à l'archevêché de Paris, de Mgr Affre en remplacement en 1840 du très aristocratique Mgr de Quelen était un acte d'apaisement. Les catholiques et surtout les catholiques légitimistes n'avaient pas suivi en 1831 l'abbé de Lamennais ni Montalembert dans leur revendication de la liberté de l'enseignement, considérée alors comme une séquelle de l'action révolutionnaire. Les différents projets élaborés par le ministère à partir de 1836 et surtout de 1841 avaient pour but d'améliorer les rapports de l'État et de l'Église, ce qui apparaissait comme le plus sûr moyen de rallier une partie des légitimistes. La formation d'un comité de défense de la liberté d'enseignement en juillet 1843, devenu en août 1844 le comité électoral pour la défense de la liberté religieuse, sous l'impulsion de Montalembert, appuyé à cette époque par *l'Univers* et Louis Veuillot (très favorable par ailleurs à la monarchie de Juillet), donna une plus grande ampleur au mouvement.

Or, les différents projets élaborés par les différents ministres, Villemain en 1841, puis en 1844, Salvandy en 1847, furent retirés devant l'hostilité du clergé et aussi l'opposition des défenseurs du monopole universitaire. Un rapport ministériel de 1843 sur l'enseignement secondaire mentionnait l'existence de 102 institutions (dont 40 dirigées par des ecclésiastiques) et 914 pensions accueillant près de 35 000 élèves qui recevaient en partie des cours dans les collèges publics. Établissements privés et petits séminaires représentaient environ la moitié des effectifs de l'enseignement secondaire, mais c'était une situation de fait, et plusieurs recteurs se plaignaient de la concurrence faite par les établissements ecclésiastiques aux collèges publics. La position du ministère avait été formulée nettement dans le discours du trône à la fin de 1843, il promettait « la liberté de l'enseignement, en maintenant l'autorité et l'action de l'État sur l'instruction publique ». Cette position de compromis échoua en mécontentant à la fois ceux que l'on appelait les « néocatholiques » réclamant « la liberté comme en Belgique » et les défenseurs de l'Université comprenant à la fois la bourgeoisie anticléricale mais aussi ceux, comme *le Journal des Débats*, qu'inquiétait la violence exagérée de la campagne anti-universitaire d'évêques comme Mgr Clausel de Montals. Les débats stériles devant les Chambres desservirent le ministère; il s'était compromis aux yeux d'une partie de la bourgeoisie orléaniste par ses concessions au clergé. Le gouvernement n'en voyait pas moins une partie des catholiques se retourner contre lui et le clergé de plus en plus indifférent au régime; ses demi-mesures ne satisfaisaient personne, il négociait avec le Vatican le départ de jésuites mais il fermait les yeux sur le privilège de fait des petits séminaires. Plus gravement le maintien du statu quo empêcha tout progrès et toute modernisation de l'enseignement secondaire en dépit de sa discordance avec les besoins sociaux, sur ce point aussi le système conservateur bloquait toute évolution.

4. Les élections de 1846

Dépolitisation?

Les élections législatives d'août 1846 semblaient consacrer le triomphe du système de Guizot. Elles s'étaient déroulées dans les meilleures conditions sociales et politiques.

La Revue des Deux Mondes, pourtant peu ministérielle, constatait le 30 juin : « les élections générales se préparent et se feront dans un des moments les plus tranquilles dont la France ait joui depuis longtemps »; l'électorat était plus sensible aux promesses de développement des intérêts locaux qu'aux débats idéologiques. Dès le 4 février 1846 Léon Faucher, qui était alors un journaliste de l'opposition libérale, se plaignait de la désaffection à l'égard de la vie politique : « L'esprit politique est mort dans ce pays, pour plusieurs années : on ne pense qu'à s'enrichir et à faire des chemins de fer ».

Sur le plan politique, le gouvernement pouvait tirer profit du maintien de l'ordre à l'intérieur, du prestige de la France à l'extérieur renforcé par le succès déjà prévisible des négociations en cours en Espagne. Aussi les adversaires du ministère étaient souvent obligés de se présenter à leurs électeurs comme des défenseurs de l'ordre : Abraham-Dubois député de l'opposition dynastique représentant Avranches affirmait son « amour de la paix, de l'ordre et de nos libertés ». A l'exception des candidats parisiens, bien peu écartaient d'eux l'étiquette conservatrice.

Tout le bruit fait par l'opposition contre les « pritchardistes » (les députés sortants qui avaient appuyé la politique de Guizot dans l'affaire Pritchard, dans le sens de l'apaisement) ne devait guère entraîner que deux ou trois échecs de députés ministériels.

Ministériels et opposants.

L'effort des différentes oppositions pour s'unir n'était pas allé sans difficulté; chaque tendance souffrait de dissensions internes, les légitimistes étaient partagés entre partisans d'une propagande auprès des milieux populaires, prêts à s'entendre avec les républicains et partisans de l'action parlementaire, davantage portés à l'entente avec les opposants dynastiques. Parmi ces derniers il existe des factions multiples (la gauche dynastique d'Odilon Barrot, le groupe du centre-gauche avec Thiers, les groupes plus réduits encore de Tocqueville ou de Dupin). Toutefois, la force des candidats ministériels impose des coalitions hétérogènes. Des radicaux renoncent à leur anticléricalisme; dans l'Ouest, où l'antagonisme était si fort entre blancs et bleus, des électeurs de l'opposition dynastique font élire à Cholet un légitimiste, Quatrebarbes, contre le député sortant, ministériel. Dans plusieurs arrondissements le clergé catholique fit campagne contre les candidats ministériels, tantôt parce qu'ils étaient protestants (dans le Doubs, le sous-gouverneur de la Banque de France, Vernes); tantôt parce qu'ils avaient pour adversaire un catholique légitimiste. C'était surtout les candidats des oppositions qui étaient organisés en comités électoraux; et c'est sous l'impulsion des dirigeants de Paris que s'établit le plus souvent une alliance, en province, entre les légitimistes et la gauche.

Mais ces rapprochements détournent des électeurs des candidats opposants. De nombreux notables légitimistes se sentent plus d'affinités avec des conservateurs catholiques, partisans de la liberté d'enseignement avec Montalembert, qu'avec des radicaux.

Les conservateurs disposaient eux aussi de comités électoraux, surtout dans les grandes villes, à Bordeaux, à Rouen, à Lille où ils étaient soutenus par les grands milieux d'affaires et par des journaux. Mais le principal atout des candidats ministériels tenait aux pressions administratives qui s'exerçaient en leur faveur. Celles-ci se manifestaient de façons très diverses; parfois l'action de l'administration était sollicitée; le procureur général de Montpellier signalait au garde des Sceaux le 24 juillet « cette démarche des principaux électeurs de Pézenas, proposant [au préfet] de nommer pour député, qui il leur désignerait, *son cheval s'il le voulait*, pourvu que le chemin de fer passât par leur ville ».

La pression administrative jouait sur une gamme très variée que nous présentons ailleurs (t. 7). Les préoccupations électorales occupaient une place importante dans les distributions de décorations, dans les nominations ou mutations de fonctionnaires et de magistrats. Les opposants battus devaient rendre l'action de l'administration responsable de leur échec; ils dénoncèrent la corruption électorale et les « bourgs pourris », même si certains élus de l'opposition en avaient aussi bénéficié. En fait, les dénonciations explicites de corruptions électorales, d'achats de votes furent rares; l'élection de Drouillard, riche maître de forges, à Quimperlé, fut annulée et provoqua un procès devant les assises et cinq condamnations; les deux candidats de cet arrondissement étaient des conservateurs qui s'étaient livrés aux mêmes exactions; or Drouillard eut pour défenseur le député légitimiste Berryer.

Le scrutin.

L'ampleur de la campagne électorale, l'effort exceptionnel des partis d'opposition, accrurent le succès du ministère qui pouvait compter sur 291 députés.

Les abstentions furent d'autant plus rares que l'élection était disputée. A Libourne où trois candidats bien organisés s'opposaient, il y eut 88 % de votants; à Forcalquier où un député sortant opposant est battu, 94 % des électeurs votent; 90 % des électeurs participèrent aux trois tours de scrutin qui furent nécessaires à Caen. La proportion des votants, forte surtout dans les petits collèges, le fut aussi dans quelques-uns des plus grands, 95 % à Nîmes et 91 % à Montpellier extra-muros (deux légitimistes sortant battus). L'abstention systématique fut parfois une manifestation de la minorité; à Marseille Berryer fut réélu avec 385 suffrages sur 393 votants mais 48 % seulement des inscrits avaient voté.

On assiste donc à plusieurs types de campagnes électorales et d'élections, traduisant diverses formes de l'emprise des notables sur la vie politique locale. La campagne traditionnelle, dans les petits collèges où le nombre restreint des électeurs amène les candidats (le plus souvent peu nombreux) à les voir tous; 84 % des députés furent élus avec moins de 400 voix, ce qui permettait d'individualiser les suffrages, de supputer les votes et de les influencer directement; 233 avaient été élus en obtenant entre 200 et 300 voix; 152 avaient été élus avec moins de 200 voix et même une dizaine avec moins de 100 voix.

Il n'y avait que 27 collèges comptant plus de 1 000 inscrits; parmi eux il y avait 11 arrondissements électoraux de la Seine (dont le IIe qui comptait le plus d'électeurs pour toute la France : 2 968), 2 à Lyon, Lille, Rouen, 1 à Marseille, Orléans, Amiens. Il s'agissait principalement de grandes villes dans lesquelles existait une presse diversifiée, qui politisait davantage l'élection.

On peut donner une autre analyse du scrutin en tenant compte du degré de compétition. C'est ainsi que 55 % des députés (251) ont été élus au premier tour avec la majorité absolue des électeurs inscrits; dans 36 collèges toutes les voix des électeurs s'étaient portées sur un seul candidat; dans 30 autres cas, l'élu eut plus des trois quarts des voix exprimées, Guizot à Lisieux (523 voix sur 561 votants), mais aussi Odilon Barrot à Chauny.

Il y avait eu 117 députés (25 % de la Chambre) élus au premier tour avec la majorité absolue des votants, mais seulement avec la majorité relative par rapport aux inscrits.

Moins de 20 % de la Chambre fut élu au second tour (55 députés) ou même au troisième tour (27), élections les plus disputées, mais pas toujours les plus politisées.

En l'absence de partis constitués et organisés, les voix désignent des hommes (ou des intérêts, ou des passions) plus que des programmes. Les électeurs de Ledru-Rollin dans le collège du Mans-campagne sont certes des opposants mais il serait excessif de les considérer tous comme des radicaux aussi avancés que leur élu. Ce n'est guère que dans les grandes villes que la répartition entre voix ministérielles et voix de l'opposition a un sens; ainsi à Paris les candidats opposants ont 8 965 voix contre 5 483 aux conservateurs.

La nouvelle Chambre.

La Chambre, élue en août 1846, est la seule qui ait donné sous le règne de Louis-Philippe une majorité cohérente, reposant sur 291 des 459 élus. Ce fut aussi celle qui assista à la chute du régime; ce contraste mérite que l'on en fasse une analyse, exemplaire du régime censitaire restreint.

Sur le plan politique la faiblesse numérique de l'opposition est aggravée par ses divisions. A l'extrême droite, les légitimistes qui ont perdu 10 sièges ne sont plus que 16. A l'extrême gauche radicale il y a 12 élus.

L'opposition orléaniste dirigée contre le ministère mais non contre le régime n'a aucune homogénéité. Une centaine de députés appartiennent à la gauche dynastique dirigée par Odilon Barrot; elle se recrutait soit dans des départements ruraux assez riches, pour que les notabilités locales soient indépendantes (l'Aisne, la Drôme, l'Indre-et-Loire); soit dans l'Ouest où la méfiance envers les légitimistes porte la bourgeoisie orléaniste vers des candidats anticléricaux, soit dans l'Est où les susceptibilités d'un sentiment national plus vif éloignent de la diplomatie de Guizot.

Le centre gauche animé par Thiers ne comprend que quelques députés. Enfin il y a un petit nombre de modérés libéraux, défiants à l'égard du ministère, sans lien entre eux, mais comptant des personnalités comme Tocqueville, Lamartine, Dufaure.

La distance n'est pas grande entre ces derniers et les « conservateurs progressistes » qui se retrouvent, eux, au sein de la majorité ministérielle mais qui par leur âge (plus jeune), ou par leur rôle plus tard, notamment sous le second Empire, représentent un élément de renouvellement de la classe dirigeante. Ils s'intéressent davantage à la politique économique qu'à l'idéologie politique. On trouve parmi eux des représentants de la jeunesse dorée du régime comme le futur duc de Morny et un groupe de « technocrates », ingénieurs, économistes ou chefs d'entreprises. Au total 25 à 30 députés représentant un nouveau style mais sans doctrine, sans programme, sans leader, ils introduisent, seulement, un sentiment d'insatisfaction dans la majorité ministérielle.

Celle-ci reste composée par des éléments peu homogènes; libéraux de la Restauration devenus des conservateurs; légitimistes ralliés; notabilités locales toujours prêtes à soutenir le gouvernement pour participer aux avantages du pouvoir. Enfin fonctionnaires attachant souvent leur vote aux espoirs de promotions; ils apparaissent comme des mandataires privilégiés pour obtenir des avantages de l'État, aux yeux de beaucoup d'électeurs.

La Chambre élue en 1846, compte 188 députés fonctionnaires, soit 40 % de la Chambre. Si quelques-uns siégeaient dans l'opposition et même à l'extrême gauche (Arago), la grande majorité était ministérielle et contribuait ainsi à dépolitiser la vie publique au profit de la gestion des intérêts matériels; surtout, des magistrats, ce qui améliorait la compétence législative de la Chambre mais ne la prédisposait pas aux changements.

Les représentants des professions libérales fournissent au contraire une plus forte proportion d'opposants. La plupart des chefs de l'opposition sont des avocats, Ledru-Rollin, Odilon Barrot, Billault, Dufaure, Berryer. Il y avait 62 hommes de loi, 7 ou 8 médecins, 8 journalistes (principalement de l'opposition), quelques écrivains comme Thiers ou Lamartine.

Ce dernier se rattachait en fait, de même que Tocqueville ou Rémusat, à la catégorie des grands propriétaires et les deux précédentes catégories fonctionnaires et professions libérales, ne devaient aussi leur capacité politique et leur cens d'éligibilité qu'à leurs propriétés, foncière ou immobilière. Les propriétaires sans activité professionnelle formaient les deux tiers de la Chambre (environ 308 sur 459); mais plusieurs avaient exercé dans le passé une fonction, souvent de magistrat ou d'officier.

Quant aux professions économiques, banque, commerce ou fabrique, elles n'étaient représentées que par une minorité de députés, une quarantaine, mais il s'agissait de riches négociants ou banquiers, représentant de grandes dynasties économiques, Joseph Périer, les Fould, d'Eichthal, Gouin, le maître de forges Schneider.

Mais d'autres députés étaient directement liés à des activités commerciales, industrielles ou financières : une cinquantaine de députés siégeaient dans des conseils d'administration.

La stabilité du recrutement parlementaire avait été renforcée en 1846; il y avait eu 111 nouveaux députés mais plusieurs avaient fait partie de précédentes législatures. Dans 21 départements tous les sortants avaient été réélus; les changements avaient été plus nombreux dans les villes (les 3 de Toulouse, 2 sur 3 à Marseille, 2 sur 4 à Bordeaux et Rouen...), toutefois Lyon avait réélu ses députés et dans la Seine il y avait eu 11 réélus sur 14.

Ces élections de 1846 ne diffèrent apparemment des précédentes que par le renforcement de la majorité ministérielle. Elles restent dominées par les notables et traduisent davantage la structure de la société (le pouvoir social et économique engendrant le pouvoir politique) que l'idéologie. Pourtant elles révèlent deux caractères, qui, sans être nouveaux, sont plus accusés; une représentation faussée par une trop grande proportion de députés fonctionnaires et par une trop grande attraction parisienne sur le recrutement parlementaire; 174 députés (sans compter ceux de la Seine) étaient installés à Paris mais étaient élus en province. Ce renforcement de la centralisation parisienne en rapport avec l'essor du capitalisme et la collusion plus étroite de l'État et des catégories dirigeantes s'accompagnait d'un plus grand décalage entre Paris et les dirigeants de la nation, exerçant leur pouvoir à Paris, mais l'exerçant contre les aspirations dominantes du peuple et aussi de la petite bourgeoisie de Paris.

7

La politique extérieure
et coloniale
de la monarchie de Juillet

1. La position de la France en 1830.
Ses possibilités d'action à l'extérieur
au lendemain de la révolution.

Le bilan de la Restauration était bien plus favorable en politique extérieure qu'à l'intérieur. La France, replacée dès 1818 dans le concert des grandes puissances, avait repris un rôle actif dans les affaires européennes, refait son armée, construit une nouvelle flotte. La restauration de la marine avait été amorcée par un armateur de Bordeaux, ville où les souvenirs du grand commerce demeuraient présents, le baron Portal, qui fut directeur des colonies au ministère de la Marine (1815-1818), puis ministre de 1818 à 1821 et, après son départ, par Tupinier, directeur des ports et arsenaux à partir de 1824. La marine joue un rôle qu'on a aperçu dans la Méditerranée : encore incapable de faire le blocus de Cadix en 1823, elle permet de prendre une part importante dans les affaires grecques et, en 1830, assure le difficile débarquement d'Alger. A cette date, la France est bien présente dans la Méditerranée « la mer politique de nos jours » (Tocqueville); la grande reconversion économique et politique nécessaire qui va de pair avec l'ouverture de l'Orient ne lui a pas échappé : influente à Constantinople où elle a renoué les rapports de l'Ancien Régime avec le sultan, amie de la jeune Grèce, presque tutrice en Égypte dont ses ingénieurs projettent les grands travaux, ses instructeurs forment les soldats, ses chantiers construisent les vaisseaux; elle s'installe dans la régence d'Alger, ce qui, avec son rôle en Espagne, marque sa puissance dans le bassin occidental de la mer qui renaît.

Les débris du vieil Empire colonial que les traités de 1815 nous avaient laissés étaient modestes et Villèle avait en 1825 reconnu l'indépendance de Saint-Domingue. Les « îles à sucre », Bourbon, la Martinique, la Guadeloupe, voyaient leur prospérité menacée par l'abolition de la traite et le développement de la production betteravière de la métropole. Mais la Restauration avait vu la reprise par la marine des découvertes de terres lointaines et de tentatives de colonisation (essai de pénétration le long du fleuve Sénégal, de peuplement de la Guyane, de création d'un établissement à Sainte-Marie de Madagascar). Autant d'essais, autant d'échecs, mais préparant les réussites du régime suivant.

Cependant, les relations avec les grandes puissances européennes demeuraient la préoccupation essentielle. L'opinion libérale continuait à rêver de reprendre la rive gauche du Rhin, satisfaction que Chateaubriand et Polignac auraient aimé lui donner. Sauf pour la réalisation de cette chimère, la France en 1830 pouvait compter sur l'amitié du Tsar et les ménagements de Metternich, ce qui lui permettait de braver le mécontentement anglais lors de la prise d'Alger.

La révolution de Juillet bouleverse cet échiquier diplomatique. Le tsar et Metternich sont inquiets. Ils décident de n'agir que si la France se laisse entraîner à intervenir en Europe. Quant à Wellington, qui préside alors le gouvernement anglais, pas plus que l'ambassadeur à Paris, lord Stuart de Rothsay, il n'est très favorable à l'événement, s'il n'est pas fâché du départ de Charles X.

L'agression française en Europe demeurait en effet parmi les hypothèses possibles. Une sorte de fièvre patriotique, attisée par les réfugiés étrangers, y poussait. En attendant, on assistait à une levée massive d'hommes sous la forme de gardes nationales qui proliféraient dans tout le royaume, extraordinaire poussée cocardière sans buts bien définis que coiffait le vieux La Fayette. Cependant, le premier gouvernement français affirmait dès le 3 août : « La France montrera à l'Europe... qu'elle chérit la paix aussi bien que les libertés et ne veut que le bonheur et le repos de ses voisins. »

Le nouveau roi assurait les capitales que sa présence était une véritable garantie contre toute tentative belliqueuse. Il réussit à les convaincre et dès le 31 août le gouvernement anglais le reconnut ; la Prusse et l'Autriche suivirent, puis le Tsar d'assez mauvais gré.

Sous la restauration, la politique extérieure avait été très largement la chose du roi. Louis-Philippe ne songe pas à abandonner cette prérogative royale. Certes il lui faut davantage ruser pour l'imposer. Mais sa dissimulation naturelle, cachée sous une fausse bonhomie, le servait. Il y eut souvent un secret du roi et celui-ci traita bien des problèmes secrètement avec les ambassadeurs étrangers. Certains ministres regimbèrent : Casimir Périer avec sa violence habituelle, Broglie avec son honnête raideur, tandis que Thiers et le roi se chamaillèrent à qui « conduirait le coche ». Les autres s'inclinèrent.

Cette action royale employa des moyens mesquins, s'enroba d'un bavardage souvent maladroit, s'infléchit de raisons dynastiques. Mais elle eut une idée centrale, poursuivie avec une obstination courageuse : la paix de l'Europe. Quand on examine rétrospectivement la fièvre belliqueuse qui saisissait jusqu'aux esprits les plus sages du temps, prêts à la moindre crise à lancer cet État fragile dans des aventures impréparées, on ne peut s'empêcher de penser que le surnom donné au roi de « Napoléon de la paix », n'est pas immérité.

2. L'indépendance belge

Le 25 août éclata la révolution bruxelloise. Les insurgés, influencés par les « Glorieuses » voulaient avant tout affranchir la Belgique de l'union avec la Hollande, union que lui avait imposée en 1814 la formation du royaume des Pays-Bas. Mais, ce désir d'autonomie satisfait, ils auraient sans doute consenti à garder le souverain hollandais ou un prince de sa famille. Ce sont les finasseries du roi et surtout la tentative manquée du prince d'Orange de reprendre Bruxelles par la force (23-27 septembre) qui amenèrent le gouvernement provisoire belge à déclarer l'indépendance (4 octobre).

Mais le royaume des Pays-Bas possédait un statut international, donnant droit de garnison aux Alliés de 1814 dans des forteresses situées en territoire belge en cas de menace française et lui accordant leur garantie. Dès le 7 septembre, le roi Guillaume fit donc appel aux Alliés. Mais si le tsar Nicolas Ier réunit des troupes en Pologne, le roi de Prusse, Frédéric-Guillaume IV, le plus proche des Pays-Bas, s'inquiétait surtout de défendre la Westphalie de la contagion révolutionnaire et le gouvernement autrichien était absorbé par les problèmes italiens.

Les Anglais, principaux intéressés à cause de la question d'Anvers, avaient pour chef de gouvernement Wellington, qui avait participé à la formation du royaume des Pays-Bas, mais qui, outre ses difficultés intérieures, devait tenir compte d'une opinion hostile aux Hollandais, rivaux commerciaux détestés.

Face aux tergiversations des Alliés, la position française fut clairement exprimée par Molé, premier ministre des Affaires étrangères de la nouvelle monarchie: la France n'interviendrait pas en Belgique, mais si des troupes étrangères envahissaient celle-ci, elle irait au secours des Belges.

Cependant l'option paix ou guerre était aux mains des Anglais et, par là, Londres devenait le centre de la diplomatie européenne. Talleyrand y fut nommé ambassadeur (5 septembre) et à son arrivée à Douvres, le vieillard tout cassé « semblable à un lion mort » reçut de la foule anglaise manifestement favorable à la paix, les seules acclamations populaires de sa carrière. Échappant au contrôle de ses ministres successifs, il correspondit directement avec le roi.

La première décision à laquelle Aberdeen, ministre des Affaires étrangères et Talleyrand amenèrent les puissances continentales, fut de soumettre le problème belge à un congrès européen de représentants des cinq grandes puissances. Cette « Conférence » se réunit à Londres le 4 novembre pour se poursuivre pendant près de trois ans. La Russie y verra son influence limitée par la révolte polonaise qui éclate dès novembre 1830. Parallèlement à la conférence, se réunit à Bruxelles le 10 novembre le Congrès, élu au suffrage censitaire et muni de pouvoirs constituants; dès le 18, il vota l'indépendance, le 23 il décida que la Belgique serait une monarchie. Ainsi s'instaura une sorte de dialogue par-dessus la Manche entre la Conférence et le Congrès, dialogue souvent sans aménité, le Congrès supportant difficilement qu'un organe des grandes puissances influe sur les futures destinées du pays, mais ne pouvant guère s'y opposer.

Le 19 novembre, après les élections anglaises, Grey remplaçait Wellington et Palmerston, Aberdeen.

Celui-ci va jouer d'emblée le rôle principal à la Conférence. Méfiant vis-à-vis de la France, mais favorable aux nationalités, il désire créer une Belgique indépendante, qui échappe à l'ingérence française. Il s'accorde donc avec Talleyrand pour obtenir l'émancipation de la Belgique, mais rejette les offres d'alliance défensive que lui propose le gouvernement français qu'il soupçonne de vouloir brouiller l'Angleterre avec les autres cours.

Dès le 20 décembre, la Conférence reconnaît l'indépendance belge ; le nouvel État sera perpétuellement neutre (20 janvier), précaution prise pour lier la France et freiner les sympathies naturelles des deux États ; à la même date, on fixe les limites et on en exclut le Luxembourg et le Limbourg, qui ont pourtant pris part à l'insurrection antihollandaise ; on refuse aussi à la France la frontière de 1814 qui lui rendrait Philippeville et Marienbourg. Par contre, les Prussiens conservent le droit de tenir garnison à Luxembourg, précaution dirigée contre une poussée française vers le Rhin ; on met à la charge de la Belgique les 16/31emes de la dette du royaume des Pays-Bas ; enfin, le 1er février, on décide que le futur souverain sera choisi hors des cinq familles régnant dans les grands États.

La convention des limites et celle des dettes soulèvent l'indignation du Congrès belge (bientôt les Belges accuseront Talleyrand de s'être montré trop conciliant parce qu'il avait reçu un dessous-de-table du roi de Hollande), et un courant puissant s'y manifeste en faveur de la candidature au trône de Belgique du duc de Leuchtenberg, fils d'Eugène de Beauharnais, candidature envisagée aussi avec faveur par une partie de l'opposition libérale française, nostalgique de l'empire napoléonien. Pour dissiper ce danger, Louis-Philippe encourage tacitement l'ambassadeur Bresson à lancer la candidature de son second fils, Nemours (qui a 16 ans), et à persuader le congrès que le roi de France se laissera forcer la main, si celui-ci est élu. Parallèlement, la France semble ne pas vouloir ratifier la convention des limites.

L'intrigue réussit de justesse : Nemours est élu par 97 voix contre 74 à Leuchtenberg et 21 à l'archiduc Charles.

Le 17 février, Louis-Philippe reçoit la délégation du Congrès qui lui fait part du résultat : il refuse et profite de la circonstance pour étaler aux yeux de l'Europe son attachement à la paix. Leuchtenberg est désormais impossible, les Belges se sont laissé jouer. Cependant le Congrès se résoudra à élire Léopold de Saxe-Cobourg, veuf d'une princesse anglaise qui a précédemment refusé le trône de Grèce et dont la candidature est appuyée à la fois par Palmerston et Talleyrand. Celui-ci, en don de joyeux avènement, réussit à obtenir de la Conférence le traité des XVIII articles qui promettait de substantielles améliorations au traité des limites, mais qui ne sera jamais appliqué. Le 21 juillet, le nouveau roi prêtait serment à la Constitution votée par le Congrès et inaugurait ses fonctions.

Mais le 3 août, le roi des Pays-Bas, qui n'avait pas reconnu les XVIII articles et avait reconstitué une force militaire imposante, envahissait la Belgique qui se montra incapable de résister. Casimir Périer, président du conseil français, donne aussitôt l'ordre au maréchal Gérard d'entrer en Belgique : celui-ci reconduisit les Hollandais à la frontière.

La faiblesse de la résistance nationale a quelque peu déconsidéré les Belges. Talleyrand insinue qu'un partage entre la Prusse, la Hollande et la France serait peut-être la meilleure solution, tentative qui tourne court. Cependant le traité des XXIV articles est en retrait sur celui des XVIII articles. S'il donne à la Belgique la partie wallonne du Luxembourg, le reste demeurera propriété du roi de Hollande qui garde aussi une partie du Limbourg et Maestricht.

Les Belges s'inclinent de mauvais gré, mais le roi Guillaume refuse d'envisager la moindre modification à la première convention des limites. Pour l'obliger à faire évacuer la forteresse d'Anvers il faut une expédition franco-britannique : la flotte anglaise bloque les côtes hollandaises et le maréchal Gérard s'empare d'Anvers faisant la garnison prisonnière (22 décembre 1832). Un armistice est alors signé. Il faudra attendre 1838 pour que le roi accepte les XXIV articles qui lui permettent de rentrer en possession du Limbourg et du Luxembourg, toujours occupés en fait par les Belges. Et cette fois, c'est sur ceux-ci que la France et l'Angleterre devront faire pression pour qu'ils lâchent prise.

Les avantages territoriaux obtenus par la France sont nuls, puisqu'elle n'a même pas pu retrouver la frontière du premier traité de Paris en 1814; elle n'a pu, des treize forteresses de la barrière, obtenir le démantèlement que de cinq qui n'étaient pas même celles de son choix. Mais Louis-Philippe et Talleyrand, en hommes du XVIIIe siècle, pensent que la conquête des territoires n'est pas l'essentiel. La formation du nouvel État dont l'amitié n'est pas douteuse et qui ne peut s'appuyer que sur la France est en effet un succès considérable. Un lien dynastique le renforce : le roi Léopold épouse Louise, fille de Louis-Philippe dont les qualités de cœur feront une reine très aimée du peuple belge.

Le système d'alliance qui, contre la France, garantissait les Pays-Bas n'a pas joué et celle-là, malgré les journées de Juillet, est sortie de l'isolement où il aurait dû la confiner : grâce à sa modération dans les tractations de Londres, elle a pu se rapprocher de l'Angleterre, avec laquelle l'analogie des institutions créent un climat commun. Il y a rapprochement franco-anglais en face de la solidarité des puissances absolutistes, nostalgiques de la Sainte-Alliance. Palmerston dès 1831 célèbre une « entente cordiale qui doit contribuer à assurer la paix du monde ».

3. La première Entente cordiale et ses difficultés

Les conditions d'une véritable alliance entre la France et l'Angleterre semblaient réunies en 1833 : la collaboration franco-anglaise avait imposé au roi de Hollande un armistice; en Orient, le traité d'Unkiar-Skelessi signé en juillet entre le tsar et le sultan semblait rendre le premier maître de l'Empire ottoman menaçant à la fois les positions anglaises et françaises en Orient; enfin, Français et Anglais ont réagi avec la même sympathie aux mouvements libéraux d'Allemagne et d'Italie en 1832; les Autrichiens étant intervenus en Romagne pour briser un soulèvement contre le pape, Casimir Périer a installé un petit corps français à Ancône. Une vive sympathie unit de grands seigneurs whigs comme lord Holland et les milieux dirigeants français, en particulier les doctrinaires et le duc de Broglie, ministre des Affaires étrangères.

En face de cette entente Metternich croit devoir réaffirmer l'union des monarchies absolues. A Munchengrätz où se rencontrent l'empereur, le tsar et le roi de Prusse, des conventions sont signées : l'une d'elles, de caractère général, réaffirme les principes de la Sainte-Alliance en proclamant le droit de « tout souverain d'appeler à son secours, dans des troubles intérieurs comme dans les dangers extérieurs de son pays, tel autre souverain indépendant qui lui paraît le plus propre à l'assister »; si cette assistance d'une des trois cours a été requise et qu'une puissance veut s'y opposer, les trois cours se considèreront comme solidaires. Face aux puissances occidentales et surtout face à la France, ce traité est une manœuvre d'intimidation. Il manque son but car, lorsqu'il lui est communiqué, Broglie y répond avec hauteur et sa note du 6 novembre 1833 rappelle et précise les grandes lignes de la politique française de non-intervention : « Il est des pays où, comme nous l'avons déclaré pour la Belgique, pour la Suisse et pour le Piémont, la France ne souffrirait à aucun prix une intervention de pays étrangers. Chaque fois qu'une puissance étrangère occupera le territoire d'un État indépendant nous nous croirons en droit de suivre la ligne de conduite que nos intérêts exigeront. »

En décembre suivant, il offrit à Palmerston de discuter un traité défensif. Celui-ci se dérobe : « Nous désirons rester libres de notre appréciation en chaque occasion qui peut se présenter. » Formule qui résume la position de la Grande-Bretagne de Canning à 1904, mais inspirée aussi par les difficultés politiques et économiques de l'Entente.

Dans la péninsule ibérique se rencontraient alors deux situations similaires : au Portugal, la jeune reine Maria, parvenue au trône par l'abdication de son père, don Pedro, qui avait choisi le Brésil, était aux prises depuis 1827 avec une guerre civile déclenchée par son oncle don Miguel; en Espagne, Ferdinand VII ayant, avant sa mort (septembre 1833), abrogé la loi salique à l'instigation de sa quatrième femme Marie-Christine et au profit de sa fille Isabelle, née en 1830, l'oncle de celle-ci, don Carlos, contestait ses droits à régner avec l'appui du clergé et des provinces du Nord. Miguelistes et carlistes étaient unis par leurs théories absolutistes, recevaient l'aide de l'Autriche et aussi des légitimistes d'outre-Pyrénées. Cependant les gouvernements français et anglais ne s'étaient point accordés pour soutenir contre eux les partis constitutionnels. Lorsque certains nationaux français avaient été molestés par don Miguel, alors maître de Lisbonne, Casimir Périer avait envoyé une escadre s'emparer de la flotte portugaise dans le Tage, exiger des excuses et des réparations (juillet 1831) au grand déplaisir de Wellington. C'est avec l'aide des Anglais et des Espagnols, sans que la France intervînt, que don Pedro força son frère Miguel à capituler à Evora (mai 1834).

Lors des instances françaises pour conclure une alliance, Palmerston fait cependant connaître à Talleyrand l'existence d'un traité anglo-hispano-portugais et propose à la France d'y adhérer. Il consent qu'un nouvel accord soit conclu sur les affaires du Portugal (22 avril 1834), mais la France n'interviendra contre don Miguel que si on lui demande son concours; de même dans la convention du 28 août qui étend cet accord à l'Espagne, le transformant en « quadruple alliance », l'Angleterre aidera les constitutionnels moyennant des avantages économiques, la France se bornera dans l'immédiat à empêcher les secours de parvenir à leurs ennemis du nord de la péninsule.

Lorsqu'en 1835 don Carlos obtient des succès dans le nord de l'Espagne, le gouvernement Martinez de la Rosa sollicite l'aide de l'armée française, la présence d'un corps d'observation paraissant un secours insuffisant; si Louis-Philippe, malgré les instances de Thiers, était très hostile à cette intervention, l'attitude anglaise à cette occasion fut caractéristique, Palmerston déclarant qu' « il ne voulait en aucune manière se rendre solidaire d'une pareille mesure qui pourrait compromettre le repos de l'Europe ». Le résultat de l'abstention française fut le remplacement en Espagne du gouvernement modéré favorable à la France par celui des progressistes liés à l'Angleterre (1836); puis, de 1840 à 1843, ce fut la dictature du « régent » Espartero qui, en échange de l'appui britannique, livra le marché espagnol au commerce anglais. Bien entendu, au Portugal, le gouvernement anglais restaura son quasi-protectorat exclusif, mariant la jeune reine avec Ferdinand de Saxe-Cobourg (1835).

Ainsi, dans la péninsule ibérique, la collaboration franco-anglaise s'était muée en une rivalité désavantageuse à la France.

Ailleurs aussi, les querelles se multipliaient : en Grèce, où les deux pays s'étaient engagés à garantir des emprunts sur la place de Paris et de Londres pour consolider le gouvernement du jeune roi Othon de Bavière; au Sénégal, où les Français avaient acquis le monopole du commerce de la gomme avec les Maures Trarza; dans la baie de Portendick, un navire anglais fut saisi parce qu'il débarquait des armes pour une tribu révoltée et la flotte française mit la côte en état de blocus, origine d'un conflit qui se prolongea douze ans; en Algérie, où Palmerston tenta de faire intervenir la flotte turque.

Les milieux commerciaux et industriels anglais puissants aux Communes depuis les élections de 1832, se plaignaient de leur côté, que l'entente avec la France ne leur obtînt aucun avantage économique. Palmerston faisait savoir que, faute de concessions douanières, l' « union politique entre les deux gouvernements serait affaiblie ». En effet, le régime douanier que la monarchie de Juillet avait hérité de la Restauration ne comportait pas seulement des droits élevés, mais des prohibitions d'importer des articles fondamentaux du commerce britannique (fer, ouvrages de fer, d'acier ou de cuivre, fils de coton et de laine, tissus, vêtements, etc.).

Le duc de Broglie, personnellement libre-échangiste, comprenait toute la portée du problème. A la fin de 1832, il le fit étudier par les services français en collaboration avec John Bowring, directeur de la *Westminster Review*, et déposa un projet de loi qui ne soumettait plus qu'à un droit modéré les fils de coton anglais. Mais la Chambre rejeta le projet. Broglie dut se contenter de permettre par ordonnance la sortie des soies brutes réclamée par les industriels anglais. Ni cette concession, ni, en 1836, la levée de la prohibition d'importer les fils de coton, l'abaissement des droits sur la houille, les fontes et les laines, ne parurent aux Anglais suffisants. Lors des concessions des chemins de fer, la Chambre française réserva la plus grande partie des commandes aux métallurgistes français. Le ministère anglais eut recours à des mesures de rétorsion qu'il déclarait lui-même « absurdes » en taxant nos vins et nos eaux-de-vie. Un violent courant prohibitionniste se faisait jour en France, sous prétexte de sauver notre industrie à domicile contre les droits jugés trop peu élevés sur les fils et les tissus de lin. Seuls, les grands ports, les pays vinicoles et Lyon se montraient libre-échangistes. La bonne volonté et les conceptions libérales de certains gouvernants devaient céder au lobby manufacturier. Les négociations tentées avec l'Angleterre en 1839 se soldèrent par un nouvel échec.

Pour Palmerston, l'entente avec la France n'avait plus pour portée que d'empêcher une alliance franco-russe (il mésestimait d'ailleurs la haine profonde de Nicolas Ier pour le régime français). Quant aux hommes d'État français, non seulement Thiers ou Molé, mais Talleyrand et Broglie, ils en arrivaient à partir de 1834 à penser qu'il fallait s'écarter de l'Angleterre et se rapprocher de l'Autriche. Gouvernée par le parti de la résistance, la France devenait en effet un rempart de l'ordre en Europe. Et s'il y avait avec l'Autriche des intérêts divergents, en particulier en Italie, il existait aussi des possibilités de collaborer.

La Suisse en fournissait une. Pays où la police était exercée par des autorités cantonales sans vigueur, la Suisse était devenue après 1830 la terre d'asile essentielle pour les Polonais, les Allemands et les Italiens exilés ou fugitifs. Très vite, elle devint le centre de complots contre ses voisins, en particulier sous l'influence de Mazzini, qui y regroupait les forces révolutionnaires de tous les pays dans la Jeune Europe. Il entraîna en 1834 ses partisans dans des tentatives concomitantes d'insurrection en Savoie et en Allemagne. La conséquence, ce furent des vives protestations du Piémont, du corps germanique, de l'Autriche. Le gouvernement français s'entendit avec l'Autriche après l'arrivée d'un nouvel ambassadeur à Berne, Montebello (avril 1836) qui intervint dans les affaires intérieures de la Confédération et réclama des mesures contre les réfugiés de concert avec l'Autriche. S'il obtient le départ de Mazzini pour l'Angleterre, il encourut un certain ridicule en faisant chasser le nommé Conseil, agent provocateur français. Après la tentative de Louis-Napoléon Bonaparte à Strasbourg, il exigea l'expulsion de celui-ci, citoyen suisse; en 1838, la France réunit un corps d'armée dans le Jura et, en face, les milices suisses sont mobilisées; Louis-Napoléon fait cesser la menace de conflit en partant lui-même pour Londres.

En 1836, Thiers voulut élargir cet accord avec l'Autriche et lui faire franchir un pas décisif. Il se garda de protester à l'occasion de l'intrusion des troupes des trois puissances continentales dans la république de Cracovie. Il proposa secrètement à l'ambassadeur d'Autriche d'unir par un mariage le fils de don Carlos et la reine Isabelle. Surtout, il tenta d'obtenir la main d'une princesse autrichienne pour le duc d'Orléans. Bien que celui-ci envoyé à Vienne eût séduit l'archiduc Charles et sa fille Thérèse, on ne put décider Metternich à permettre le mariage d'autant plus que l'attentat d'Alibaud survint alors. Malgré les dérobades polies, la cause en fut évidente pour tous : « Personne ne mettra en doute que la maison d'Orléans ne soit une grande et illustre maison; c'est le trône du 7 août qui la rapetisse. » Le problème matrimonial fut résolu par la commisération du roi de Prusse qui fit accepter pour le prince héritier français, Hélène de Mecklembourg d'une petite, mais très ancienne maison. Mais Thiers, furieux contre l'Autriche, serait intervenu en Espagne sans le désaccord du roi : en tout cas, l'essai de rapprochement faisait place à un refroidissement. La France était donc isolée en Europe quand va éclater la grande crise orientale de 1839-1840.

4. La politique orientale de la France sous la monarchie de Juillet

La conférence de Londres, en 1832, a achevé de fixer le statut du jeune État grec indépendant le dotant d'un roi, Othon de Bavière, candidat de la France, et de frontières viables du golfe d'Arta au golfe de Volo. Mais le problème de la survie de l'Empire ottoman restait à résoudre.

Depuis le traité d'Andrinople, la Russie était en posture d'héritier privilégié : elle occupait les principautés de Moldavie et de Valachie et ses conquêtes en Asie qui avaient fait de la Caspienne un lac russe lui permettaient de serrer de près Erzeroum, clef de l'Asie Mineure. Si, sous sa pression, le verrou des Détroits venait à sauter, il apparaissait aux autres puissances que par ses possibilités de déboucher en Méditerranée, secteur essentiel de la stratégie et du commerce, elle réaliserait cette hégémonie sur l'Europe qui était apparue menaçante en 1814.

Aussi, les puissances avaient vu avec faveur les efforts du sultan Mahmoud pour réorganiser son empire. Mais le caractère religieux d'un pouvoir fondé sur l'inégalité entre Turcs et raïas, freinait toute modernisation des structures. L'impuissance de Mahmoud était d'autant plus éclatante que son vassal Méhémet Ali, pacha d'Égypte, avait créé un efficace régime de despotisme éclairé.

Méhémet Ali et le rebondissement de la question d'Orient.

Méhémet Ali, soldat de fortune albanais, était devenu pacha d'Égypte en 1806. Il avait brisé toute opposition. Il avait étatisé toutes les ressources du pays et entrepris sa modernisation avec l'aide de techniciens occidentaux parmi lesquels l'élément français l'emportait de très loin (vieux soldats de Bonaparte restés sur place et islamisés, demi-solde, commerçants marseillais, saint-simoniens). Le général français Boyer dirigeait l'instruction de l'armée égyptienne, dont le colonel Sève (Soleiman pacha) était le chef d'état-major; après Navarin, l'ingénieur de Cérizy avait fait sortir de terre tous les établissements indispensables à la création d'une flotte moderne; l'horticulteur Jumel avait créé le coton à longue fibre qui porte son nom; Linant de Bellefonds construisait les premiers grands barrages; Lambert bey dirigeait une école polytechnique et le médecin Clot bey inspectait les services sanitaires. Aussi l'opinion libérale en France s'enthousiasmait pour ce « continuateur de Bonaparte » et s'exagérait sa puissance.

Méhémet Ali visait avant tout à utiliser les progrès de l'Égypte pour une politique de conquête. Maître d'une partie du Soudan, de l'Arabie avec les villes saintes, il convoitait de la Crète la riche Syrie; en désaccord avec le pacha d'Acre, il envahit son territoire en 1832.

Les troupes du Sultan tentèrent en vain de l'arrêter : le 21 décembre 1832, elles étaient défaites à Konieh en Asie Mineure par

Ibrahim, fils adoptif de Méhémet Ali, le grand vizir Réchid étant fait prisonnier. Constantinople semblait menacé.

Cette avance de Méhémet Ali réveille la question d'Orient sous son aspect international : les Russes ne veulent en aucune façon voir « succéder un voisin fort et victorieux à un voisin faible et vaincu »; la France propose sa médiation et voudrait réaliser une sorte d'équilibre en Orient. Mais tandis que l'ambassadeur français, l'Amiral Roussin, aboutissait difficilement à faire donner par le Sultan à Méhémet Ali l'investiture de la Syrie et du district d'Adana, les Russes, ayant débarqué des troupes sur la rive asiatique du Bosphore, imposaient à la Porte le traité d'Unkiar-Skelessi (18 juillet 1833).

Celui-ci établissait une alliance défensive entre la Russie et l'Empire ottoman. Par un article secret, mais bientôt connu des autres puissances, le concours des deux alliés était fixé : le tsar fournirait au sultan attaqué par une tierce puissance un concours armé, le sultan se bornerait, si la Russie était en guerre, à fermer les Détroits aux navires ennemis empêchant ainsi une attaque en mer Noire. Aux yeux même du sultan, ce traité visait à établir un protectorat russe sur l'Empire ottoman.

L'Autriche et la Prusse, inquiètes de la situation en Allemagne, reconnurent à Munchengrätz la position du tsar dans l'Empire turc. A ce moment, Palmerston était plus hostile à la mainmise des Russes sur Constantinople qu'à la conquête de l'Empire par le pacha. Mais il estimait que le traité demeurerait lettre morte tant qu'on n'attaquerait pas l'Empire ottoman. Il préféra donc attendre. Cependant sa politique évolua au cours des années suivantes vers le maintien de l'intégrité d'un empire ottoman si possible rénové par des réformes intérieures : celui-ci devenait un marché non négligeable pour le commerce anglais à un moment où les États européens se hérissaient de frontières douanières; le problème d'une route de l'Angleterre vers l'Inde par l'isthme de Suez ou par le sud de la Syrie était posé et Palmerston s'inquiétait de la puissance du pacha et de l'influence française près de celui-ci. La crise orientale éclata donc dans un contexte où, entre Français et Anglais, en Orient comme ailleurs, les mauvais procédés tendaient à se substituer à l'Entente.

Ce fut le sultan Mahmoud qui la déclencha, encouragé dans une mesure difficile à préciser par l'ambassadeur anglais Ponsonby. L'étendue des possessions de Méhémet Ali et ses velléités de se proclamer indépendant menaçaient évidemment l'Empire ottoman de perdre la majeure partie de ses territoires asiatiques, en particulier ces villes saintes d'où le sultan tirait son prestige religieux; la présence d'Ibrahim en Syrie créait un qui-vive perpétuel à Constantinople et entraînait de lourdes dépenses militaires. La défaite valait mieux que le statu quo : l'Angleterre interviendrait pour sauver l'Empire et, en dernière ressource, le traité d'Unkiar-Skelessi jouerait probablement. Ce fut d'ailleurs en fait presque immédiatement la débâcle : à Nezib, le 24 juin, Ibrahim écrasa l'armée turque. Le sultan mourut le 30, sans connaître ce revers, et le 4 juillet la flotte turque partait rejoindre à Alexandrie les forces égyptiennes.

Soult, alors ministre des Affaires étrangères, proposa un congrès des puissances; Palmerston et Metternich ne purent qu'approuver et, le 27 juillet, les ambassadeurs prévenaient la Porte de ne pas traiter directement avec Méhémet Ali. La crainte de voir les Russes à Constantinople avait provoqué cette hâte française. Mais Palmerston espérait que la majorité des puissances obligerait Méhémet à abandonner la Syrie, tandis que Soult refusait d'envisager une action coercitive à Alexandrie.

Ce différend amena le tsar qui avait décliné l'offre de prendre part au Congrès à s'intéresser à nouveau à la question d'Orient : en renonçant aux avantages du traité d'Unkiar-Skelessi et en offrant son aide à l'Angleterre contre le pacha, il parviendrait sans doute à rompre l'entente franco-anglaise. Deux missions à Londres de son envoyé Brunnow vont réaliser ce dessein.

Mais si Palmerston fut très vite tenté par les offres russes, il dut tenir compte de la francophilie ou de la russophobie de certains de ses collègues du cabinet. Il offrit à la France de laisser au pacha le sud de la Syrie. Contre toute prudence, elle refusa et Palmerston avertit à la fin de 1839 le ministère français que le règlement du conflit pourrait être imposé par les autres puissances sans la France.

L'échec de Thiers.

Le désaccord fut aggravé par le remplacement le 2 mars 1840 de Soult par Thiers. Celui-ci, malgré les avertissements de Guizot qui, alors ambassadeur à Londres, était bien informé des discussions du cabinet britannique, joua un jeu dangereux : il fit traîner les conversations internationales en longueur et essaya de ménager un accord direct entre le sultan et le pacha. Il échoua sur ce point et Palmerston ne fut pas dupe de ces tractations.

Aussi imposa-t-il à ses collègues du cabinet l'accord avec la Russie. Un traité qui n'avait pas été communiqué à la France et auquel on ne lui demanda pas d'accéder fut signé à Londres le 15 juillet entre la Russie, la Prusse, l'Angleterre, l'Autriche. Les quatre puissances s'engageaient à maintenir l'intégrité de l'Empire ottoman et la suzeraineté du sultan. Elles décidaient que le pacha d'Égypte recevrait trois sommations successives à dix jours d'intervalle. S'il se soumettait à la première, il obtiendrait l'Égypte à titre héréditaire et le pachalik d'Acre sa vie durant; à la seconde, il n'aurait plus que l'Égypte; la troisième le mettait à la discrétion du sultan. Le jour même du traité, Palmerston donnait l'ordre à la flotte britannique d'intercepter les relations entre la Syrie et l'Égypte.

Connu à Paris, ce traité aggravé par sa forme volontairement blessante, souleva une extraordinaire fièvre chauvine. Il apparut comme la résurrection de l'alliance de Chaumont. Du duc d'Orléans aux républicains, on fut prêt à faire la guerre. On promènerait le drapeau tricolore dans toute l'Europe, on appellerait les peuples à faire la révolution contre les princes. Déjà, on entrevoyait des campagnes sur le Rhin et en Italie. Le peuple allemand d'ailleurs répondait à cette fièvre par une fièvre nationale égale : bien loin de désirer l'affranchissement par les armées françaises, il ripostait aux provocations françaises par des chants patriotiques comme *la Garde sur le Rhin* de Becker ou le *Deutschland uber Alles*.

Quant à Thiers, il rappelait des troupes, mettait en état les arsenaux ou les dépôts, faisait amorcer des travaux de fortifications autour de Paris. En fait, il bluffait, inquiétant Metternich, mais ne faisant pas perdre son sang-froid à Palmerston. Il pensait

— étrange erreur d'appréciation — que les Anglais n'auraient pas les moyens de faire céder le pacha si celui-ci restait sur la défensive. Il fut bientôt détrompé : la flotte anglaise bombarda Beyrouth sans rencontrer de résistance et un corps turc ayant été débarqué, Ibrahim dut se retirer en Égypte.

Le pacha avait laissé passer les délais de l'ultimatum, mais ni l'Autriche, ni la plupart des ministres anglais ne voulaient pousser la France à bout en le faisant déposer (une note française du 8 octobre faisait de cette déposition un casus belli). Perdant ses conquêtes, Méhémet Ali fut reconnu comme pacha héréditaire d'Égypte.

Cependant, en France, Thiers avait voulu, les Chambres étant convoquées le 28 octobre, insérer une phrase belliqueuse dans le discours du trône. Louis-Philippe s'y refusa. Son ministre démissionna; il avait pendant toute cette crise flatté les instincts cocardiers, laissant au roi l'impopularité et le courage d'œuvrer pour la paix. Dans le ministère Soult qui remplaça le ministère Thiers (29 octobre 1840), c'est Guizot qui obtenait le portefeuille des Affaires étrangères. Il avait la redoutable tâche de faire retrouver à la France isolée et humiliée sa place en Europe.

Cependant, le but de Palmerston avait surtout été de défendre les intérêts britanniques et de « donner une leçon » à la France, dont les progrès en Méditerranée l'inquiétaient. Lorsque le tsar proposa une alliance qui aurait pris l'allure d'une croisade contre le pays de la révolution de Juillet, il refusa.

Il pensait d'ailleurs indispensable l'adhésion de la France au nouveau statut des Détroits. Le sort de Méhémet Ali étant réglé, l'accord à cinq connu sous le nom de convention des Détroits put être signé (13 juillet 1841). La clause essentielle fermait en temps de paix le Bosphore et les Dardanelles à tout navire de guerre. C'était pour la Russie renoncer à déboucher en Méditerranée en s'appuyant sur une position privilégiée à Constantinople, mais conserver sa sécurité en mer Noire. La condition d'État tampon donnait un regain de vie à l'Empire ottoman. Quant à l'Égypte, son activité se consacrait désormais à son propre destin. La France y reprit un rôle important.

Rien ne semblait donc fondamentalement changé, mais les forces politiques sont aussi psychologie des peuples. Or, la France avait été traumatisée par la crise, avait senti renaître sa haine des traités de 1815 et de « l'étranger ». Tout geste conciliant de son gouvernement à l'extérieur parut faiblesse, sinon trahison. Injustement, dans ce domaine, la monarchie de Juillet se trouva discréditée.

5. La politique extérieure de Guizot (1840-1848)

A contre-courant de l'opinion, Guizot tenta un rétablissement de l'Entente cordiale. En août 1841, la victoire électorale des tories amenait la formation d'un ministère Peel et le retour au Foreign Office d'Aberdeen, compréhensif, conciliant et pacifique. A ses relations amicales avec Guizot, se superposèrent les liens des familles royales : Victoria avait épousé Albert de Saxe-Cobourg, neveu de Léopold, lui-même gendre de Louis-Philippe et deux des enfants de celui-ci ont contracté mariage dans la même famille. Par sa visite au château d'Eu en août 1843, Victoria rompt l'ostracisme des autres têtes couronnées vis-à-vis du souverain de Juillet. Louis-Philippe ira à Windsor en octobre 1844, recevra de nouveau Victoria en 1845. Cette façade de relations intimes cache cependant bien des divergences entre la politique des deux pays.

On sait l'importance qu'attachaient les Anglais à la politique douanière. Or, tandis que Peel s'oriente vers le libre-échange, le système protectionniste français se renforce. Guizot voudrait créer face au Zollverein une union douanière franco-belge. Aberdeen proteste au nom de la neutralité belge et Guizot qui se heurte aussi à l'hostilité des manufacturiers français ne conclut qu'un accord limité aux toiles de lin belges et aux vins français.

Autre sujet où l'Angleterre, avec des vues plus élevées, était également intransigeante : la répression de la traite. Un accord international sur le droit de visite mis sur pied par l'Angleterre avait été réalisé. En décembre 1841, Guizot y avait adhéré au nom du gouvernement français, mais la Chambre refusa de le ratifier. Après de longues négociations, un accord bilatéral plus limité fut voté en 1845 mais il se montra peu efficace. La même année, une expédition commune en Argentine des deux marines contre le dictateur Rosas, n'amena pas non plus une collaboration durable.

L'année précédente avait été marquée, par contre, d'alertes qui auraient mis fin à l'entente sans le sang-froid des ministres. La première est l'affaire Pritchard (voir ci-dessous p. 202) qui provoqua des deux côtés de la Manche un extraordinaire déferlement de haine au Parlement, dans la presse et l'opinion.

En soi, l'affaire marocaine était plus sérieuse, puisqu'on allait châtier chez lui le sultan du Maroc qui soutenait Abd-el-Kader. Mais le soin d'évacuer le pays dès les réparations obtenues justifièrent la confiance d'Aberdeen.

Au total, pendant cette période, les deux ministres des Affaires étrangères eurent surtout à régler des querelles incessantes entre Français et Anglais, qu'il s'agît d'amiraux ou de missionnaires dans le Pacifique ou de diplomates dans des cours étrangères : à Athènes, Piscatory et Lyons, liés le premier au parti des « fustanelles » et à son chef le Rouméliote Colettis, le second au parti des « habits »; à Madrid, où contre lord Bulwer, Bresson soutenait le général Narvaez qui avait remplacé Espartero en 1843.

L'alliance anglaise n'était pas aux yeux de Guizot exclusive d'autres ententes. Sa politique était par la force des choses plus sensible à tout le secteur méditerranéen occidental dont elle possédait les deux rives. L'accord était étroit avec Marie-Christine régente d'Espagne et Guizot tentait de rapprocher de celle-ci la cour napolitaine, inféodée à l'Autriche et jusque-là carliste. Il avait obtenu la reconnaissance par Naples du régime espagnol, et songeait à une union matrimoniale entre les deux cours, reprenant la vieille politique d'union des Bourbons remise en honneur par la Restauration qu'il n'est pas étonnant de retrouver chez ce libéral, en fait si traditionaliste. Aussi le mariage de la jeune reine Isabelle d'Espagne et de sa sœur l'infante Luisa-Fernanda lui paraissait un problème particulièrement important.

En 1845, Guizot convainquit Aberdeen de renoncer à placer un Saxe-Cobourg comme prince consort en Espagne : la jeune reine épouserait un Bourbon de la branche napolitaine et, lorsqu'elle aurait un enfant, on marierait sa jeune sœur au duc de Montpensier, le plus jeune fils de Louis-Philippe. Aberdeen, à cette condition de non-simultanéité, s'inclina.

Mais, en juillet 1846, Palmerston réintégra le Foreign Office. Il reprit l'idée de la candidature Cobourg. Guizot résolut de le prendre de vitesse en réalisant d'un coup le double mariage : annoncé en août, celui d'Isabelle avec son cousin le duc de Cadix, et de sa sœur avec Montpensier, furent célébrés le 10 octobre.

Palmerston eut des réactions de procureur, inondant les cours européennes de mémoires où il démontrait que la France avait violé le traité d'Utrecht, cherchant à discréditer Louis-Pnilippe en faisant publier des textes compromettants de son passé d'exilé, multipliant les avanies vis-à-vis de Guizot.

Celui-ci tentait alors de se rapprocher de l'Autriche et des puissances continentales. Non seulement, il laissait sans protester Metternich décider l'occupation de la république de Cracovie, mais comme le vieux chancelier, il prit fait et cause pour les cantons catholiques suisses du Sonderbund dans leur tentative, vite réprimée, de faire sécession. En Italie, où libéraux et nationalistes se soulevaient contre l'influence de l'Autriche, la France s'abstenait de les encourager. Pourtant, en fait, elle demeurait isolée en Europe à la veille de 1848, si ses intérêts l'orientaient de plus en plus vers la Méditerranée et les terres lointaines.

6. L'installation de la France en Algérie

L'expédition d'Alger.

La conquête de l'Algérie, dont les conséquences sur la politique méditerranéenne et africaine de la France devaient être si importantes, ne correspond cependant à aucun dessein prémédité.

La « Régence d'Alger » en 1830 fait partie de l'Empire ottoman. Une étroite aristocratie de janissaires (15 000 environ) élit le dey d'Alger qui reçoit l'investiture du sultan, seul lien qui rattache l'Algérie à l'Empire. Le dey lève l'impôt et assure l'ordre, mais son autorité directe est bornée à la ville et sa banlieue, le reste du territoire étant divisé entre trois beylicats : Titteri (Médéa), Ouest (Oran), Est (Constantine). L'ensemble de la population est formé d'éléments divers : fellahs arboriculteurs et agriculteurs de la montagne ayant gardé souvent la vieille langue kabyle; tribus semi-nomades, combinant agriculture et élevage ; Koulouglis, issus du mariage de soldats turcs et de femmes indigènes ; maures, bourgeois des villes, groupés en corporations, souvent descendants d' « Andalous » chassés par la *Reconquista* espagnole ; juifs, minorité sans cesse menacée, mais d'où s'est dégagée une élite ouverte au monde extérieur et puissante économiquement.

La Régence ne formait pas un monde islamique hermétiquement clos en face de l'Occident. La piraterie déclinait et des relations économiques s'étaient nouées avec les États italiens, l'Espagne (maîtresse d'Oran jusqu'en 1794), la France. Celle-ci avait à La Calle et à Bône des concessions de pêche du corail. Surtout Marseille commerçait avec la Régence, par l'intermédiaire des colonies juives de son port, d'Alger ou de Livourne.

Un épisode de ce commerce, une fourniture de blé livrée sous le Directoire, se trouve aux origines du différend entre la France et le dey. Les vendeurs, les juifs livournais Bacri et Busnach, avaient réussi, grâce à la complicité intéressée de Talleyrand, à faire reconnaître à leur créance le caractère de dette de l'État français et, en même temps, ils en avaient lié le remboursement à celui de sommes qu'eux-mêmes devaient au dey Hussein. Mais lors de la liquidation, ils avaient réussi à frustrer le dey du montant de sa créance et celui-ci accusait de complicité le consul français Deval, personnage taré dont il demandait avec insistance le remplacement. Le 29 avril 1827, il s'emporta, au cours d'une discussion en turc avec le consul et le frappa de son chasse-mouches. Le rapport de Deval au gouvernement obligeait le ministère Villèle à demander une réparation. Celui-ci se borna à un blocus inefficace. Un effort du ministère Martignac pour régler le problème par des négociations aboutit à un nouvel affront : le vaisseau *la Provence* essuya le feu des batteries d'Alger.

Polignac arrivait alors aux affaires et décida une intervention directe (31 janvier 1830) qui serait menée non par mer, Alger n'ayant jamais pu être ainsi forcée, mais par terre après un débarquement. Un colonel envoyé en mission secrète sous l'Empire, Boutin, en avait montré la possibilité et c'est son plan qu'on suivit. En quelques semaines, une flotte de 675 bâtiments, dont 103 de la marine de guerre, fut réunie à Toulon et embarqua le corps expéditionnaire commandé par Bourmont. L'amiral Duperré sut conduire d'un même rythme, en dépit de toutes les inquiétudes, cette flotte formée de vaisseaux de ligne, de corvettes armées en flûte, de chalands, de quelques vapeurs. On débarqua le 14 juin à Sidi-Ferruch à 17 km à l'ouest d'Alger. Le camp adverse de Staoueli fut emporté le 19; le 4 juillet le fort L'Empereur qui défendait Alger vers le sud était bombardé; le dey capitulait le lendemain et partait en exil. Bourmont fit occuper quelques points de la côte. Il promit aux habitants le respect de leur religion et de leurs biens. Polignac, avant sa chute, n'aura pas pris de décision ferme concernant le territoire qu'on croyait conquis.

L'expédition en réalité avait eu une double raison : légitimiste, en relevant le prestige d'un gouvernement contesté par l'opposition libérale; marseillaise, les milieux commerciaux du grand port, même libéraux, déçus par la difficulté de relever le vieux commerce du Levant lui cherchaient un substitut. Si le premier but fut manqué, il n'en fut pas de même du second.

L'occupation restreinte.

Le premier acte du gouvernement de Juillet fut de remplacer Bourmont par Clauzel, qui donnait toute garantie politiquement. Officier distingué des campagnes de l'Empire en Espagne et au Portugal, Clauzel avait aussi servi à Saint-Domingue et tenté d'exploiter un domaine aux États-Unis. Brillant et affairiste, il veut lier conquête et colonisation, et participe à la fièvre de spéculations que ce programme suscite. On achète près d'Alger les propriétés des Arabes qui veulent fuir les chrétiens, des biens habous, fondations pieuses inaliénables, et, faute de cadastre, des terres inexistantes. Clauzel veut faire une économie de plantations, songe à confier à des princes tunisiens les beylicats de l'Ouest et de l'Est. En désaccord avec le ministre, il se retire au bout de six mois et se fait élire député, pour défendre ses idées.

Au sein du gouvernement, les conceptions varient de l'occupation militaire à l'abandon. Au milieu de l'anarchie et des péripéties de l'affaire belge, Alger n'est qu'un embarras de second plan. Les remplaçants de Clauzel se débrouillent donc sur place au jour le jour. L'administration multiplie vis-à-vis des Européens qui débarquent les procédés arbitraires; on ne commencera à comprendre les besoins et la mentalité des indigènes qu'en 1833, lorsque fut créé le premier bureau arabe, confié au capitaine de Lamoricière.

C'est au même moment que Paris tenta de fixer sa doctrine. Une commission d'enquête parlementaire prépara les décisions d'une grande commission présidée par le duc Decazes et qui siégea jusqu'à l'été 1834. On entendit les témoignages les plus divers, on délégua des membres sur les lieux. Le résultat, ce furent les ordonnances de 1834 : en baptisant le territoire occupé *Possessions françaises dans le nord de l'Afrique*, elles mettaient fin à tout projet d'abandon, en alléguant l'attachement de l'opinion française à la conquête ; elles décidaient que l'Algérie serait régie par des ordonnances et non par des lois, qu'un gouverneur général dépendant du ministre de la Guerre administrerait sur place la colonie et qu'un conseil d'administration de hauts fonctionnaires civils et militaires lui donnerait des avis. Quant à l'occupation du territoire, elle se limiterait à Alger, Bône, Oran, Bougie, et la colonisation aux deux premières de ces villes.

Déjà la Mitidja et le Sahel s'étaient peuplés de colons européens. Grands propriétaires, souvent légitimistes, dits « colons en gants jaunes » comme de Vialar ou de Tonnac qui exploitaient des domaines avec des métayers indigènes ; petits colons, attirés par une âpre passion de la terre, qui luttaient héroïquement contre l'insalubrité de la plaine (par exemple, aux environs de Boufarik où ils s'accrochaient à des lopins de terre, malgré une effrayante mortalité) ou les attaques des Hadjoutes. Le système de l'occupation restreinte conduisit les officiers du génie à une conception qui rappelle la muraille de Chine : l'*obstacle continu* était un immense fossé encadrant toute la Mitidja, bordé d'un talus, ponctué de tours où quelques hommes devaient tenir garnison. L'ensemble n'était pas achevé que les premiers travaux étaient déjà en ruine, les tours abandonnées. La seule garantie de cette politique d'occupation restreinte était donc l'accord avec de grands vassaux indigènes et ce fut la politique suivie, non sans quelques intermittences, dans l'Ouest. Les généraux qui commandaient à Oran, Desmichels en 1834, Bugeaud en 1837, firent confiance à un jeune chef Abd el-Kader qui s'attachait à unifier l'ancien beylicat d'Oran, lui fournissant même des armes contre les tribus rebelles dont certaines comme les Douairs et les Smelas recherchaient notre alliance. Le traité de la Tafna signé par Bugeaud, reconnaissait à Abd el-Kader la souveraineté de l'ancien Titteri lui permettant de cerner le Sahel, Blida, la Mitidja. Bugeaud, alors hostile à la conquête et à la colonisation, confiait la police de l'intérieur à un prince dont le texte arabe du traité ne faisait même pas un vassal.

Mais Clauzel, redevenu gouverneur, engagea à l'Est la France dans une politique différente, tentant de renverser Ahmed, bey coulough li de Constantine. L'expédition de novembre 1836, mal préparée, conduite dans une saison rigoureuse sur les hauts plateaux, aboutit à un échec que le successeur de Clauzel, Damrémont, sous peine d'une déconsidération de notre force, dut venger l'année suivante en s'emparant de Constantine au prix de très lourdes pertes. Lui-même fut tué.

Le général Valée, artilleur venu participer au siège, fut prié de rester comme gouverneur. Secret, autoritaire, peu aimé de ses subordonnés, il était intègre et éclairé. Il consolida par des camps les zones d'occupation européenne, entreprit de grands travaux, voulut organiser une colonisation officielle au lieu d'une colonisation anarchique. Il songea à donner aux Européens une administration civile. Il organisa la province de Constantine : le triangle Bône-Constantine-Stora qui permettait de relier la ville principale à la mer fut administrée directement, le reste de l'ancien beylicat partagé entre des chefs indigènes qui payaient tribut. Mais le déséquilibre de nos possessions était flagrant : de cet établissement de l'Est, on ne pouvait se rendre que par mer à Alger ; et au-delà du Sahel et de la Mitidja nous n'avions plus vers l'Ouest que des points isolés de la côte. Le traité de la Tafna nous plaçait « dans une position précaire, sans garantie, resserrés dans de mauvaises limites ».

Valée voulut marquer qu'il ne reconnaissait pas cet état de choses : en 1839, le duc d'Orléans, en visite officielle, rentra de Constantine à Alger par terre en franchissant le défilé des Portes de fer dans la chaîne des Bibans (28 octobre). Abd el-Kader, ainsi défié, opta pour la guerre : sa cavalerie ravagea les environs d'Alger, ruinant plusieurs années d'efforts agricoles, massacrant les colons. Valée ne sut concevoir la riposte qu'imposait la mobilité de son adversaire. En décembre 1840, il fut remplacé par Bugeaud.

Bugeaud et Abd el-Kader (1840-1847).

« Un homme résume en lui toutes les forces que l'Algérie nous oppose; il centuple les difficultés du sol et du climat, l'énergie des individus, la force agonisante du fanatisme religieux, s'élève enfin tellement au-dessus de ses compatriotes que nous ne pourrons rien tant que ce seul homme ne sera pas abattu... Cet homme est Abd el-Kader. » Ainsi dans *les Français en Algérie* (1843), Veuillot présentait-il le grand adversaire de la France.

Le pouvoir d'Abd el-Kader avait des origines religieuses. Son père, Mahi ed-Din, qui prétendait descendre du prophète, s'était établi à l'ouest de Mascara, dans une guetna, lieu de pèlerinage et de rencontre, près de laquelle se tenait une école coranique. Mahi ed-Din avait une réputation de sainteté et de savoir religieux qui s'étendait loin. En 1832, il avait été choisi comme chef de la Guerre sainte, mais avait échoué devant Oran. En novembre, les tribus renforcèrent leurs liens et mirent à leur tête Abdel-Kader, alors âgé de vingt-quatre ans, qui prit le titre religieux d'émir.

Au prestige du lettré, du cavalier, du pèlerin de La Mecque, Abd el-Kader joignait de grandes qualités personnelles : élégance et piété, austérité et charme, bravoure et générosité, sens de la justice et force de dissimulation. Il va tenter un effort remarquable pour unifier l'Algérie musulmane.

En 1840, il a pu fédérer les deux tiers du territoire algérien en encadrant les tribus par une hiérarchie de nouveaux pouvoirs : caïdats, aghaliks, khalifaliks. Les khalifas, lieutenants directs de l'émir, sont au nombre de huit, parents de celui-ci, marabouts réputés ou membres de grandes familles locales. Il a fallu certes imposer ce système par la force à l'anarchie des tribus. Il est plus solide dans la province d'Oran que dans celle d'Alger où les khalifas et les aghas mènent souvent des négociations parallèles avec les Français. Les tribus fournissent à Abd el-Kader des contingents d'irréguliers qui constituent sa principale force et dont la discipline en campagne est très relative. Mais elles lui paient aussi l'impôt sur les moissons et le bétail.

Grâce à ces ressources, Abd el-Kader dispose d'une petite armée régulière (10 000 hommes au plus), il organise des silos, des fabriques d'armes et de munitions dans des villes du Tell (Tlemcen, Mascara, Miliana) ou des villes nouvelles plus au sud, à l'abri des Français (Saïda, Tagdempt, qui fait figure de capitale où il bat monnaie). Mais l'émir lui-même n'y séjourne guère; il parcourt son royaume avec sa smala qui réunit sa famille, ses fidèles, ses trésors. Sa mobilité est son arme essentielle en face des Français qu'il ne peut aborder en bataille rangée, mais qu'il espère décourager par des coups de surprise et la complicité de tout le pays.

Peu de personnages ont fait l'objet de jugements aussi contradictoires que Bugeaud, l'adversaire d'Abd el-Kader. De petite noblesse périgourdine, engagé volontaire en 1804, puis officier sorti du rang, il se distingue dans les opérations de guérilla en Espagne. La Restauration — malgré ses déclarations de loyalisme — le place en disponibilité. Il se marie richement, et se fait l'apôtre des progrès agricoles dans le Périgord, payant d'exemple dans son domaine, organisant les premiers comices agricoles. La monarchie de Juillet le réintègre dans l'armée : Bugeaud est le geôlier à Blaye de la duchesse de Berry avant d'être envoyé en Algérie.

Son âpreté et sa brutalité se combinent avec le souci du bien-être du troupier, le désir de protéger l'indigène désarmé. Haïssant la liberté de la presse, il expose ses convictions avec une verve de grand polémiste et un grand mépris des faits. Chez ce personnage contradictoire, il n'est pas facile de doser le mélange de bonhomie bavarde et de roublardise secrète. Général et député de la Dordogne, il partage son année entre la Chambre où le ministère Soult-Guizot redoute ce partisan incommode, et Alger où il se conduit en proconsul. Aussi, le gouvernement n'ose-t-il lui mesurer les moyens qu'il réclame. Il aura plus de 100 000 hommes sous ses ordres, chiffre dont aucun de ses prédécesseurs n'aurait osé rêver.

Le mérite militaire de Bugeaud fut d'avoir trouvé la riposte à la conduite arabe de la guerre. Tout d'abord, en rendant le soldat aussi mobile que l'Arabe, en allégeant sa tenue et en supprimant le matériel lourd des colonnes; cela nécessitait l'organisation d'un véritable quadrillage de places de ravitaillement et la supériorité des Français dans la guerre de siège permit d'y intégrer la plupart des villes de l'émir. Quant au rôle des « colonnes mobiles », c'était essentiellement la razzia. Toute tribu qui avait apporté son aide à l'ennemi y était soumise, voyait ses villages incendiés, ses mois-sons détruites, son bétail saisi. Elle ne pouvait obtenir l'aman que par une soumission totale.

Dans cette guerre semblable à un « gigantesque jeu de barres », où l'ennemi fait très vite figure de gibier, on voit peu d'épisodes saillants sur une trame de fait dont certains, comme l'enfumade dans des grottes de tribus insoumises, suscitèrent des protestations de l'opinion. En 1843, un brillant raid conduisit le duc d'Aumale avec 500 cavaliers à s'emparer dans le Sud de la smala d'Abd el-Kader ; en 1844, celui-ci alla solliciter l'aide du Maroc ; le prince de Joinville bombarda Tanger et Mogador, tandis que Bugeaud, outrepassant les ordres du gouvernement, battait l'armée maro-caine à l'ouest d'Isly. Abd el-Kader, chassé du Maroc, la paix se fit avec l'Empire chérifien ; en 1845, une explosion populaire contre le conquérant, menée par des prophètes et des marabouts locaux, sembla tout remettre en question, mais fut assez rapide-ment matée. Abd el-Kader après un effort désespéré pour consti-tuer de nouvelles bases dans le Rif, pourchassé par le sultan, se rendit à Lamoricière (décembre 1847).

Bugeaud, devenu maréchal et duc d'Isly, n'était plus alors gou-verneur général. Son idée fixe en matière de colonisation avait consisté dans la création de villages cultivés par des soldats encore en service ou libérables. Lorsque le gouvernement estima pouvoir se passer des services du maréchal, il soumit à la Chambre les projets de colonisation militaire qu'il jugeait irréalisables : leur rejet entraîna la démission de Bugeaud que le duc d'Aumale remplaça comme gouverneur général.

L'Algérie à la fin de la monarchie de Juillet.

La situation de l'Algérie vers cette date reflète les incertitudes et la faiblesse du pouvoir. Tocqueville qui avait déjà proclamé que l'affaire algérienne était conduite « par le hasard » lut à la Chambre, en 1847, deux grands rapports où il précisait sa pensée. Constatant que « la domination paisible et la colonisation rapide de l'Algérie sont assurément les deux plus grands intérêts que la France ait aujourd'hui dans le monde », il ajoutait : « Rien n'y a révélé jusqu'à présent une pensée unique et puissante, un plan arrêté et suivi. » Et Tocqueville dénonçait la lourdeur de l'appareil administratif dont les rouages se bloquaient entre eux. Il aurait pu ajouter, qu'à part quelques fonctionnaires brillants, l'administration était médiocre ou vénale.

L'arbitraire de l'autorité militaire se rencontrait partout, souvent inspirée par la haine du « pékin ». Les militaires par contre, manifestaient un intérêt certain pour les Arabes, ceux-ci dûment vaincus et soumis. Bugeaud avait maintenu, au-dessous des officiers généraux commandant les subdivisions, l'organisation d'Abd-el-Kader, mais confiée aux grandes familles et, en même temps, morcelée en circonscriptions plus petites ; il entendait intéresser les tribus aux progrès de la colonisation agricole et affirmait que, pour celle-ci, c'était « la meilleure garantie ». Il était hostile au refoulement (que réclamaient certains Européens) et à tout cantonnement des tribus.

Cependant une population européenne, se renouvelant rapidement, affluait vers l'ancienne Régence. Au 1er janvier 1847, on comptait 47 000 Français, 62 000 étrangers (dont la moitié d'Espagnols). Mais il n'y avait que 15 000 colons et les villes d'Alger et d'Oran fixaient plus de la moitié des immigrants. Alger prenait l'aspect d'une ville neuve avec une société mi-militaire, mi-civile, des spéculateurs, des mercantis de toute race, des aventuriers. Elle était devenue le siège d'un évêché dont le titulaire, le truculent Mgr Dupuch, s'entendit fort mal avec Bugeaud.

Cependant les colons demeuraient l'élément d'avenir. La colonisation anarchique avait pris fin, c'était l'État qui délivrait les concessions en triant les candidats. Des ordonnances de 1844 et 1846 avaient annexé 200 000 ha au domaine, dont 168 000 dans la région d'Alger : biens du beylicat, biens habous, biens confisqués après les massacres de 1839, biens des propriétaires qui avaient été spoliés faute de produire leurs titres, etc. Le directeur de l'Intérieur, Guyot, portait surtout ses efforts de création de villages vers le Sahel, fournissant des secours ou l'aide d'une entreprise aux colons qui s'installaient. En concurrence, le colonel Marengo et ses condamnés militaires bâtissaient entièrement les maisons et faisaient les premiers défrichements. Le problème de la colonisation de l'Algérie passionnait l'opinion et les brochures d'inspiration philanthropique, saint-simonienne, fouriériste, capitaliste, se multipliaient. Pour les cultures, le bon sens commençait à triompher : on renonçait à l'indigo ou au coton pour faire des céréales, du tabac, de la vigne et planter des mûriers.

Mais la conquête avait forgé une armée de métier, imbue de son indépendance, méprisant à la fois la légalité et la science militaire; à côté d'une minorité d'hommes remarquables, souvent les plus anciens « algériens », comme Lamoricière, Duvivier, Cavaignac, Bedeau, on y voit poindre déjà les hommes de main du 2 décembre.

7. La France et le Pacifique

La pénétration du Pacifique au commerce, à la civilisation, à la colonisation des blancs est un des grands faits de la première moitié du XIXᵉ siècle. La France avait pris au siècle précédent une très large part à la découverte des terres australes; la marine militaire renaissante de la Restauration renoua avec cette tradition des grands explorateurs : les expéditions de Freycinet, Duperrey, Bougainville fils, Dumont d'Urville, Tromelin, Laplace, firent « entrer le Pacifique dans le cadre des sciences humaines ».

Mais aux alentours de 1830, le commerce des façades de l'Océan prenait une importance nouvelle. Vers l'Est, la monarchie de Juillet reconnaissait les nouveaux États d'Amérique latine et tentait d'y implanter notre commerce à côté de celui des Anglais. Les succès furent variables. Mais Valparaiso devint une base importante pour nos voiliers.

Vers l'Ouest, le consul général à Manille, Adolphe Barrot, fut chargé de relever notre commerce d'Extrême-Orient, presque insignifiant en 1830.

Ses rapports furent l'origine de nos tentatives vaines pour occuper la baie de Tourane et l'îlot de Basilan, au sud des Philippines. En Chine, au lendemain de la guerre de l'opium, la mission Lagrenée reçut un bon accueil des représentants de l'Empereur : le traité de Wampoah accorda à la France les mêmes avantages commerciaux qu'à l'Angleterre et, en outre, la protection des missionnaires catholiques.

La France songea par ailleurs à installer des colons en Nouvelle-Zélande, mais le projet échoua et les Anglais s'y installèrent en 1845.

Mais le besoin se faisait surtout sentir de créer des points d'appui pour notre marine, d'assurer la police des baleiniers qui quittaient les champs de pêche appauvris de l'Atlantique Sud pour le Pacifique encore riche en cétacés, de soutenir les missions catholiques confiées par le pape Grégoire XVI à deux ordres français, les pères de Picpus pour la partie orientale de l'Océan, les maristes pour la partie occidentale. La première constituait un vicariat apostolique dont l'évêque s'établit aux îles Gambier (1836), la seconde eut un évêque en Nouvelle-Zélande mais avec pour centre d'action essentiel les îles Wallis et Futuna. Le processus amena les îles Marquises à être en 1842 soumises au protectorat français par l'amiral Dupetit-Thouars; Wallis et Futuna (1842), les Gambier (1844) « offrirent » elles aussi à la France de les protéger; elle renonça à le faire officiellement parce qu'elle voulait maintenir l'accord avec l'Angleterre, mais l'influence française y fut dominante.

Ces missions catholiques se heurtaient aux missions protestantes anglaises, soutenues par la London Missionnary Society, qui occupaient de solides positions. C'est ainsi que Tahiti était devenu le centre de rayonnement des pasteurs méthodistes et l'un d'eux, Pritchard, le conseiller écouté de la reine Pomaré, avait fait refouler deux prêtres catholiques qui s'y étaient présentés et Dupetit-Thouars avait exigé des réparations. Palmerston en 1839 avait refusé le protectorat britannique aux demandes de Pritchard. C'est en profitant de l'absence de celui-ci et en supposant qu'il le demanderait à nouveau, qu'en septembre 1842, Dupetit-Thouars fit accepter le protectorat français, qu'il transforma en annexion pure et simple, à la suite de troubles, en novembre 1843; Pritchard qui les avait provoqués fut alors expulsé. A la suite du différend franco-anglais provoqué par son expulsion, on revint au régime du protectorat et Guizot souleva l'indignation de l'opposition en accordant une indemnité à Pritchard pour les biens qu'il avait perdus.

La phase d'annexion de points d'appui a donc été très brève, Guizot et Aberdeen renonçant à des prises de possession qui pouvaient mettre les deux pays en conflit (par exemple : aux îles Hawaï). Elle n'en marque pas moins la réouverture à l'influence française d'un domaine lointain d'où elle paraissait presque exclue.

8

Les débuts
de la société industrielle

Longtemps avant la monarchie de Juillet quelques foyers en France ont fait connaissance avec le capitalisme industriel et surtout commercial; longtemps après la chute de Louis-Philippe, la plus grande fraction de la société française devait continuer encore à tirer ses ressources de l'agriculture et de l'artisanat. C'est sous le règne de Louis-Philippe cependant que s'opère le démarrage de la « révolution industrielle » même si le terme révolution semble peu convenir aux transformations de l'économie française plus lentes que celles d'autres pays. Cette lenteur entretient les décalages qui subsistent entre la situation économique ou sociale et les mentalités ou les sensibilités. La croissance économique, dont les bénéfices sont inégalement répartis entre les détenteurs du capital et les travailleurs, accapare les esprits; une petite minorité seulement cherche par des moyens souvent opposés à se soustraire au conformisme moral d'une époque moins soucieuse de créations intellectuelles et de foisonnement idéologique que la Restauration.

1. La coexistence des régimes économiques

L'ancien régime économique.

Il est encore caractéristique de l'activité du plus grand nombre des Français avant 1848. Prépondérance d'une agriculture tournée vers l'alimentation locale, avec des rendements souvent faibles et une polyculture destinée à la consommation des cultivateurs.

Prépondérance, dans l'activité industrielle, de l'industrie de consommation, la plus dispersée et la plus artisanale est celle du bâtiment, mais l'industrie textile (surtout la laine et le lin) et la petite métallurgie restent le plus souvent artisanales, mal équipées techniquement, mais valorisant la qualité et l'habileté du travailleur. Isolement et juxtaposition d'économies régionales et même locales en raison de l'insuffisance des transports. Cette population commence à connaître une natalité plus faible (au-dessous de 30 pour 1 000 habitants à partir de 1829) alors que la mortalité diminue faiblement tout en connaissant des fluctuations sensibles d'une année à l'autre, en hausse avec le choléra (28,5 décès pour 1 000 habitants en 1832) ou les mauvaises récoltes. La population connaît un accroissement constant mais irrégulier, surtout pendant les années 1841-1846 les plus prospères du règne.

Cette France à dominante agricole se situe principalement à l'ouest et au sud d'une ligne passant approximativement au-dessous de Caen, Le Mans, Saint-Étienne, Grenoble; nous en décrivons les principaux traits dans le volume suivant. Non que cette France stable ne connaisse les changements, mais il lui faut du temps pour les assimiler. Le plus souvent elle subit le contrecoup d'innovations qu'elle n'a pas désirées; ainsi la modernisation des transports ou de l'industrie commença-t-elle à rompre l'équilibre précaire auquel elle était arrivée, ruinant notamment dans bien des départements l'industrie rurale qui lui donnait un complément de ressources.

L'augmentation de la population française même lente (32,5 millions en 1831, 35,4 millions en 1846), jointe au développement de l'individualisme agraire, qui entraîne la soif de terres chez le petit cultivateur, provoquent une extension des cultures et des productions; les surfaces cultivées en froment augmentent de près de 20 % sous la monarchie de Juillet, celles consacrées à la pomme de terre de près de 50 %.

Le nouveau régime économique.

Il est dominé par l'industrialisation capitaliste, même si les capitaux investis sont encore le plus souvent d'origine familiale et proviennent des entreprises elles-mêmes. Le passage de l'industrie ancienne au capitalisme industriel moderne s'est opéré la plupart du temps à travers l'évolution d'entreprises familiales qui ont commencé tantôt modestement au stade artisanal, tantôt à partir d'une activité commerciale; d'autres chefs d'entreprise venaient de la terre et avaient abandonné, jeunes, leur village natal. On trouve même d'anciens officiers de l'Empire reconvertis dans les affaires. Certains chefs d'entreprise sous la monarchie de juillet ont commencé à travailler comme ouvriers et artisans, Auguste Mille (1782-1844) le premier à établir à Lille une machine à vapeur dans une filature; mais le cas devient de moins en moins fréquent, après 1840, de l'accès de salariés au patronat et les exceptions individuelles ne modifient guère le recrutement familial du patronat.

Le dynamisme industriel est marqué par un progrès technique mettant en œuvre l'adresse et l'expérience d'artisans, mais de plus en plus appliquant des découvertes scientifiques; c'est surtout le cas de la chimie dont les progrès sont liés aux procédés de fabrication de la soude et aux noms de savants connus, Gay-Lussac associé à la compagnie de Saint-Gobain dont il dirige les ateliers à Chauny, ou Frédéric Kuhlmann fondateur dès 1825 d'une entreprise déjà étendue dans le Nord à la veille de 1848. Des relations étroites s'établissent entre les principaux foyers de recherches (la faculté des Sciences de Paris, l'École polytechnique, l'Académie des Sciences) et l'industrie. Des alliances matrimoniales renforcent les rapports des milieux d'affaires, de la haute administration et des savants dont les découvertes scientifiques trouvent rapidement des applications industrielles. C'est ainsi que Thénard (devenu baron) était le gendre du manufacturïer Humblot-Conté député, puis pair de France, et le beau-père de l'ingénieur Darcy (frère d'un préfet) qui allait devenir un des grands capitalistes du second Empire.

Le progrès de l'industrie est lié aussi à l'utilisation de la houille et à son association plus étroite à la métallurgie. La production de charbon augmente de plus du double sous la monarchie de Juillet, elle passe de 1 490 000 tonnes en 1834 à 4 210 000 en 1845. Mais la consommation augmente plus vite si bien que les importations font plus que tripler (2 000 000 de t sur 7 000 000 de t). En dépit du protectionnisme de l'époque, les taxes à l'importation furent diminuées en 1836, facilitant l'arrivée de charbons anglais ou belges. Le nombre de machines à vapeur utilisées dans l'industrie passe de 625 à la fin de 1830 à 4 853 en 1847, et la puissance de ces machines augmente plus rapidement encore. Les chemins de fer (encore peu développés), la navigation à vapeur, le gaz d'éclairage qui se répand dans les villes, le chauffage domestique, tout cela contribue à développer la consommation de charbon. Son augmentation reste localisée près des zones de production ou près des grands ports d'importation en raison de la cherté des moyens de transport; en 1837 le charbon extrait dans la région de Saint-Étienne coûte à Paris plus de cinq fois son prix à la sortie de la mine; c'est aussi ce qui explique la dispersion des bassins, exploités même si leur gisement est peu étendu.

Le bois reste une source importante de combustible industriel pour une grande partie de la France. Aussi les maîtres de forges sont des propriétaires importants de forêts, d'autant plus qu'un certain nombre de nobles, petits ou grands propriétaires, participent à l'activité métallurgique. La fabrication de la fonte au bois persiste mais joue un rôle qui diminue en proportion, même s'il continue à se créer des forges catalanes; en 1846 il n'y a que 106 hauts fourneaux au coke, contre 304 au charbon de bois, mais les premiers affinaient déjà les deux tiers du fer.

La métallurgie française progresse surtout dans la production des machines à partir de 1835-1840 avec le développement d'industries nouvelles, la construction des chemins de fer et des bateaux, le développement du matériel agricole. La production de fonte passe de 197 000 tonnes en 1824 à 439 000 en 1845. Seule la barrière douanière préserve la métallurgie française de la concurrence anglaise; mais ses difficultés restent nombreuses, les bilans souvent déficitaires attirent peu les capitaux. La métallurgie lourde est la plus handicapée par la rareté ou la cherté du charbon; les constructions métalliques, la fabrication de machines résistant mieux, dans la région parisienne, en Alsace, et aussi dans le centre. L'activité industrielle occupe trois fois moins de main-d'œuvre que l'agriculture; encore faut-il y comprendre les artisans du bâtiment, le secteur utilisant le plus de main-d'œuvre avec l'industrie textile.

L'industrie textile est le grand secteur industriel en France avant l'expansion industrielle, très dispersée géographiquement. Toutefois, à la différence de l'Angleterre, l'évolution est plus lente et les transformations de l'industrie textile n'ont pas joué en France un rôle aussi prédominant dans le mouvement d'industrialisation; le textile rural (surtout le tissage) a longtemps survécu. Le nombre des ouvriers employés dans la filature du coton et travaillant dans les fabriques ne dépasse celui des ouvriers à domicile (à la ville ou à la campagne) que vers 1835; il est vrai que cette dernière catégorie décline ensuite rapidement. Autre originalité, enfin, l'industrie cotonnière, bien que représentant le secteur le plus dynamique, n'est pas aussi prédominante qu'en Angleterre, par rapport aux autres secteurs du textile. L'industrie de la laine a plus de dynamisme en France; les importations de laine quadruplent en 1830 et 1845, tandis que la valeur des tissus de laine exportés fait plus que doubler. Soutenant davantage la concurrence anglaise, elle se place souvent à l'avant-garde des innovations techniques (avec le peigne mécanique de Godard à Amiens puis celui de Josué Heilmann en haute Alsace). Les progrès techniques améliorent la qualité des lainages; les tissus fabriqués en France présentent une très grande variété. Sedan, Aubusson, Elbeuf et Reims ont une production de qualité, Roubaix est en pleine expansion. Mais les fabriques de production plus grossière du Midi, du Dauphiné ou du Berry commencent à subir la concurrence du Nord, les manufactures du Midi se limitent de plus en plus à des draps communs et à des fournitures pour l'armée. C'est là un des aspects de la désindustrialisation du Midi sur lequel Maurice Levy-Leboyer a attiré l'attention.

L'ancienne industrie des toiles, diffuse surtout dans l'Ouest et le Nord-Ouest, traverse comme dans le reste de l'Europe occidentale une grave crise; très rurale, restée trop à l'écart de la mécanisation, elle ne peut soutenir que difficilement la concurrence des nouvelles manufactures mécanisées après 1830 dans le Nord en copiant les Anglais. L'industrie de la soie, dont nous verrons les caractères et les problèmes en étudiant la région lyonnaise, était une industrie travaillant pour l'exportation; elle se porte de plus en plus sur les productions bon marché. Or la production française est soucieuse de qualité plus que de bas prix pour des raisons à la fois psychologiques et économiques. C'est exact pour la soie, pour la laine mais aussi pour le coton.

L'industrie cotonnière offre les principaux exemples de modernisation industrielle présentés dans les chapitres sur les régions. La production connaît déjà une relative concentration, au moins géographique; les progrès sont bien plus rapides à l'Est qu'à l'Ouest; l'équipement des filatures a décuplé à Mulhouse entre 1814 et 1834 tandis qu'il triplait à Rouen qui reste encore le plus gros centre cotonnier français vers 1846. La croissance de la production, très sensible après 1815, est marquée par de graves crises, en 1827, en 1837-1839, en 1847, qui provoquèrent une prolétarisation des travailleurs (dont la vie a été bien décrite par Villermé) et aussi une modernisation technique plus rapide. Pendant la première moitié du XIXe siècle l'industrie cotonnière apparaît comme la première industrie motrice avec un taux d'accroissement de la production qui est à peu près le double du taux d'augmentation annuel de l'ensemble de la production industielle française.

Bien d'autres industries se développent, des industries anciennes qui se rénovent comme la fabrication du papier, des verres, du cristal, de la porcelaine; des nouvelles qui se constituent, l'éclairage au gaz, l'industrie chimique. Mais l'opinion s'inquiète souvent de ces innovations qui bousculent la stabilité sociale et l'équilibre économique.

Cette expansion économique doit son impulsion au libéralisme qui stimule l'action industrielle et la volonté de puissance; mais celui-ci provoque en contrepartie une aliénation par l'argent devenu la valeur suprême et une concurrence qui renforce — à travers des crises périodiques — le pouvoir des plus riches et des plus habiles.

L'agriculture moderne.

Les progrès agricoles contribuent-ils au développement du nouveau régime économique? Même si elle n'est le fait que d'une minorité réduite de propriétaires ou d'exploitants agricoles, il se développe une agriculture moderne, plus capitaliste, plus spéculative, commercialisant sa production. L'extension de nouvelles méthodes de culture ou d'élevage est le fait de notables instruits, parfois de légitimistes plus occupés de la gestion de leurs terres après 1830; ainsi le comte de Jouffroy-Gonsans rénova la Brenne dans l'Indre en amenant des Flandres des cultivateurs et des instruments aratoires. La multiplication des sociétés d'agriculture, des comices agricoles, des concours et expositions contribue à répandre de nouveaux procédés; l'augmentation du poids du bétail consécutive aux sélections et aux croisements est une des principales innovations. Le recul persistant des jachères, l'assèchement de marais, la fixation des dunes, l'élévation des rendements provoquent une expansion de certains secteurs de l'agriculture française.

L'évolution provient aussi de nouvelles techniques qui sont le résultat du progrès industriel, outillage plus moderne dont Mathieu de Dombasle est le promoteur le plus connu, il avait construit dès 1818 une machine à battre et son nom reste attaché à un modèle de charrue perfectionnée. Les engrais artificiels font leur apparition mais ne sont pas encore assez répandus pour jouer un rôle économique.

Toutefois ces progrès sont encore très lents avant 1840 et ce sont d'abord les plus riches propriétaires qui en bénéficient. Détenteurs à la fois de capitaux et de connaissances, ils renforcent par leur pouvoir économique leur pouvoir social et mêlent l'introduction du progrès technique chez les paysans de leur voisinage au maintien d'un paternalisme renforcé. Ce grand capitalisme agricole est plus solidaire des grands milieux d'affaires que du monde paysan.

Le capitalisme industriel et financier.

En dépit de la dispersion des établissements industriels, il s'opère déjà un début de concentration sous une double forme.

Concentration géographique car l'industrie appelle l'industrie; c'est le cas de Lyon, mais aussi de Paris, des régions du Nord, de la haute Alsace, de la basse Seine. Ce sont souvent les régions attirant les premières constructions ferroviaires (la région du Nord, de Mulhouse, de Rouen); ainsi s'accentue le déséquilibre régional; les départements les plus pauvres s'appauvrissent; dans les plus riches, les tensions sociales s'aggravent car l'accumulation des richesses ne profite qu'à un petit nombre de chefs d'entreprises.

Concentration économique aussi; parfois sous une forme horizontale, surtout dans les mines avec la Compagnie d'Anzin dans le Nord et surtout la Compagnie générale des mines de la Loire, dans l'industrie du cristal où l'on aboutit à un quasi-monopole de quelques grandes fabriques. Concentration verticale, avec Paulin

La circulation dans le Nord-Ouest vers 1840

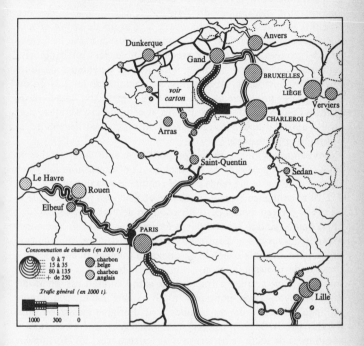

(Extrait de J. Vial, *L'Industrialisation de la sidérurgie française,
1814-1864*, Mouton, 1967.)

Talabot entraînant les Rothschild, s'intéressant au bassin houiller de la Grande Combe, au chemin de fer d'Alès à Beaucaire et aux constructions mécaniques de La Ciotat ; c'est aussi le cas des Kœchlin s'intéressant à Mulhouse à la filature de coton et aux constructions mécaniques. Cette concentration entraîne la formation de groupes importants rassemblant financiers ou banquiers, industriels, ingénieurs, hommes politiques et détenteurs de journaux. C'est surtout la construction des chemins de fer à la fin du règne qui les provoque et qui donne au régime son caractère de collusion entre le monde des affaires et celui de la politique ; non qu'il s'agisse d'une nouveauté mais le régime parlementaire et censitaire y prédispose.

Les banquiers jouent un rôle prépondérant sous la monarchie de Juillet. Jamais peut-être les Rothschild n'ont exercé une influence aussi grande : « Je me rends chez le roi que je vois quand je veux... il a toute confiance en moi, m'écoute et tient compte de ce que je lui dis », écrivait James de Rothschild en décembre 1840.

La haute banque est composée de quelques maisons anciennes souvent intéressées à d'autres activités, industrielles ou commerciales ; elles ont une clientèle de quelques familles riches. Il s'agit souvent de protestants et la communauté de religion établit une solidarité dans une large fraction du grand capitalisme financier, dont les sympathies politiques n'ont jamais manqué à Louis-Philippe. Plusieurs de ces familles sont d'origine suisse, ou sont passées par la Suisse ; les Mallet, les Delessert intéressés aussi à la raffinerie de sucre de betterave et aux assurances ; les Hottinguer, Odier, Vernes alliés par des mariages et apparentés aussi à des grandes familles de manufacturiers.

Les emprunts d'État, si abondants pendant toute la monarchie censitaire, représentent une des activités les plus lucratives de la haute banque car elle est indispensable à ses placements et les soumet (par entente et quasi-monopole) à des taux très avantageux pour les banquiers. Le placement des fonds publics, français ou étrangers, freine l'emploi des capitaux pour des activités plus productrices. La haute banque contrôlait presque tout le système bancaire par la gestion de la Banque de France. Celle-ci jouait un rôle important par l'émission des billets de banque, encore peu répandus (il n'y avait que des grosses coupures) et surtout par son règlement du taux de l'escompte qui déterminait, pout toute la France, les conditions du crédit commercial à court terme. Or la Banque de France, dont le gouverneur était nommé par le roi, était administrée par un conseil de régents et de censeurs qui se recrutaient principalement parmi les représentants de la haute banque. La stabilité des structures sociales de la Banque de France et ses relations étroites avec l'État la rendaient plus proche d'une administration que des entreprises industrielles. Les préoccupations de sécurité et de revenus (dividende des actions) l'emportent sur les préoccupations économiques, dans la mentalité de la majorité des régents.

C'est en dehors de la Banque de France que la modernisation de l'activité bancaire en vue de mobiliser les capitaux disponibles et de développer le crédit fut tentée par Jacques Laffitte sans que puissent encore s'implanter solidement des établissements de crédit. Les moyens demeurent traditionnels pour mobiliser l'épargne : fonction des notaires, des receveurs des finances, des usuriers. La Bourse de Paris voit le nombre des valeurs cotées passer de 38 en 1830 à 260 en 1841 pour s'accroître plus encore dans les années suivantes. Mais le bas de laine dans lequel le paysan ou le petit bourgeois enfouit les pièces d'or ou d'argent qu'il a économisées reste un obstacle au développement économique. Aussi malgré les ressources de la France, la mentalité dominante méfiante à l'égard du crédit (puis, après 1842, trop confiante) rend nécessaire l'importation de capitaux étrangers pour développer l'industrialisation. Prépondérance du capitalisme financier (souvent international) sur le capitalisme industriel, distorsion entre quelques foyers qui ont déjà atteint le stade de la société industrielle et la majorité du pays vivant encore sous l'ancien régime économique, antagonismes sociaux accrus par les inégalités que le libéralisme économique engendre dans la répartition des bénéfices du progrès technique, caractérisent cette société de transition. Ils provoquent une remise en question des habitudes de pensée et ébranlent les structures de la société.

2. Essor des socialismes utopiques et faiblesse du mouvement ouvrier

Le dynamisme de l'économie libérale trouvait sa contrepartie dans l'aggravation des inégalités sociales et même dans la paupérisation des travailleurs bien qu'il faille considérer avec réserve certaines affirmations intéressées de contemporains vantant à l'excès l'ordre ancien des choses, notamment celles de légitimistes comme Villeneuve-Bargemont.

A la différence de la misère paysanne plus dispersée et plus cachée, la misère ouvrière étalée à Lille, à Mulhouse, à Rouen, à Nantes, a une plus grande portée historique car elle sème dans le cœur des travailleurs les germes de l'agitation et de la révolte; c'est elle aussi qui amène la première prise de conscience (encore très isolée) du paupérisme (fait social) distinct de la pauvreté (réalité individuelle).

La volonté des classes dirigeantes de réduire la question sociale à une question morale suscite une réflexion contraire que Marx qualifia plus tard de « socialisme utopique ». Formulées déjà sous la Restauration, les idées socialistes se précisent et se diversifient avec le développement technique et industriel et avec le cortège de crises, de grèves et de misère qui l'accompagne. Leur caractère utopique tient à leur abstraction qui les rend peu accessibles aux masses populaires; mais aussi à l'absence de solution immédiate et rationnelle à une situation sans remède apparent. C'est précisément cette absence de contact avec la réalité, la conviction qu'il était vain de proposer des réformes ou des améliorations au système en vigueur qui donna aux théories des socialistes français leur caractère de construction complète d'une société radicalement nouvelle.

Les idées socialistes ont en commun la critique de l'économie libérale mais leurs théoriciens s'inspirent tantôt de la philosophie matérialiste du XVIIIe siècle, tantôt du christianisme évangélique, tantôt enfin des prolongements extrêmes de la Révolution (notamment du babouvisme). Elles diffèrent aussi sur la place réservée à l'État et sur la priorité à donner dans l'économie, à la production ou à la consommation.

Les saint-simoniens.

Les saint-simoniens prolongent la doctrine de Saint-Simon présentée plus haut ; sous l'impulsion de Prosper Enfantin, « pape » de la religion nouvelle, ils constituent une communauté socialiste à Ménilmontant ; elle tourne court rapidement et, déclarée illégale, ses membres sont poursuivis et emprisonnés quelques mois. Après l'expérience de Ménilmontant, le saint-simonisme éclate en plusieurs courants ; la plupart s'intègrent dans l'économie capitaliste en lui donnant même une impulsion par la vision synthétique qu'ils ont du progrès technique (par exemple Michel Chevalier devenu un des principaux rédacteurs du très officieux *Journal des Débats*) ou par l'intérêt porté aux problèmes des communications et du crédit (Prosper Enfantin, Talabot, les Péreire...). Un petit nombre toutefois évolue dans un sens socialiste et cherche un contact populaire par des missions en province ; celles-ci mêlent, à l'analyse économique et sociale, des rêves d'avenir pénétrés d'influences romantiques et une réhabilitation des sensations charnelles, qui est trop non-conformiste pour ne pas heurter l'opinion commune. Leur influence s'exerça surtout sur une fraction très limitée de la jeunesse bourgeoise qui trouve auprès d'eux un moyen de se distinguer de ses aînés en scandalisant la société bien pensante et monotone. Les saint-simoniens développent l'idée d'une étatisation des moyens de production et d'échange ; ils vulgarisent les idées d'association et d'organisation, même si celles-ci sont comprises différemment de leurs auteurs.

Surtout leurs préoccupations furent reprises et relayées par d'autres théoriciens ; que ceux-ci soient passés par une phase saint-simonienne comme Pierre Leroux ou qu'ils se soient opposés au saint-simonisme, comme Fourier.

Les fouriéristes.

Nous avons déjà vu que Fourier avait exprimé, avec un vocabulaire plein de néologismes, et une débauche d'imagination, toute une conception psychologique de l'homme en vue de fonder la société sur la satisfaction des passions et sur le travail attrayant. Or ses idées ont été vulgarisées sous une forme moins originale mais plus claire par l'école sociétaire et surtout par Victor Considérant avec *la Destinée sociale* (de 1835), l'*Exposition abrégée du système phalanstérien* (qui connut cinq éditions entre 1845 et 1848) et le journal *la Démocratie pacifique;* des brochures de la Petite bibliothèque phalanstérienne, intitulées l'*Anarchie industrielle*, l'*Organisation du travail, Le livret c'est le servage* furent souvent à l'origine des revendications sociales présentées en 1848 par les clubs démocrates. Le fouriérisme exerça une influence plus immédiate d'abord parce qu'il se présentait comme un socialisme plus préoccupé de la consommation que de la production (à la différence du saint-simonisme); ensuite parce qu'il mettait l'accent sur l'idée du travail attrayant alors que le travail devenait de plus en plus pénible avec la mécanisation ou l'accélération des cadences. Le fouriérisme critiquait les grandes villes, concevait les phalanstères (son idéal communautaire) comme des villages, réveillant ainsi l'illusion d'un retour possible à un âge d'or mythique. Il organisait aussi le travail par une division très poussée, et il concevait la garantie d'un minimum de subsistance assuré à chacun, une sorte de « salaire minimum garanti » avant la lettre. Enfin il exprimait une certaine aspiration au loisir, en ne concevant le progrès économique qu'en fonction des satisfaction des passions humaines, alors que le développement industriel de l'époque ruinait les fêtes traditionnelles sans permettre une nouvelle culture populaire.

Proudhon.

Le socialisme français est surtout marqué à la fin de la monarchie de Juillet par la personnalité puissante et contradictoire de Proudhon (1809-1864). Karl Marx, avec qui il polémiqua dès 1846, n'en a pas moins écrit : « Proudhon fut en France une étape de la pensée populaire ; il est l'un de ceux qui ont fait prendre à la classe ouvrière conscience d'elle-même. »

Ce fils d'un tonnelier franc-comtois et d'une cuisinière d'origine paysanne est homme du peuple, le fait est rare parmi les premiers théoriciens socialistes. Ouvrier typographe, maître imprimeur quelque temps à Besançon, une bourse d'étude de l'Académie de cette ville lui permet d'étudier en autodidacte l'économie politique. Il tire de sa réflexion en 1840 un premier mémoire *Qu'est-ce que la propriété ? ou recherche sur le principe du droit et du gouvernement ;* il entame une carrière de pamphlétaire et de contestataire de la société par le scandale que provoque la phrase : « Dieu c'est le mal ; la propriété c'est le vol. » Commis batelier à Lyon, il va souvent à Paris où il s'installe en octobre 1847, après avoir publié *le Système des contradictions économiques ou philosophie de la misère.* Sa pensée avant 1848 est dominée par une dialectique négative menée contre le profit du capital (sans réclamer la suppression de la propriété), contre l'État dont il dénonce les rapports d'autorité et de sujétion au profit des propriétaires, contre la religion en lui reprochant d'être une source d'aliénation (s'inspirant des philosophes allemands) et le fondement théorique de l'inégalité sociale. Cette triple critique de toute hiérarchie et de toute autorité l'amène à un anarchisme qui l'oppose aux autres socialistes. Hostile à l'activité politique et surtout parlementaire, il ne croit qu'en une révolution sociale venant de « l'initiative des masses ». Il dénonce l'antagonisme entre le capital et le travail, entre le machinisme et la dégradation des travailleurs, entre l'accroissement de la production et la misère populaire ; il défend une idée (encore confuse) de la justice comme fondement d'une société égalitaire et anarchiste, reposant sur une organisation spontanée et consciente.

Louis Blanc, Pierre Leroux, Philippe Buchez.

Mais le socialisme démocratique, à la fin du régime de Juillet, avait trouvé son leader, dissemblable en tout de Proudhon : Louis Blanc (1811-1882), bourgeois déclassé, journaliste républicain, rédacteur à *la Réforme* qui avait exprimé ses idées en 1839-1840 dans *l'Organisation du travail.* S'inspirant de la tradition révolutionnaire qu'il greffait sur l'analyse de l'évolution économique et des difficultés de la condition ouvrière, dénonçant la concurrence, principe du régime libéral dans lequel il voit la source des crises et des guerres, il compte sur la réforme préalable de l'État par le suffrage universel pour assurer la réforme de la société. Louis Blanc reprend des idées déjà exprimées mais il leur donne un plus grand retentissement en raison de ses talents d'orateur ou d'écrivain, de son aptitude à communiquer avec les foules et de son souci de la situation présente; aussi est-il populaire parmi les ouvriers parisiens à la veille de 1848.

Parmi les anciens saint-simoniens certains ont évolué vers un socialisme plus démocratique, ce fut le cas de Pierre Leroux (1797-1871) qui dirigea *la Revue indépendante* fondée par George Sand en 1842 puis *la Revue sociale;* une pensée profondément religieuse inspire ses idées sociales et esthétiques. Démocrate, il se rattache à Rousseau, dépasse la revendication de la seule égalité politique (tout en réclamant « le vote de tous ») et veut « organiser le milieu social pour le développement libre des individualités ». Pacifiste qui souhaite une Union européenne, il fut le penseur socialiste le plus influent sur les écrivains romantiques de son temps, George Sand mais aussi Victor Hugo et même indirectement Baudelaire.

Le socialisme chrétien (un « groupuscule » à l'époque) associe l'idée évangélique de fraternité à l'idée de justice sociale. C'est le cas de Philippe Buchez ancien carbonaro et ancien saint-simonien dont la pensée est dominée par l'idée du progrès; dénonçant l'« abus de la notion de propriété comme de la notion de liberté », il veut mettre « les instruments de travail à la disposition d'associations », il inspira un des premiers journaux ouvriers *l'Atelier* qui apparut en 1840. Buchez présente un socialisme démocratique reposant sur un idéal d'autogestion (sans le mot) et « d'émancipation ouvrière ».

Cabet, Blanqui.

La différence entre communisme et socialisme avant 1848 tient moins à l'idéologie qu'aux formes de propagation. Engels rappelle dans une préface (ultérieure) du *Manifeste du parti communiste* qu'en 1847 « ceux des ouvriers qui, convaincus de l'insuffisance des simples bouleversements politiques, réclamaient une transformation fondamentale de la société, se dénommaient alors communistes », et de citer notamment la doctrine de Cabet. Celui-ci, d'abord démocrate radical, à la suite d'un procès de presse, s'était exilé à Londres où il se convertit aux idées communistes qu'il exprime dans *le Voyage en Icarie*. Ce livre, sous la forme d'un roman didactique, publié en 1842 après son retour en France, décrivait une société communiste idéale fondée sur la recherche du bonheur en commun; son système accorde plus d'importance à la fraternité et à l'égalité qu'à la liberté; la liberté individuelle est même pratiquement supprimée dans l'intérêt commun. Cabet a cherché à s'adapter à l'ère industrielle par sa confiance dans les nouvelles inventions techniques (le travailleur icarien est surtout un conduteur de machine). L'État, un État centralisé et démocratique (avec le suffrage universel), est seul propriétaire, fixe le travail de chacun, distribue les biens de consommation et, par l'éducation, forme un esprit public conforme à la communauté.

Tout en empruntant à l'Évangile le caractère pacifique de sa propagande (en parlant du Christ prolétaire), la doctrine de Cabet convient par son égalitarisme aux aspirations encore confuses des travailleurs. Pierre Leroux parle de « la fascination qu'il a produite sur la classe ouvrière, par l'attrait du bonheur matériel, auprès des classes les plus déshéritées des grandes villes ». Bénéficiant de l'échec du blanquisme en 1839, et aussi de la simplicité de son système (une fois que le principe initial est admis), Cabet ne fait pas appel aux passions révolutionnaires; ses idées s'ajoutant à celles du fouriérisme (en dépit de leur contradiction) ont contribué au caractère non violent de la révolution de février. Martin Nadaud dans ses *Mémoires de Léonard* raconte que ses cours d'exposition des idées égalitaires réunissait « l'élite des ouvriers de Paris les plus dévoués à la République et à l'étude des questions sociales ».

Cabet en effet continue à participer à l'opposition radicale; par son *Histoire populaire de la Révolution française de 1789 à 1830* (les limites chronologiques sont intéressantes à noter) il se montre admirateur de Robespierre et de la Constitution de 1793 qu'il incorpore dans son système.

C'est aussi de la tradition de la Révolution que se réclament les héritiers des babouvistes; mais ils font reposer la transformation sociale sur la révolution politique et sur la conquête violente du pouvoir. Leur principal leader est Auguste Blanqui le fils d'un conventionnel, révolutionnaire de 1830, insurgé de 1839, en prison pendant une grande partie de la monarchie de Juillet. Dès cette époque il associe révolution, république et socialisme et dégage les notions de dictature du prolétariat et de lutte des classes.

Ce recours à la violence et à des sociétés secrètes (par exemple celle de Théodore Dezamy avec au plus 200 militants) correspond mal aux préoccupations à la fois humanitaires et utilitaires de l'opinion.

La diversité, ou même la contradiction entre elles des doctrines socialistes s'explique par le fait qu'il s'agit d'idéologies et non de mouvement, encore moins de mouvement populaire. Leurs idées, humanitaires ou utilitaires, ne sont guère accessibles aux ouvriers (et il ne s'agit que d'une infime minorité) que par l'intermédiaire de petits bourgeois ou d'intellectuels le plus souvent déclassés.

Naissance du mouvement ouvrier.

Le lent éveil des classes ouvrières ne résulte pas directement à ses débuts du progrès économique. Ce ne sont pas les ouvriers de la grande industrie naissante qui prennent les premiers conscience de la force qu'ils représentent par leur nombre et par leur travail collectif. Leur origine souvent rurale qui les amène brusquement dans des villes où ils sont la proie non seulement du patron mais aussi du logeur, de l'aubergiste, du contremaître, les conditions de travail et de logement, tout contribue à les maintenir dans un état de dépendance, d'inquiétude et d'abrutissement, dont ils s'évadent parfois par des actes individuels de délinquance et exceptionnellement par des mouvements collectifs violents, désordonnés et éphémères. Ce sont au contraire les métiers anciens ou ceux qui demandent plus d'ingéniosité (comme les typographes ou les charpentiers) qui sont les plus organisés. Organisation ancienne survivante, parfois, le compagnonnage bien que toléré par les pouvoirs publics se maintient dans les métiers les moins touchés par la révolution industrielle mais il est en déclin; les rivalités entre métiers cachent les antagonismes entre classes sociales.

Les sociétés de secours mutuels (importantes à Lyon, à Bordeaux, à Lille, à Paris) furent souvent des formes à peine camouflées du compagnonnage. Ces sociétés s'administrent elles-mêmes, élisent leurs délégués, perçoivent une cotisation qui permet de secourir les membres en cas de maladie ou d'infirmité; mais leur gestion est souvent médiocre. Ces associations se développent surtout parmi les artisans ou parmi les mineurs. Les ouvriers typographes comptent aussi parmi les premiers à être organisés. Dans quelques cas les sociétés de secours mutuels étaient pénétrées de traditions religieuses. Quelques-unes de ces sociétés présentent l'aspect plus moderne de sociétés de résistance, préfiguration de syndicats ouvriers qu'interdit le Code, dans la France de l'époque; c'est le cas de l'Union des doreurs, des fondeurs et mouleurs en cuivre, à Paris, d'associations de passementiers à Saint-Étienne, d'ouvriers en soie à Lyon, des typographes de Nantes, de la Société typographique à Paris. Ces sociétés sont suspectes aux autorités et notamment aux municipalités qui les accusent volontiers en cas de grève. Toutefois les grèves, qui ont été étudiées sous la monarchie de Juillet, apparaissent à peu près toujours des mouvements spontanés (et c'est souvent une des causes de leur échec) provoqués soit par l'introduction de machines, soit par une baisse de salaire (souvent déguisée par un allongement de la durée du travail ou de la façon) soit par toute autre cause immédiate de mécontentement. Mais les ouvriers ou les artisans emprisonnés ont noué, dans les prisons, des contacts avec des républicains ou des agitateurs communistes; ainsi s'est réveillée la tradition révolutionnaire encore vivante dans une large fraction du peuple parisien. Le mouvement ouvrier ne démarre que lentement en France, freiné par la législation individualiste, stimulé moins par des causes économiques (car les transformations de l'industrie ne sont ni rapides, ni générales) que par une modification de la mentalité ouvrière sous l'action conjuguée d'artisans et d'éléments issus de la bourgeoisie (des médecins par exemple). Or ce changement de mentalité est dû pour une grande part au refus des catégories dirigeantes de reconnaître une limite à la liberté patronale.

3. La vie intellectuelle et artistique

Le développement industriel opéré par une bourgeoisie soucieuse de profit et de pouvoir méconnaît l'art et la création littéraire ou les dénature en les utilisant au service de l'action et de l'apologie de l'individu. Ainsi la monarchie de Juillet voit s'opposer le bourgeois et l'artiste; tout en intégrant souvent le second dans les rangs les plus élevés de la société (Victor Hugo ou Musset), mais parfois en le réduisant à la gêne, sinon à la misère.

Le libéralisme qui forme l'idéologie de la bourgeoisie dominante s'appuie sur le rationalisme et la promotion de l'individu.

L'instruction.

L'application de la loi Guizot s'effectue lentement; avec des résultats inégaux selon les régions. Cependant le nombre des élèves a doublé dans l'instruction primaire sous la monarchie de Juillet, mais un fossé se creuse dans le domaine du savoir; les transformations économiques, qui changent les métiers, accélèrent la dégradation de l'apprentissage, prolétarisent le travail dans les secteurs les plus modernes, textile, métallurgie, mines où se séparent de plus en plus la qualification de l'ingénieur ou du chef d'entreprise et le travail manuel du prolétariat.

L'enseignement secondaire et les grandes écoles recrutent leurs élèves dans la bourgeoisie ou l'aristocratie, accaparent le savoir qui perpétue l'accès au pouvoir politique et social dans les mêmes catégories dirigeantes. Le collégien, presque toujours pensionnaire, coûte cher à sa famille, ce qui limite la croissance des effectifs, près de 100 000 à la fin de la monarchie de Juillet, en englobant les élèves des petits séminaires. Les bourses sont peu nombreuses (de l'ordre de 3 000) et concernent surtout les fils de fonctionnaires.

En dépit de la centralisation universitaire, il s'en faut que l'instruction donnée soit partout la même; les quelque 3 500 bacheliers reçus chaque année viennent surtout des collèges royaux de Paris ou des plus grandes villes de province et de quelques institutions parisiennes recevant les fils de la bourgeoisie; moins du tiers des élèves du collège Stanislas en 1840 étaient nés à Paris. Si l'on considère la promotion de 1840 de l'École polytechnique, 147 des 210 élèves reçus se sont présentés à Paris mais 100 seulement ont leur famille dans la Seine.

Monde fermé, l'Université et plus particulièrement l'enseignement secondaire vivent dans le culte de l'antiquité classique et des lettres anciennes. L'enseignement littéraire, qui domine très largement, ignore systématiquement presque tous les écrivains postérieurs au XVIIe siècle. Le débat, qui oppose dans l'opinion et le parlement défenseurs de l'Université et partisans de l'enseignement ecclésiastique, ne correspond aucunement à un nouveau conflit entre Anciens et Modernes; il s'agit dans les deux camps de défendre une tradition. Mais l'enseignement universitaire recherche une conciliation que semble offrir l'éclectisme, entre la philosophie et la religion considérées comme les deux sources de la Morale, entre l'antiquité gréco-romaine et la tradition judéo-chrétienne.

Peu nombreux, enfermés dans une discipline rigide, les professeurs, dont on reconnaît le désintéressement et l'érudition, ne sont guère les maîtres à penser de la jeunesse qu'ils éduquent, plutôt des rhéteurs et des sophistes transmettant un héritage culturel qui convient aux catégories dirigeantes et rentières plus qu'aux besoins d'une société en mutation.

Les académies.

Les académies qui comptaient des catholiques et des libéraux contribuaient largement à l'idéologie officielle et au style à la fois pompeux et bourgeois. Depuis la reconstitution en 1832 de l'Académie des sciences morales et politiques, l'Institut royal comprend cinq académies placées sous la protection du roi et administrées sous l'autorité du ministre de l'Instruction publique. Leur condition de recrutement par cooptation et la longévité de plusieurs de leurs membres contribuent à en faire la plupart du temps les défenseurs des idées et des goûts traditionnels; les académiciens, écrivains, artistes ou savants, sont devenus des notables mais sont bien souvent plus réputés pour leur notabilité sociale ou même politique que pour leurs créations. A l'Académie française, on retrouve, en 1840, 8 pairs de France, 7 députés, 3 anciens députés et 4 anciens pairs de la Restauration (dont le vicomte de Bonald). Chaque régime y a déposé ses partisans et les opinions littéraires ou politiques les plus contradictoires mais souvent assoupies avec l'âge, y voisinent; d'anciens républicains, comme Népomucène Lemercier ou Tissot, ancien député du Directoire compromis dans le mouvement babouviste; une dizaine de partisans de la Restauration (dont Frayssinous et Chateaubriand); la monarchie de Juillet y vit entrer ses principaux ministres, Thiers, Guizot, Molé. Favorisant le journalisme (De Jouy, plus tard Saint-Marc Girardin), les écrivains politiques (Royer-Collard, Alexis de Tocqueville), l'Académie française ouvre ses portes non sans mal à Victor Hugo, à Sainte-Beuve et à Alfred de Vigny alors qu'elle a été bien plus accueillante pour Scribe.

L'Académie des sciences, au contraire, réunit la plupart des grands savants français de son temps; c'est aussi la plus critique envers le régime, ses deux secrétaires perpétuels sont deux radicaux Flourens et Arago qui étaient à la tête de tout un groupe aux idées avancées et que *la Revue des Deux-Mondes* accusait de régenter le monde des savants. L'Académie des sciences morales et politiques était la plus politisée (9 pairs, 6 députés, 3 anciens députés en 1840 sur ses 30 membres), la plus officielle (21 hauts fonctionnaires), la plus riche.

Les théâtres.

Les théâtres reflètent aussi la culture officielle. Les grands tragiques ont toujours leur public alors que le drame romantique objet de divisions, de lutte (*Hernani*, *les Burgraves*) ne rallie qu'une fraction des spectateurs. La bourgeoisie et la haute société orléaniste font le succès de la comédie, dédaignée des romantiques. Eugène Scribe a l'art de flatter l'opinion et de retenir son attention dans ses pièces ou dans ses livrets d'opéra. *Robert le Diable*, *la Juive*, *les Huguenots* comptent parmi les grands succès de l'époque. Ces grands spectacles vont de pair avec la mode des ballets dont la *Gisèle* d'Adam est restée le prototype.

Il faut faire une place particulière à Alexandre Dumas; la bourgeoisie qui se passionna pour ses romans fit aussi le succès des pièces qu'il en tira ; *la Tour de Nesle, les Trois Mousquetaires, le Chevalier de Maison Rouge*, ses engouements libéraux n'empêchaient pas Alexandre Dumas de donner plus souvent le beau rôle au noble qu'au bourgeois. Mais fastueux, exubérant, vaniteux et truculent, il était lui-même un personnage.

Une certaine critique de l'affairisme est bien vue par les spectateurs bourgeois et Robert Macaire, une création du grand acteur Frédérick Lemaître, laissa un type social dans lequel chacun reconnaît son voisin plus que lui-même.

La presse et l'opinion.

Le conformisme intellectuel et social est à la fois entretenu et contesté par la presse. Celle-ci connaît un grand développement sous la monarchie de Juillet qui avait dû pour une part sa naissance à des journalistes. En dépit des restrictions apportées à la liberté de la presse, le nombre des journaux s'accroît aussi bien à Paris (une vingtaine de quotidiens, en 1845, près de 230 journaux ou périodiques) qu'en province (environ 520 publications périodiques en 1845 dont 245 journaux politiques souvent bi ou tri-hebdomadaires) ; presque tous les chefs-lieux d'arrondissement ont au moins un journal d'affiches et annonces.

Le tirage des quotidiens parisiens quadruple presque entre 1830 et la chute de Louis-Philippe : la moitié au moins est expédiée dans les départements. On voit aussi les débuts de la grande presse dont Émile de Girardin fut l'initiateur avec le journal *la Presse* lancée en 1836, avec un prix de vente plus bas grâce à la publicité (l'abonnement est fixé à 40 F au lieu de 80). Mais la même formule est utilisée par la gauche dynastique avec plus de succès encore puisque son journal, *le Siècle*, au lancement duquel le banquier Laffitte a contribué, connaît les plus forts tirages, près de 40 000 en 1847. Avec des fluctuations, des périodes difficiles même, ces journaux, dont l'impression reste artisanale, deviennent des affaires et influent sur les affaires et sur la Bourse ; un ancien saint-simonien, Charles Duveyrier, concentre au profit de sa Société générale des annonces la publicité des quatre principaux journaux de Paris, *la Presse, le Siècle, le Constitutionnel* et *le Journal des Débats*.

Lois	Statut légal	Contrôle préventif
Loi du 21 octobre 1814 (loi provisoire dont les dispositions ont été en vigueur pour l'essentiel jusqu'en 1819, sauf pendant les Cent-Jours.	Autorisation préalable.	Censure pour les écrits de moins de 20 feuilles (sauf une liste d'exceptions) jusqu'à la loi du 28 février 1817.
Lois « de Serre » des 17, 26 mai et 9 juin 1819.	Simple déclaration mais versement d'un cautionnement.	Pas de censure.
Loi du 31 mars 1820 (provisoire).	Autorisation préalable.	Censure.
Lois du 28 juillet 1821 et du 25 mars 1822.	*Idem*	Censure rétablie provisoirement en cas de « circonstances graves ».
Loi du 18 juillet 1828.	Déclaration et cautionnement.	Pas de censure.
Ordonnance du 25 juillet 1830.	Autorisation préalable.	Censure.
Lois des 8 octobre et 10 décembre 1830.	Déclaration et cautionnement.	Abolition de la censure.
Loi du 9 septembre 1835.	*Idem*	Censure des dessins.

relatives à la presse périodique

Délits de presse	Répression
Toutes formes d'attaque contre l'ordre ou les pouvoirs établis, y compris la propagation de nouvelles alarmantes.	Contrôle par la police. Procès devant le tribunal correctionnel. Dans certains cas, cours prévôtales (Lois des 20 et 27 décembre 1815).
Délits non spécifiques à la presse : outrages à la morale, aux mœurs, à la religion, offenses au roi, diffamation, injures.	Procès devant la cour d'assises (jury).
Idem	Possibilité de suspension administrative.
Introduction de « délits d'opinion » qui permettent de réprimer l' « esprit » d'un journal.	*Idem.* Procès devant le tribunal correctionnel.
Retour à la législation de 1819.	Procès devant le tribunal correctionnel.
	Confiscation administrative.
Délits non spécifiques à la presse.	Compétence du jury.
Offense au roi, mise en cause de sa personne à propos des actes du gouvernement, excitation au changement de régime, profession de foi républicaine, attaques contre la propriété.	Compétence du jury et dans quelques cas de la Chambre des pairs.

Principaux périodiques parisiens (1815-1848)

Archives philosophiques politiques et littéraires, 1817-1818

L'Atelier, depuis 1840

L'Avenir, 1830-1831

Le Bon Sens, 1832-1839

Le Charivari, depuis 1832

Le Censeur, puis *le Censeur européen*, 1814-1820 (avec des interruptions)

Le Constitutionnel, depuis 1815 mais en s'abritant parfois sous d'autres titres, par exemple, *le Journal du commerce*, 1817-1819

Le Courrier, 1819-1820

Le Courrier français, depuis 1820

La Démocratie pacifique, depuis 1843

Le Drapeau blanc, 1819-1827 puis 1829-1830

L'Étoile, 1820-1827

La France, 1834-1847

Le Globe, 1824-1832

Le Journal des Débats

Journal général de France, 1814-1819

Le National, depuis 1830

La Patrie, depuis 1841

La Presse, depuis 1836

La Quotidienne, 1815-1847

La Réforme, depuis 1843

Le Siècle, depuis 1836

La Tribune des départements, 1829-1835

L'Union monarchique, à partir de 1847

L'Univers, à partir de 1833

---

1. On trouvera une liste plus complète avec des indications sur les tendances politiques de chaque journal dans Ch. Ledré, *la Presse à l'assaut de la monarchie*, Paris, 1960, p. 251-259 et des notes substantielles sur tous les périodiques français dans l'ouvrage classique d'E. Hatin, *Bibliographie historique et critique de la presse périodique française*, Paris, 1866.

Dans ce dernier, la publicité était plus coûteuse en raison de la plus grande richesse de sa clientèle, et il obtenait une importante subvention sur les fonds secrets du ministère. C'est aussi l'époque des premières agences françaises d'information avec Charles Havas.

Les polémiques politiques ne doivent pas nous cacher l'homogénéité de la presque totalité des journaux quant à leur composition ; la chronique de la Bourse est assurée par les deux frères Pereire, l'un au *National*, l'autre pour *le Journal des Débats* ; les romans-feuilletons d'Alexandre Dumas ou d'Eugène Sue paraissent aussi bien dans *le Constitutionnel* que dans *le Journal des Débats*. Quant à leur contenu social surtout ; même si quelques organes légitimistes abordent les problèmes du paupérisme pour critiquer la bourgeoisie orléaniste, si *la Réforme* après 1843 introduit des préoccupations sociales dans ses éditoriaux (son tirage est par ailleurs très faible, 1 860 exemplaires).

Les préoccupations de la presse et l'image qu'elle donne de son époque traduisent les aspirations et les intérêts (même divergents) de la bourgeoisie. Les problèmes économiques et douaniers sont abordés dans l'optique des chefs d'entreprises et des producteurs ; les problèmes d'enseignement concernent surtout l'instruction secondaire ; mais c'est surtout l'activité politique qui retient l'attention et diversifie la presse. L'extension du régime représentatif, en multipliant les élections, nourrit l'information et le commentaire politique. Or les journaux, qui contribuent par l'information et par la formation de l'opinion à renforcer la cohésion sociale, sont aussi une source de remise en question du pouvoir et de l'autorité. Ce fut même une erreur des gouvernants (de Guizot après Charles X) de sous-estimer la puissance de la presse. Certes, elle ne déterminait pas l'opinion des notables, qui influençaient les journaux plus qu'ils n'étaient influencés par eux. Mais les journaux forment l'opinion de la petite bourgeoisie ; même si celle-ci n'a pas le droit de vote politique, c'est à tort que Guizot n'attache pas d'importance à l'hostilité contre lui de la très grande majorité des journaux parisiens.

Le développement de la presse, contrôlée ou possédée le plus souvent par des notables, n'en portait pas moins atteinte au système social reposant sur leur prépondérance. A leur autorité personnelle, directe, commence à se substituer — au moins à

Paris et dans quelques grandes villes — cette force collective, insaisissable et complexe, l'opinion publique; même si elle n'est encore constituée que par une minorité de la nation, il s'agit des catégories sociales urbaines, les plus dynamiques.

La monarchie de Juillet a vu se diversifier la presse avec le développement des revues, parmi lesquelles *la Revue des Deux Mondes* s'impose vite, atteignant les 2 000 abonnés en 1843; avec la presse féminine qui joue un rôle important dans la diffusion et le renouvellement de la mode, avec la presse spécialisée (agricole, médicale, religieuse...). Le journal reste une entreprise artisanale mais c'est déjà un moyen d'expression d'une société urbaine et industrielle; c'est précisément ce qui, en dépit du développement de la presse régionale, assure toujours la prépondérance de la presse parisienne.

Le romantisme et son évolution.

Par son existence même, et par son évolution et ses aspects contradictoires, le romantisme oppose l'art et la bourgeoisie comme si le triomphe de celle-ci suscite contre elle une réaction intellectuelle et esthétique. Un courant traditionaliste subsiste associant, dans une même réprobation, rationalisme et esprit révolutionnaire. Le royalisme de la Restauration avait engendré le premier romantisme; par un choc en retour le légitimisme de la monarchie de Juillet est influencé à son tour par le romantisme. Ce romantisme de droite reste illustre avec Alfred de Vigny sans oublier Chateaubriand, mais il s'étend en province, façonne le comportement d'une partie des légitimistes en les détournant de l'action et en leur faisant trouver, dans l'expression littéraire de leurs sentiments, un encouragement au refus du présent et à la révolte (verbale) contre le système établi. A défaut de l'avoir suffisamment aidée, les jeunes légitimistes ont fait de la duchesse de Berry, captive à Blaye, un thème littéraire. Antibourgeois (et c'est par là surtout que Balzac, dont la pensée fut souvent proche du légitimisme, fut romantique), le romantisme sous la monarchie de Juillet entraîne à gauche ceux qu'ont déçus le libéralisme (qui justifie les situations présentes) et plus encore les libéraux devenus conservateurs. Mais ce nouveau romantisme est moins lyrique, moins individualiste, et plus social, plus réaliste; il remplace le mal du siècle par la crise de confiance dans la société.

Un nouveau romantisme révolutionnaire, celui que décrivit plus tard Victor Hugo dans *les Misérables*, celui que représente Delacroix dans son tableau *la liberté guidant le peuple*, apparut après 1830, démocrate, patriote, socialisant; il inspire le Lamennais des *Paroles d'un croyant* (1834), les *Chants d'un prisonnier* d'Alphonse Esquiros ou Jules Michelet.

Le refus du monde présent invite au rêve, repoussant une situation sociale stérilisant la jeunesse intellectuelle si elle ne se soumet pas aux normes et aux valeurs de la société dominante. C'est la quête d'un Gérard de Nerval : « L'avide curée qui se faisait alors des positions et des honneurs nous éloignait des sphères d'activité possibles. » C'est le cas aussi des débuts de Théophile Gautier auteur des *Jeune-France* (1833) et de *Mademoiselle de Maupin*, dans laquelle on peut lire : « Tout est indifférent à tout. »

Le rêve conduit parfois à l'utopie qui est une autre forme du refus du présent. Nous en avons vu certains aspects avec la pensée socialiste mais il y en a d'autres. Car l'utopie est à la fois transposition littéraire et exigence ou transfert individuel; elle est suspension de l'histoire quand l'évolution n'offre pas d'espoir de changement. A ce titre elle est subversive.

La subversion intellectuelle n'est le fait que d'une infime minorité qui vit à Paris ou qui y prend vie. La vie de bohème en est un aspect; Henri Murger l'a dépeinte peu après (en 1851). Certains de ses représentants ont posé des jalons sur la voie qui devait mener bien plus tard au surréalisme, Petrus Borel l'auteur en 1833 de *Champavert, contes immoraux*, précurseur de la littérature sauvage, Aloysius Bertrand.

Une littérature de protestation, d'analyse critique, apparaît, distincte du « remords social » qui anime à peu près la même époque des écrivains anglais. Avec Stendhal, avec Balzac, s'exprime une critique de la bourgeoisie, plus psychologique chez le premier qui se rattache au libéralisme; plus sociologique chez le second. A un niveau inférieur, plus sceptique mais apprécié de ses contemporains, Louis Reybaud inaugure en 1832 avec *Jérôme Paturot à la recherche d'une position sociale*, une autocritique admise par la bourgeoisie. La littérature devient ainsi un exutoire aux idées dont la société officielle refuse toute application.

Romantisme et féminisme s'ouvrent sur des sentiments humanitaires dans les romans à la fois bucoliques et socialisants de George Sand ou, dans l'évangélisme révolutionnaire de Flora Tristan. L'émancipation des femmes, la réhabilitation des plaisirs sensuels se retrouvent à la fois dans les théories des saint-simoniens et des fouriéristes et dans la deuxième génération romantique qui rompt en cela comme en d'autres domaines avec le conformisme de la morale bourgeoise, silencieuse sur ces problèmes alors que l'époque voit s'accroître le nombre des demi-mondaines et des maîtresses entretenues. Le romantisme se pose ainsi en contre-valeur de la bourgeoisie du régime de Juillet : « Qui dit romantisme dit art moderne, écrit Baudelaire en 1846, c'est-à-dire intimité, spiritualité, couleur, aspiration vers l'infini. »

9

La crise de la fin du règne

Le régime de Juillet s'effondra en quelques heures en février 1848 avec une rapidité qui surprit les contemporains. Pourtant, dès avant février, il devenait manifeste à un nombre croissant d'observateurs que la situation ne pouvait continuer. A la fin novembre 1847 le socialiste Considérant, conseiller général de la Seine, et nullement révolutionnaire déclare dans un banquet à Montargis : « Nous voulons une réforme pour conjurer les tempêtes de l'avenir ». On connaît les paroles prophétiques prononcées par Tocqueville le 27 janvier 1848 à la Chambre : « Il existe dans le pays ce sentiment précurseur des révolutions qui souvent les annonce, qui quelquefois les fait naître. »

Non que des dangers précis aient pesé sur le régime. C'est bien plus la démission des catégories dirigeantes que la pression révolutionnaire qui provoqua la fin de la monarchie de Juillet, qui avait reçu des secousses bien plus fortes que celle de février 1848. Crise de conscience, crise conjoncturelle, crise de structure d'une société et d'une économie opérant difficilement leur passage dans une société industrielle, on retrouve ces trois niveaux plus en profondeur, mais ils sont compliqués en surface par des événements d'ordres divers. Une rupture de l'alliance anglaise qui amène le régime à se solidariser avec des puissances contre-révolutionnaires, ce qui est interprété par une grande partie de l'opinion française comme un reniement de ses origines; un souverain vieilli et un ministre trop sûr de lui; des mauvaises récoltes et des scandales compromettant des dignitaires du régime. C'est de cette conjonction des mouvements en profondeur et des événements en surface que jaillit l'étincelle révolutionnaire de février 1848.

1. La crise économique et financière

La prospérité n'était pas aussi complète que la presse conservatrice l'affichait au milieu de 1846; inversement la situation ne fut pas partout à la fin de 1846 et en 1847 aussi catastrophique que la présentaient de nombreux journaux. La dépression comme la prospérité ont leurs îlots d'exception — parfois des régions entières — car le marché national n'est encore qu'imparfaitement constitué. Dans la France de 1846 encore à nette majorité rurale, l'économie est encore soumise aux fantaisies de l'atmosphère; mais si la crise commence par être agricole, les difficultés qui en résultent dans les autres secteurs économiques évoluent ensuite selon leur propre impulsion.

Les mauvaises récoltes de 1846.

Dues à l'excessive sécheresse de l'été ou au contraire à un mois de juillet trop pluvieux en Normandie, elles ont rendu la situation d'autant plus grave que certaines régions n'avaient connu dès 1845 qu'une mauvaise récolte de céréales. La crise agricole affecte différents aspects; le plus grave est la mauvaise récolte des céréales car le pain commande encore l'alimentation populaire. La faiblesse des récoltes provoque une hausse disproportionnée des prix car les spéculations et les accaparements par crainte de la disette faussent le marché. Dans la région de Caen l'hectolitre de blé passe de 22 F en mai 1846 à 46 F en mai 1847. Le seigle, céréale du pauvre, passe dans la Sarthe de 14,9 F l'hectolitre en juillet 1846 à 42 F au printemps 1847. La sécheresse des chiffres révèle la détresse que la hausse corrélative du prix du pain a pu provoquer; elle traduit aussi les disparités régionales et même locales. Mais dans certains départements la récolte, médiocre certes, ne mettait pas en cause cependant l'alimentation de la population; la spéculation, les achats pour d'autres départements, haussèrent les prix et provoquèrent les réactions des habitants, c'est ce qui se passa dans la Mayenne; n'avait-on pas dénombré sur la route de Laval à

Sablé, en une seule journée de janvier 1847, 92 voitures exportant du blé. La connaissance de la crise (à une époque où l'information est très inégalement répartie) est un facteur de sa propagation.

La pomme de terre, autre produit de remplacement, avait déjà connu un déficit des récoltes en 1845, et celles-ci vont rester mauvaises au-delà de 1848. Crise aussi de l'élevage, marquée par une dépréciation de ses produits, la pénurie des récoltes fourragères (notamment en Normandie, en Bourgogne) amène les éleveurs à vendre leur bétail; de plus le développement du troupeau bovin, avec l'extension des prairies artificielles, entraîne une surproduction et une concurrence entre les pays d'élevage qui se mettent à engraisser leurs jeunes veaux (en Poitou, dans le Maine...) et les pays traditionnels d'embouche comme le pays d'Auge. Or en temps de crise la consommation de viande baisse.

La crise agricole obligea le gouvernement et les autorités locales à intervenir car les troubles agraires ne peuvent être résolus seulement par des mesures répressives. Les autorités et la presse dans un premier temps avaient minimisé la crise, *le Moniteur industriel* indiquait le 4 octobre 1846 : « Ce n'est pas par manque de blé que l'on souffre aujourd'hui et que l'on souffrira demain, c'est parce que l'on a peur. » Pourtant la hausse du prix du pain, liée à des menaces de chômage que provoquait le marasme des affaires (parfois indépendamment de la mauvaise récolte et antérieure à elle), provoqua vite quelque inquiétude dans les grandes villes; à Rouen, à Nantes, à Troyes où le préfet de l'Aube souhaite le 16 décembre une réorganisation de la garde nationale : « Dans une ville populeuse où près de 20 000 ouvriers peuvent se trouver fort malheureux cet hiver, à cause de la cherté des grains, il est possible que le gouvernement ait besoin, pour maintenir l'ordre, du concours de la garde nationale. »

Les troubles consécutifs à la disette se présentent sous des formes multiples, les plus fréquentes consistent en des attroupements dans les régions rurales pour entraver la circulation des grains; on empêche les blatiers d'enlever sur les marchés les grains qu'ils ont achetés, on décharge leurs voitures ou on les arrête sur les routes et dans ce cas le pillage est fréquent. Ces incidents sont surtout nombreux dans l'Ouest, dans le pays de la Loire et dans l'Indre. Mais les marchés sont troublés aussi dans des régions pourtant moins atteintes à Castelsarrasin, à Moissac, pendant tout le mois de février 1847; à Sainte-Foy en Gironde des hommes masqués menacent de mort les riches propriétaires s'ils envoient leur blé au marché.

Une autre forme est la vente forcée par intimidation, fréquente surtout dans l'Ouest; en Seine-Inférieure, les autorités locales ne veulent pas intervenir ou procèdent parfois à la répartition à un plus bas prix. Dans quelques villes les municipalités taxèrent le pain en subventionnant les boulangers. Enfin dans quelques cas l'incident tourne à l'émeute, surtout dans les villes. Des boulangeries sont pillées dans le Nord, le 12 mai 1847 à Lille, à Paris au faubourg Saint-Antoine. A Lisieux, la ville qui élit Guizot, le 31 juillet les ouvriers du textile sans travail pillent la maison d'un boulanger et font reculer la garde nationale. Dans le Haut-Rhin des désordres se produisent à Mulhouse, à Sainte-Marie-aux-Mines, à Thann. La plus grave émeute paysanne se déroule à Buzançais où un riche propriétaire est massacré par des paysans. Le récit des désordres agraires dans les journaux entretint une peur du désordre qui s'accrut sans cesse. Des bandes de mendiants parcourent les campagnes, de préférence celles qui sont le plus réputées pour leurs richesses; elles se présentent le soir dans les fermes. Il n'y a pas parmi eux que des traditionnels vagabonds, mais bon nombre d'ouvriers sans emploi ou de journaliers sans travail. Une grande peur se propage dans les campagnes avant même la révolution de Février. La répression est sévère. Parmi les émeutiers de Buzançais, trois sont condamnés à mort et plusieurs au bagne; 17 émeutiers de Lisieux sont condamnés à des peines de 2 à 7 ans de prison. Des troupes sont envoyées de Tours en Mayenne, de Paris et de Tours vers Le Mans, Angers, Châtellerault.

Des notables se préoccupèrent de faire venir les grains. A Lille l'Association de prévoyance constituée en mars 1847 par le raffineur Kolb Bernard et le filateur Scrive distribue des secours avec le bureau de bienfaisance de la ville et les efforts de la charité lilloise attirent les bandes de mendiants belges fuyant la misère de la Flandre. A Grenoble dans une région certes bien moins touchée, des sociétés de secours mutuels se sont chargées de faire venir des grains de Marseille. A Toulouse, à Montauban, à Bordeaux des bons de pain furent distribués aux indigents.

La récolte de 1847 fut satisfaisante sans pour autant faire disparaître la situation de crise qui avait atteint d'autres secteurs de l'économie. Mais même dans l'agriculture le contrecoup atteignit tous ceux qui avaient par crainte ou par spéculation, trop conservé de grains, provoquant de plus des faillites parmi les négociants notamment à Marseille.

Le contrecoup sur l'activité industrielle.

Il était inévitable que l'industrie fût touchée; la population appauvrie consacre désormais l'essentiel de ses ressources aux produits alimentaires plus chers. C'est l'industrie textile, la plus dispersée, qui est la plus atteinte par la mévente alors que la matière première laine et surtout coton reste chère.

Mais les transformations envisagées dans le précédent chapitre avaient provoqué, avant même la crise agricole, des difficultés dans l'industrie de plusieurs départements. Dans la région de Toulouse il existait déjà une situation difficile avant la crise agricole et les faillites s'étaient multipliées en 1844 et 1845. Les entreprises textiles à Castres et Mazamet avaient restreint leur emploi et leur salaire dès 1845. L'industrie du bâtiment en crise depuis 1844 voit l'inactivité de ses ouvriers s'aggraver en 1846 et 1847. Dans la région de Lille l'industrie textile qui a fait des efforts de modernisation est arrivée à un équilibre précaire que rompent les premières secousses dès que la crise agricole restreint les achats de la production textile; le nombre des chômeurs passe à Roubaix à 4 800 en février 1847 et à 8 000 en mai pour une population ouvrière de 13 000 ouvriers.

Dans le Calvados le nombre des faillites parmi les fabricants a doublé entre 1846 (déjà année mauvaise) et 1847 privant de leur emploi de nombreux ouvriers. Des fabriques ferment un peu partout et dans celles qui continuent à travailler, l'emploi et les salaires sont réduits; le préfet de Rouen estime en novembre 1847 que cette réduction de la rémunération ouvrière est de l'ordre de 30 % et il y a encore à cette date 1 600 chômeurs dans les ateliers de charité de la ville en dépit d'une certaine reprise. Dès lors la crise selon la conjoncture locale persiste ou s'atténue avec le dégonflement des prix des denrées alimentaires. Dans d'autres secteurs (métallurgie, travaux des chemins de fer) c'est la crise boursière et la spéculation qui provoquèrent la paralysie industrielle.

La crise financière.

La crise financière (et plus particulièrement monétaire) est plus complexe. L'insuffisance des récoltes de 1846 provoque des importations de grains et par conséquent des sorties d'or, surtout vers la Russie. Mais une autre cause a joué qui donne à la crise commencée en 1846 un caractère différent d'un simple mouvement cyclique; l'engouement récent pour les chemins de fer avait multiplié en 1845 les émissions d'actions en échelonnant les versements de fonds dans les mois à venir. Dès juin-juillet 1846 la baisse de certaines actions de chemin de fer a commencé, crise de confiance avant même que la crise agricole ne vienne l'aggraver par la rareté du numéraire disponible pour les émissions d'actions. Dès la fin 1846 les différentes crises (agricole, industrielle, financière) cumulent leurs effets et aggravent la situation commerciale et monétaire. La Banque de France s'inquiète de la diminution de son encaisse métallique (65 millions pour le seul mois d'octobre).

La hausse du taux de l'escompte à 5 % décidée le 24 janvier 1847 était à la fois un signe évident de la situation de crise et un moyen pour y remédier.

Les difficultés s'aggravèrent dans plusieurs régions avec la suspension ou la faillite des maisons de banque car la clientèle, défiante ou appauvrie, réclame ses dépôts et les crédits ne peuvent être remboursés. On note des faillites à Lisieux, à Montpellier, au Havre.

Les difficultés financières des compagnies provoquent tantôt leur faillite et la suppression totale des travaux (le Bordeaux-Sète, le Lyon-Avignon) tantôt la réduction de ce travail (pour la compagnie de Strasbourg). Au total à la fin de 1847, près de 700 000 ouvriers sont ainsi réduits au chômage, ouvriers des chantiers de construction ferroviaire ou des entreprises métallurgiques qui subissent le contrecoup. Toutefois, l'activité houillère, le secteur qui avait connu les plus récentes concentrations capitalistes, reste en progrès.

La crise en 1847 apparaît comme celle du capitalisme car elle déborda les frontières et s'aggrave sous l'influence de la crise qui sévit aussi en Angleterre (qui avait souscrit un grand nombre d'actions de chemins de fer français) et en Belgique. L'apparente reprise à la fin de 1847 ne cache que très médiocrement des dangers que la révolution de Février révéla en multipliant les catastrophes économiques au point qu'on la rendit responsable de tout le mal.

Les effets sociaux de la crise.

La misère agricole et ouvrière entraîne des troubles sociaux qui font rebondir à leur tour la crise, l'agitation sociale déjà signalée augmente la délinquance et inquiète la population. Dans les montagnes l'agitation gronde contre l'administration forestière.

La crise pèse sur la vie des populations et les conséquences démographiques sont évidentes. La mortalité s'accroît pour l'ensemble de la France, elle atteint 239 décès pour 10 000 habitants (contre 220 en 1844). La natalité diminue. Mais les différences régionales restent sensibles. En 1847 à Strasbourg les décès l'emportent sur les naissances, de même à Lille où l'on compte 29 000 indigents assistés sur les 76 000 habitants. Mais c'est aussi le cas dans les Basses-Alpes, en Haute-Garonne, dans le Tarn-et-Garonne.

Il en résulte aussi des troubles sociaux. Dans plusieurs villes (Tourcoing, Lisieux, Mulhouse...), ouvriers et chômeurs s'en prennent aux patrons. Des mouvements de grèves se multiplient en 1847, surtout dans le bâtiment et le textile, à Amiens en mai, à Roanne en juillet, et en octobre dans le Haut-Rhin, à Lillebonne, à Darnétal, à Elbeuf en Seine-Inférieure.

Autre symptôme, les caisses d'épargne voient en 1847 les remboursements l'emporter sur les versements pour la première fois depuis leur création. Le produit des impôts (et surtout des impôts indirects) diminua; le déficit des finances publiques s'accrut, l'excédent des dépenses (258 millions) fut le plus important depuis 1815.

L'État avait dû pourtant accorder des subventions aux bureaux de bienfaisance ou aux communes. Les municipalités qui avaient ouvert des ateliers de charité ou qui étaient intervenues dans l'achat de grains avaient vu en effet leur situation financière s'endommager;

parfois sans apaiser le mécontement des populations. C'est ainsi qu'à Montauban ceux qui étaient employés dans les ateliers de mendicité s'insurgèrent le 1er février 1847 contre l'inspecteur qui les surveillait.

A cela il convient d'ajouter la tension psychologique provoquée par l'inquiétude. La peur sociale s'est manifestée dans le monde des propriétaires, petits ou grands (car l'attachement à la propriété n'est pas proportionnel à son étendue) prête à renaître à la moindre alerte et à faire taire aussi les dissentiments paraissant jusqu'alors fondamentaux.

Enfin le manque de confiance paralyse longtemps la reprise des affaires et la retarde en dépit des bonnes récoltes de 1847.

L'opinion contemporaine devant la crise.

La crise semble achevée à la fin de 1847. La baisse du taux de l'escompte ramené à 4 % par décision du conseil de la Banque de France le 27 décembre semblait consacrer officiellement sa fin.

Après la tempête c'est l'heure des explications, de la recherche des responsabilités, la crise morale et la crise politique que nous analysons plus loin interviennent aussi dans les appréciations de l'opinion; la crise économique devait être imputée d'autant plus au ministère que celui-ci en annexant à son profit la prospérité précédente avait ouvert la voie à la personnalisation des responsabilités économiques.

Les dirigeants de la vie économique décelèrent aussi d'autres causes s'ajoutant aux mauvaises récoltes; en considérant que la gravité et la persistance de la crise étaient dues pour une bonne part aux déficiences du crédit, le journal *la Presse* déclarait le 25 juillet 1847 : « Notre système financier est à la science économique ce que sont les rouets des ménagères aux machines des filatures, ce qu'est le transport par messageries aux transports en chemin de fer. » Les investissements et les appels de fonds des compagnies de chemins de fer sont incriminées. Le grand nombre d'actionnaires et même de petits actionnaires contribue à sensibiliser le marché boursier; dès les premières baisses de cours, les vieux souvenirs des systèmes de Law ou des assignats resurgissent.

La crise complique la tâche des gouvernants et aussi les rapports sociaux, car les mécontents (l'actionnaire ruiné ou le négociant failli, le paysan affamé ou l'ouvrier sans travail, le vagabond arrêté ou le bourgeois appauvri) ont besoin d'imputer leur malheur à des hommes qui sont selon les cas, l'accapareur de grains ou l'administrateur de la compagnie ferroviaire, le maire, le garde municipal, le patron d'une manufacture, le banquier qui a refusé un délai ou le notaire qui a profité des circonstances pour prendre une terre à bas prix et, par-dessus tout, le roi et les ministres sous le gouvernement desquels ces épreuves sont supportées. L'opinion devient plus critique au moment où les classes dirigeantes apparaissent plus criticables.

2. La crise morale et idéologique des catégories dirigeantes

Crise d'autorité et peur sociale.

Les difficultés économiques et les troubles sociaux avaient déjà révélé dans plusieurs régions une peur sociale préjudiciable au prestige des notables. Le préfet du Loir-et-Cher indique en janvier 1847 que près de l'Indre... « Les riches habitants de la campagne abandonnent leurs demeures pour se réfugier dans la ville. »

Les milieux d'affaires négociants ou financiers furent soupçonnés plus que jamais ; c'est surtout la petite bourgeoisie, boutiquiers ou actionnaires, qui s'indigne de l'agiotage et des spéculateurs. Les administrateurs des compagnies de chemins de fer sont pris à partie par plusieurs journaux, ainsi *les Mystères de la Bourse* le 14 janvier 1847 les qualifie « d'hommes tout à fait incapables dont le seul mérite, aux yeux du vulgaire, est d'avoir fait une fortune scandaleuse ». Les conseils municipaux se plaignent de l'insuffisance de l'aide gouvernementale. La garde nationale hésite dans les villes à réprimer les troubles, la petite et même la moyenne bourgeoisie n'ont plus confiance dans un régime permettant la ruine et le désordre. Toutefois de nombreux notables se préoccupèrent des misères provoquées par la crise. Nous avons vu que des maires ou des notabilités firent venir du blé à leurs frais, pour les populations de leur ville ou de leur village. D'autres patientèrent pour la rentrée des fermages. Mais outre l'insuffisance de ces mesures, elles furent parfois mal interprétées; il est manifeste que la peur sociale qui devait tellement s'amplifier après la révolution de Février, s'est déjà manifestée avec la crise agricole et l'agitation agraire ou ouvrière de la fin 1846 et 1847. Le baron de Barante indiquait dans une lettre du 27 février 1847 : « Les classes inférieures sont devenues peu patientes. Un ferment de communisme se mêle à leurs appréhensions ou à leur mécontentement »; or cette inquiétude était antérieure à la vague de scandales révélés en 1847.

Les déficiences morales des catégories dirigeantes.

Elles traduisent pour une part le bouleversement de la hiérarchie des valeurs que provoquent la révolution industrielle, la croissance désordonnée et inégale des fortunes compliquées par les désordres suscités par la crise économique. Mais l'imputation est d'abord politique. La corruption électorale aussi bien pratiquée que dénoncée au moment des élections de 1846 déconsidère le régime représentatif. Pourtant la corruption électorale était moins apparente qu'en Angleterre ou aux États-Unis. Une série de scandales éclate en 1846 et 1847. Ce n'est pas le fait seulement des catégories dirigeantes, l'administration de la Justice dans ses rapports annuels associe l'augmentation des délits et des crimes à la crise économique et financière; il y avait eu 6 685 accusés traduits en cours d'assises en 1845, il y en eut 8 704 en 1847.

Deux grandes affaires surtout répandent l'impression de l'immoralité des catégories dirigeantes; à la suite d'un procès d'une compagnie minière dans lequel était impliqué le général Cubières, pair de France et ancien ministre, ce dernier fut accusé d'avoir en 1842 acheté le concours de Teste, autre pair de France qui était à cette date ministre des Travaux publics. Teste qui tenta de se suicider fut condamné en juillet 1847 par la Cour des pairs à trois ans de prison, lui et Cubières à la dégradation civique et à une forte amende. Le 18 août on apprenait l'assassinat par un autre pair de France, le duc de Choiseul-Praslin (qui devait se suicider en prison), de sa femme, la fille du maréchal Sébastiani.

D'autres affaires frappaient l'opinion; à Toulon un incendie (suspect) arrivait à propos pour faire disparaître la trace de dilapidations. Dans le budget de l'Algérie la Chambre découvrait de plus en plus d'irrégularités. Un pair de France, ambassadeur à Naples, le comte Bresson, se suicide le 2 novembre 1847; un autre tente de tuer ses enfants dans une crise de folie. Les questions de mœurs et d'argent mettant en cause de grandes familles s'étalent dans les colonnes de *la Gazette des Tribunaux;* la veuve d'un grand maître de forges, Aubertot de Coulange, demande l'annulation, pour insanité d'esprit, du testament de sa fille laissant ses biens à son époux le député légitimiste Combarel de Leyval.

D'autres actes, sans tomber sous le coup de la loi, ajoutent à la déconsidération de la haute société ; le népotisme sévit dans la fonction publique et dans la magistrature. Des romans de Balzac comme *Splendeurs et misères des courtisanes* ou *le Cousin Pons* (de 1847), les romans-feuilletons d'Eugène Sue ou d'Alexandre Dumas, dénoncés comme immoraux par les contemporains, donnent un portait caricatural, certes, des classes dirigeantes, mais avec des traits que ne dément pas la réalité quotidienne.

Ces défaillances ruinent le prestige des notables surtout aux yeux de la petite bourgeoisie qui lit les journaux. Mais elles inquiètent aussi les catégories dirigeantes elles-mêmes et les font douter de la légitimité de leur pouvoir, premier signe d'une démission.

Guizot lui-même écrivait le 8 septembre 1847 à Mme Laure de Gasparin : « ... personne ne juge l'état moral de notre temps plus sévèrement que moi et personne n'est plus convaincu que moi que le mal est profond. » Mais la crise de comportement était associée aussi à une crise de mentalité.

Le déclin de l'idéologie libérale.

Le libéralisme sortait doublement affecté de la crise qui pesait sur la France à la fin de la monarchie de Juillet, il était incomplet et épuisé. Incomplet car la liberté n'existait pas dans tous les domaines. Dans le domaine le plus spécifique du libéralisme, en économie, la revendication du libre-échange s'était faite plus urgente avec la crise qui avait rendu nécessaire une ouverture (provisoire) aux blés étrangers. Mais c'est aussi dans ce domaine que le programme du libéralisme apparaissait le plus épuisé. La crise économique avait révélé la nécessité de l'intervention de l'État dans la vie économique. Le libre jeu des initiatives individuelles ne semblait plus suffisant pour assurer la prospérité. Les idées d'intervention de l'État gagnaient du terrain soit dans le cadre de l'État existant (c'était l'attitude des hauts fonctionnaires comme le baron Charles Dupin, mais aussi d'économistes comme Dupont-White), soit en remettant en question à la fois le système social et le régime politique. Louis Blanc ou les fouriéristes accréditaient dans une partie de l'opinion les idées d'organisation du travail ou de « droit au travail ».

Car l'insuffisance du libéralisme apparaissait aussi dans le domaine politique; c'était une des faiblesses de l'opposition dynastique, dont le programme apparaissait surtout négatif, renverser le ministère.

La jeunesse bourgeoise, celle des écoles et des facultés de Droit, se détourne du libéralisme officiel, dans lequel elle ne voit qu'une annexion des libertés acquises au profit d'une minorité de riches. Elle s'enthousiasme pour Michelet, pour l'*Histoire des Girondins* de Lamartine; elle tire les conséquences extrêmes de l'apologie de la liberté; la liberté pour tous, l'égalité.

3. La crise politique

Toute révolution est politique, mais toute crise économique n'engendre pas une révolution. Pour que le mécontement social débouche sur une action révolutionnaire il faut qu'il se politise; il s'en prend d'abord aux hommes du pouvoir (le roi, les ministres) et c'est à travers eux qu'il atteint les institutions.

Le déclin du sentiment monarchique.

L'intervention du roi et de ses fils dans les affaires politiques et surtout diplomatiques provoque un affaiblissement très sensible du prestige de la dynastie. En dépit de l'anglophobie très répandue dans l'opinion française, la rupture de l'Entente cordiale afin de marier un des fils du roi, le duc de Montesquieu, à une infante espagnole apparut à beaucoup comme un succès plus dynastique que national. En dépit des lois de septembre la critique du roi, de sa roublardise, de son avarice (réelle ou supposée) se multipliait dans les journaux légitimistes ou radicaux. Les ralliements intéressés de légitimistes au ministère Guizot avaient renforcé la majorité conservatrice, mais leur sentiment envers Louis-Philippe n'avait guère changé. Par contre les faveurs qu'ils recevaient pour prix de leur défection démoralisaient les plus anciens partisans du régime de Juillet.

Toutefois la forme monarchique de l'État n'était nullement remise en cause dans le pays légal. C'était même pour en assurer la continuité que l'opposition dynastique déclencha la campagne des banquets.

La campagne des banquets.

Elle fut d'abord le résultat du blocage parlementaire. Le succès ministériel aux élections de 1846 décourageait tout espoir de renversement de la majorité, sans élargir l'électorat; or la nouvelle Chambre des députés ne pouvait que rejeter le 26 mars 1847 la proposition de réforme électorale de Duvergier de Hauranne (par 252 voix contre 154) et en avril celle de réforme parlementaire de Rémusat (par 219 voix contre 170). La première songeait à réduire le cens électoral à 100 F, à adjoindre des « capacités », deux catégories supposées favorables à l'opposition dynastique, la seconde multipliant les incompatibilités entre fonction publique et députation, visait donc directement un certain nombre de députés de la majorité. C'était demander à une majorité de se saborder elle-même.

C'est en intéressant l'opinion publique à la réforme électorale, en espérant qu'elle ferait pression sur le gouvernement, que l'opposition dynastique prend l'initiative d'une campagne de banquets accompagnés de toasts et de vœux de réformes. Cet appel au pays, par-dessus la Chambre, dont le caractère représentatif était ainsi contesté, remettait en question les structures politiques et ne rallia pas tous les opposants, ni Thiers, ni Dufaure, ni Rémusat ne voulurent y participer.

La campagne des banquets commença par celui du Château-Rouge à Paris qui réunit 1 200 participants le 9 juillet 1847; d'autres banquets furent tenus en province. Les thèmes développés dans les toasts concernent la réforme électorale mais aussi la réforme des mœurs politiques. On boit « à la conscience politique », « à la fin de la corruption ». Les problèmes sociaux, soulevés par la récente crise économique sont abordés souvent : « A l'abolition de la misère par le travail » (à Valenciennes), « à l'amélioration du sort des classes laborieuses », « à la classe ouvrière »; de même l'indépendance nationale et les problèmes de politique extérieure.

C'est le plus souvent un notable qui préside, député ou ancien député ou conseiller général; le banquet d'Arras est présidé par un colonel en retraite, à Rouen c'est l'avocat Sénard, à Strasbourg le bâtonnier Liechtenberger, qui est aussi conseiller municipal, à Saint-Quentin le maire de la ville. Les premiers banquets n'ont rien de révolutionnaire; un toast (obligatoire) « Au roi des Français » était d'abord porté. Mais peu à peu le mouvement se radicalise, surtout après le banquet de Lille où le 7 novembre Ledru-Rollin, ayant évincé Odilon Barrot, réclame le suffrage universel. Plus tard, à Chalon-sur-Saône, le 19 décembre, le député radical porte un toast « A l'unité de la Révolution française, à l'indivisibilité de la Constituante, de la Législative, de la Convention ». Les banquets de Dijon et d'Autun sont davantage dirigés contre le régime économique et social. Ces banquets regroupent quelques notabilités locales, des propriétaires rustauds et des boutiquiers endimanchés dont Flaubert s'est aimablement moqué; ils mettent en vedette des opposants dynastiques et des radicaux qui devaient quelques semaines ou quelques mois plus tard prendre le pouvoir dans leurs villes. Les quelque 50 banquets, qui se déroulèrent dans 28 départements, principalement dans le Nord, dans la région parisienne et dans les pays de la Saône et du Rhône, réunirent environ 22 000 souscripteurs. Même si l'on considère qu'au moment des discours les auditeurs étaient trois ou quatre fois plus nombreux, la campagne n'avait pas déclenché le mouvement d'opinion qu'espéraient ses promoteurs. Sous le prétexte qu'il ne fallait pas céder devant la menace, Guizot se refusait à toute concession dans l'immédiat ; le discours du trône à la fin décembre 1847 dénonçait les « passions ennemies ou aveugles » ce qui visait les banquets réformistes. Un amendement présenté par un député conservateur Sallandrouze souhaitant que le gouvernement prît l'initiative de réformes « sages, modérées, parlementaires » fut rejeté le 12 février par Guizot et par 222 voix à la Chambre (189 députés l'avaient approuvé).

L'opposition désemparée risposta en reprenant l'idée d'un nouveau banquet à Paris. dans un quartier populeux. le XIIe arrondissement, puis, par crainte d'un tumulte populaire qui les déborderait, Odilon Barrot et ses amis se résolurent à tenir leur banquet le 22 février, un mardi et non un dimanche, près des Champs-Élysées. L'inquiétude grandissait parmi les conservateurs, parmi les fils du roi (Joinville surtout) et même parmi les députés de l'opposition dynastique qui acceptent une transaction leur permettant de sauver la face aux yeux de leurs partisans.

Mais les chefs de l'opposition dynastique sont alors dépassés par les radicaux appelant les gardes nationaux et la jeunesse étudiante à défiler de la place de la Madeleine aux Champs-Élysées. Aussi le ministère interdit désormais toute transaction. « Le char est lancé et quoi que nous fassions le peuple sera demain dans la rue », avouait Odilon Barrot le 21 au soir à Duvergier de Hauranne.

La démission du régime de Juillet.

Il est trop facile aux historiens de présenter l'enchaînement des faits comme un rigoureux mécanisme, connaissant l'évolution ultérieure. Il n'y a pas de révolution politique sans événements révolutionnaires ; certes ceux-ci ne trouvent pas en eux-mêmes leur propre explication, ils se comprennent dans le cadre des structures mentales et sociales dans lequel ils se déroulent. Mais ce n'est pas non plus l'étude des structures qui trouve en elle-même le sens de l'évolution historique ; c'est l'événement qui est moteur de l'histoire et agent de l'évolution des structures. Des manifestants se sont réunis le 22 février en dépit de l'annulation du banquet réformiste interdit. Le 23 quelques barricades se sont dressées dans plusieurs quartiers de Paris ; la garde nationale dans les quartiers les plus conservateurs considère le maintien de Guizot comme un obstacle à l'apaisement. Le roi se résout l'après-midi à demander au ministère de démissionner et fait appel à Molé, ce qui déçoit les quartiers populaires de Paris. Molé au bout de quelques heures doit passer la main à Thiers tandis que la confusion augmente dans les rangs de l'armée et que les colonnes de manifestants se multiplient dans Paris. Un incident fortuit le soir aggrave tout, c'est la fusillade sur le boulevard des Capucines devant le ministère des Affaires étrangères où une cinquantaine de manifestants venus conspuer Guizot ont été tués par la troupe, qui transforme l'émeute en révolution. Ni les gardes nationaux, ni même les soldats n'oseront plus s'opposer à l'émeute.

La démission du régime, c'est d'abord celle du roi. Louis-Philippe vieilli (il a près de soixante-quinze ans), ayant perdu avec la mort de sa sœur Madame Adélaïde une conseillère de bon sens, arrivé sur le trône par une révolution, n'est pas en mesure de lutter contre une révolution. En février 1848, il a perdu le contrôle des événements; il s'est séparé trop tard de Guizot, affaiblissant ainsi le pouvoir au moment où on en avait le plus besoin. Ni Molé qui n'était pas l'homme d'une situation difficile, ni Thiers, ni Odilon Barrot qu'une longue habitude d'opposant ne prédisposait pas à prendre soudain en main la direction du gouvernement ne peuvent ou ne veulent agir.

L'émeute s'étend dans la journée du 24, le bruit de la fusillade se rapproche des Tuileries, Louis-Philippe signe précipitamment un acte d'abdication, en faveur de son petit-fils le comte de Paris et se sauve dans un fiacre par la place de la Concorde vers Saint-Cloud et de là en Angleterre.

Par son long entêtement à refuser de voir la réalité et un excès de confiance en son sens politique, puis au contraire son abattement et son abdication. Louis-Philippe emportait avec lui le régime de Juillet.

Démission de la Chambre aussi. Pourtant la majorité ministérielle y était nombreuse, mais les conservateurs ont été irrités de la démission réclamée à Guizot. L'annonce de l'abdication du roi jeta la confusion; la majorité plus ministérielle que dynastique, plus soucieuse de sa sécurité que du maintien d'un régime qui était en pleine décomposition laissa à des membres de l'opposition dynastique comme Odilon Barrot les quelques rares tentatives en faveur de la régence de la duchesse d'Orléans venue à la·Chambre des députés avec ses deux jeunes fils. Des insurgés, des gardes nationaux ont pénétré dans la Chambre et tandis que le président et la plupart des députés s'enfuient, Dupont de l'Eure occupe la présidence et lit, puis Ledru-Rollin relit une liste composant un gouvernement provisoire. Le régime de Juillet s'est effondré à Paris. « Contre une insurrection morale, il n'y avait ni à attaquer ni à se défendre », déclare plus tard Louis-Philippe, justifiant non seulement son abdication mais aussi l'abandon du régime de Juillet par ceux qui l'avaient soutenu et qui en avaient bénéficié. Cette double abdication, l'une durable, celle du roi, l'autre éphémère, celle de la bourgeoisie dirigeante, ne se comprend pas en fonction des seuls événements des journées de Février; il faut les confronter avec les différents aspects de la crise analysés précédemment et avec l'usure de structures sociales et politiques bloquées qui ont suscité aussi la combativité des classes populaires et l'accord de la petite bourgeoisie et du peuple des grandes villes contre la suprématie des notables.

Bibliographie et chronologie

C'est à la fin du second volume consacré à la France des notables que l'on trouvera la bibliographie et la chronologie générales de la période.

Table

COMPOSITION : FIRMIN-DIDOT AU MESNIL
IMPRESSION : HÉRISSEY À ÉVREUX (6-88)
D.L. 1er TRIM. 1973. No 3142-5 (45477)